suhrkamp taschenbuch 2454

Acht Jahre zögerte der Verleger von James Joyce aus Angst vor Zensur, bis er 1914 die *Dubliner* in der vorliegenden Auswahl publizierte. In einer ersten Rezension las man im Juni 1914 im *Manchester Guardian:* »Eine Vielzahl kleiner Sünden verbirgt sich in diesen Skizzen des Dubliner Lebens. Durch James Joyce' Texte zieht langsam eine Prozession deprimierter Gestalten, kleine Angestellte, Saufbrüder, Dienstmädchen, Pensionswirtinnen, die alle ihre Fröhlichkeit durch die Sünde oder den Gedanken an die Sünde bewahren. In der ersten Skizze ist ein Priester übergeschnappt, weil er einmal einen Abendmahlskelch fallen ließ ... Dann liebt ein Bankkassierer eine verheiratete Frau, unterdrückt seine Liebe und läßt es zu, daß die Frau dem Trunk verfällt. Ein verkommener Schmarotzer schwatzt einem Dienstmädchen zehn Shilling ab. Ein Angestellter wird dazu gebracht, die Tochter seiner Wirtin zu heiraten. Das sind die Geschichten des Mr. Joyce, aber sie sind mit echter Kunstfertigkeit geschrieben, die weder beschönigt noch verdammt, die nicht einmal moralisch abwägt. Diese Dinge sind so.« Gibt es noch einen Grund, diese Geschichten aus Joyce' Dublin *nicht* zu lesen? Und »der auf eine deutsche Übersetzung angewiesene Leser wird durch Dieter E. Zimmer zum ersten Mal in die Lage versetzt, dieser Prosa und ihren Herrlichkeiten überhaupt näherzukommen«. *Frankfurter Allgemeine Zeitung*

James Joyce, am 2. Februar 1882 in Dublin geboren, starb am 13. Januar 1941 in Zürich. Sein Werk im Suhrkamp Verlag ist ab Seite 233 dieser Ausgabe notiert.

James Joyce
Dubliner

Übersetzt von
Dieter E. Zimmer

Suhrkamp

Die vorliegende Ausgabe erschien zum erstenmal 1969
als Band 1 der von Klaus Reichert unter Mitwirkung
von Fritz Senn betreuten Frankfurter Ausgabe
der Werke von James Joyce.
Umschlagfoto: Motiv aus dem Film »The Dead« von John Huston.
Bildarchiv Engelmeier, München

suhrkamp taschenbuch 2454
Erste Auflage dieser Ausgabe 1995

Druck: Ebner Ulm
Printed in Germany
Umschlag nach Entwürfen von
Willy Fleckhaus und Rolf Staudt

2 3 4 5 6 – 00 99 98 97 96

Dubliner

Die Schwestern

Es gab keine Hoffnung für ihn diesmal: es war der dritte Schlaganfall. Abend für Abend war ich an dem Haus vorbeigegangen (es war Ferienzeit) und hatte das erleuchtete Fensterviereck studiert: und Abend für Abend hatte ich es in der nämlichen Weise erleuchtet gefunden, schwach und gleichmäßig. Wenn er tot wäre, dachte ich, würde ich den Widerschein von Kerzen auf dem nunmehr dunklen Rouleau sehen, denn ich wußte, daß zu Häupten eines Leichnams zwei Kerzen aufgestellt werden müssen. Oft hatte er zu mir gesagt: *Lange bin ich nicht mehr von dieser Welt*, und ich hatte seine Worte für leeres Gerede gehalten. Jetzt wußte ich, daß sie wahr waren. Jeden Abend, wenn ich zu dem Fenster hinaufsah, sagte ich leise das Wort *Paralyse* vor mich hin. Es hatte immer seltsam in meinen Ohren geklungen, wie das Wort *Gnomon* im Euklid und das Wort *Simonie* im Katechismus. Doch jetzt klang es mir wie der Name eines übeltäterischen und sündigen Wesens. Es erfüllte mich mit Furcht, und doch verlangte es mich, ihm näher zu sein und sein tödliches Werk zu betrachten.

Old Cotter saß am Feuer und rauchte, als ich zum Abendessen herunterkam. Während meine Tante mir meinen Haferbrei aufschöpfte, sagte er, als käme er auf eine eigene frühere Bemerkung zurück:

– Nein, ich würde nicht gerade sagen, daß er . . . aber er hatte so etwas Komisches . . . so etwas Unheimliches an sich. Wenn ihr meine Meinung hören wollt . . .

Er begann, an seiner Pfeife zu ziehen, und legte sich zweifellos in Gedanken seine Meinung zurecht. Langweiliger alter Dummkopf! In der ersten Zeit unserer Bekanntschaft war er noch ganz unterhaltsam gewesen, wenn er vom Entgeisten und Kühlen erzählte; aber ich war seiner und seiner endlosen Geschichten über die Brennerei bald überdrüssig geworden.

– Ich habe da so meine eigene Theorie, sagte er. Ich glaube, er

war einer von diesen ... merkwürdigen Fällen ... Aber es ist schwer zu sagen ...
Er begann wieder an seiner Pfeife zu ziehen, ohne uns seine Theorie mitzuteilen. Mein Onkel sah, wie ich hinstarrte, und sagte zu mir:
– Tja, du wirst traurig sein, aber dein alter Freund ist nun also nicht mehr.
– Wer? fragte ich.
– Pater Flynn.
– Ist er tot?
– Mr. Cotter hier hat's uns grade erzählt. Er ist am Haus vorbeigekommen.
Ich wußte, daß ich beobachtet wurde, und so aß ich weiter, als interessiere mich die Nachricht nicht. Mein Onkel versorgte Old Cotter mit Erklärungen.
– Der Junge und er waren große Freunde. Der Alte hat ihm eine große Menge beigebracht, wissen Sie; und er soll ihm sehr am Herzen gelegen haben.
– Gott sei seiner Seele gnädig, sagte meine Tante fromm.
Old Cotter sah mich eine Weile an. Ich fühlte, daß seine kleinen perligen schwarzen Augen mich prüften, aber ich mochte ihm den Gefallen nicht tun, von meinem Teller aufzusehen. Er kehrte zu seiner Pfeife zurück und spuckte schließlich rüde in den Kamin.
– Mir wär es nicht recht, sagte er, wenn meine Kinder zuviel mit so einem Mann zu tun hätten.
– Wie meinen Sie das, Mr. Cotter? fragte meine Tante.
– Ich meine, sagte Old Cotter, es ist nicht gut für die Kinder. Ich bin der Ansicht: ein junger Bursche soll mit gleichaltrigen Burschen rumrennen und spielen und nicht ... Hab ich recht, Jack?
– Das ist auch mein Grundsatz, sagte mein Onkel. Er soll lernen, sich durchzuboxen. Das sage ich diesem Rosenkreuzer hier ja dauernd: treib Sport. Also als ich so ein junger Spund war, da hab ich Morgen für Morgen kalt gebadet, Winter wie Sommer. Und das kommt mir heute zugute. Bildung ist ja

schön und gut ... Vielleicht nimmt Mr. Cotter ein Stück Hammelkeule, fügte er zu meiner Tante gewandt hinzu.
– Nein, nein, keine Umstände, sagte Old Cotter.
Meine Tante holte die Platte aus dem Fliegenschrank und stellte sie auf den Tisch.
– Aber wieso meinen Sie, daß es nicht gut ist für die Kinder, Mr. Cotter? fragte sie.
– Es ist nicht gut für die Kinder, sagte Old Cotter, weil ihr Geist so leicht zu beeindrucken ist. Wenn Kinder so etwas sehen, wissen Sie, dann hat das seine Wirkungen ...
Ich stopfte mir den Mund voll Haferbrei, aus Angst, ich könnte meinem Zorn Ausdruck geben. Langweiliger alter rotnasiger Kretin!
Es war spät, als ich einschlief. Obwohl ich wütend auf Old Cotter war, weil er von mir sprach wie von einem Kind, zergrübelte ich mir doch den Kopf, um seinen unvollendeten Sätzen Sinn zu entnehmen. Im Dunkel meines Zimmers stellte ich mir vor, ich sähe noch einmal das schwere graue Gesicht des Paralytikers. Ich zog mir die Decken über den Kopf und versuchte an Weihnachten zu denken. Aber das graue Gesicht folgte mir weiterhin. Es murmelte etwas; und ich begriff, daß es etwas zu beichten begehrte. Ich fühlte, wie meine Seele in eine angenehme und lasterhafte Gegend wich; und auch dort wartete es schon auf mich. Es hob an, mir mit murmelnder Stimme zu beichten, und ich fragte mich, warum es unverwandt lächele und warum die Lippen so feucht seien von Speichel. Aber dann fiel mir ein, daß es an Paralyse gestorben war, und ich fühlte, daß auch ich schwach lächelte, wie um den Simonisten loszusprechen von seiner Sünde.
Nach dem Frühstück am nächsten Morgen ging ich und sah mir das kleine Haus unten in der Great Britain Street an. Es war ein unscheinbarer Laden, der unter dem vagen Namen »Tuchwaren« firmierte. Die Tuchwaren bestanden vornehmlich aus wollenen Kinderstiefeln und Schirmen; und an gewöhnlichen Tagen hing immer ein Schild mit der Aufschrift *Neubespannung von Schirmen* im Fenster. Jetzt war kein

Schild zu sehen, denn die Läden waren vorgehängt. Ein Florstrauß war mit Band am Türklopfer befestigt. Zwei arme Frauen und ein Telegrammbote lasen die Karte, die an den Trauerflor gesteckt war. Ich trat hinzu und las:

1. Juli 1895
The Rev. James Flynn (vormals S. Catherine's-Church, Meath Street), im Alter von fünfundsechzig Jahren.
R. I. P.

Das Lesen der Karte überzeugte mich, daß er tot war, und zu meinem Befremden wußte ich nicht weiter. Wäre er nicht tot gewesen, so wäre ich in das kleine dunkle Zimmer hinter dem Laden gegangen und hätte ihn in seinem Lehnstuhl am Feuer sitzend gefunden, von seinem Überzieher fast erstickt. Vielleicht hätte meine Tante mir ein Päckchen High Toast für ihn mitgegeben, und das Geschenk hätte ihn aus seinem betäubten Halbschlaf geweckt. Immer war ich es, der das Päckchen in seine schwarze Schnupftabaksdose leerte, denn seine Hände zitterten zu sehr, als daß er es selber hätte tun können, ohne die Hälfte des Tabaks auf den Boden zu schütten. Sogar wenn er die große zitternde Hand an die Nase hob, rieselten kleine Wolken davon durch seine Finger vorne auf seinen Mantel. Vielleicht war es dieser ständige Schnupftabakregen, der seinen bejahrten Priestergewändern ihr grünes verblichenes Aussehen verlieh, denn das rote Taschentuch, das immer von den Tabakflecken einer Woche geschwärzt war und mit dem er die herabgefallenen Krümel wegzuwischen versuchte, war völlig wirkungslos.
Ich wäre gern hineingegangen und hätte ihn mir angesehen, aber ich hatte den Mut nicht, zu klopfen. Ich entfernte mich langsam auf der Sonnenseite der Straße und las im Gehen alle Theateranzeigen in den Schaufenstern. Ich fand es sonderbar, daß weder ich noch der Tag in Trauerstimmung zu sein schienen, und fast ärgerte es mich, in mir ein Gefühl von Freiheit zu entdecken, als hätte mich sein Tod von irgendetwas befreit. Ich wunderte mich darüber, denn, wie mein Onkel am Abend

zuvor gesagt hatte, er hatte mir eine große Menge beigebracht. Er hatte am Irischen Kolleg in Rom studiert, und er hatte mir die richtige lateinische Aussprache beigebracht. Er hatte mir Geschichten über die Katakomben und über Napoleon Bonaparte erzählt, und er hatte mir die Bedeutung der verschiedenen Zeremonien der Messe und der verschiedenen Gewänder erklärt, die der Priester trägt. Manchmal hatte er sich den Spaß gemacht, mir schwierige Fragen zu stellen, etwa was man unter gewissen Umständen zu tun habe oder ob diese oder jene Sünde eine Todsünde oder eine läßliche Sünde oder nur eine Unvollkommenheit sei. Seine Fragen zeigten mir, wie kompliziert und geheimnisvoll gewisse Einrichtungen der Kirche waren, die ich immer für die simpelsten Handlungen gehalten hatte. Die Pflichten des Priesters gegenüber der Eucharistie und gegenüber dem Beichtgeheimnis schienen mir so schwerwiegend, daß ich mich fragte, wie jemand je den Mut aufgebracht habe, sie auf sich zu nehmen; und es überraschte mich nicht, als er mir erzählte, daß die Kirchenväter Bücher so dick wie das *Post Office Directory* und so eng gedruckt wie die Gerichtsmeldungen in der Zeitung geschrieben hätten, um alle diese verwickelten Fragen zu erhellen. Wenn ich das bedachte, konnte ich oft keine Antwort geben oder nur eine sehr törichte und zögernde, woraufhin er gewöhnlich lächelte und zwei- oder dreimal mit dem Kopf nickte. Hin und wieder ging er die Antworten der Messe mit mir durch, die er mich auswendig hatte lernen lassen; und während ich sie heruntersagte, lächelte er immer nachdenklich, nickte mit dem Kopf und schob ab und zu gewaltige Prisen Schnupftabak abwechselnd in beide Nasenlöcher. Wenn er lächelte, entblößte er immer seine großen verfärbten Zähne und ließ die Zunge auf der Unterlippe ruhen – eine Angewohnheit, die mich am Anfang unserer Bekanntschaft, ehe ich ihn besser kennenlernte, beklommen gemacht hatte.

Während ich in der Sonne weiterging, erinnerte ich mich an Old Cotters Worte und suchte mich zu erinnern, was später in dem Traum geschehen war. Ich erinnerte mich, daß ich lange

Samtvorhänge und eine hin- und herschwingende Lampe von altertümlicher Art gesehen hatte. Ich hatte das Gefühl, daß ich sehr weit weg gewesen wäre, in einem Land mit fremden Bräuchen – in Persien, dachte ich . . . Aber an das Ende des Traums vermochte ich mich nicht zu erinnern.
Am Abend nahm mich meine Tante mit zum Besuch im Trauerhaus. Es war nach Sonnenuntergang; aber die nach Westen gelegenen Fensterscheiben der Häuser spiegelten das lohfarbene Gold einer großen Wolkenbank. Nannie empfing uns auf dem Flur; und da es ungebührlich gewesen wäre, auf sie einzuschreien, schüttelte ihr meine Tante für uns alle die Hand. Die alte Frau zeigte fragend nach oben, und als meine Tante nickte, quälte sie sich uns voran die schmale Treppe hinauf, den gebeugten Kopf kaum über Geländerhöhe. Auf dem ersten Absatz blieb sie stehen und wies uns ermutigend zur offenen Tür des Totenzimmers. Meine Tante ging hinein, und die alte Frau, die sah, daß ich einzutreten zögerte, machte mir wiederholt Zeichen mit der Hand.
Ich ging auf Zehenspitzen hinein. Durch den Spitzensaum des Rouleaus drang dämmriges goldenes Licht in den Raum, in dem die Kerzen wie bleiche dünne Flammen aussahen. Er war eingesargt worden. Nannie machte den Anfang, und wir drei knieten am Fußende des Bettes nieder. Ich tat, als betete ich, aber ich konnte meine Gedanken nicht sammeln, da mich das Gemurmel der alten Frau ablenkte. Mir fiel auf, wie unbeholfen ihr Rock hinten zugehakt war und wie die Absätze ihrer Tuchstiefel beide nach einer Seite schiefgetreten waren. Mir kam es vor, als lächele der alte Priester, wie er dort in seinem Sarge lag.
Aber nein. Als wir uns erhoben und zum Kopfende des Bettes traten, sah ich, daß er nicht lächelte. Da lag er feierlich und füllig, eingekleidet wie für den Altar, in den großen Händen locker einen Kelch haltend. Sein Gesicht war sehr grimmig, grau und massig, mit schwarzen höhlenartigen Nasenlöchern und von einem spärlichen weißen Pelz umrandet. Ein schwerer Geruch hing im Zimmer – die Blumen.
Wir bekreuzigten uns und gingen. In dem kleinen Zimmer

unten thronte Eliza in seinem Lehnstuhl. Ich tastete mich zu meinem gewohnten Stuhl in der Ecke, während Nannie zum Büfett ging und eine Karaffe Sherry und einige Weingläser herausnahm. Sie setzte die Sachen auf den Tisch und lud uns ein zu einem Gläschen Wein. Auf Geheiß ihrer Schwester schenkte sie sodann den Sherry in die Gläser und reichte sie uns. Sie drang in mich, auch einige Sahnecracker zu nehmen, aber ich lehnte ab, weil ich dachte, ich würde beim Essen zuviel Krach machen. Sie schien von meiner Ablehnung etwas enttäuscht und ging still zum Sofa hinüber, wo sie hinter ihrer Schwester Platz nahm. Niemand sprach: wir alle starrten in den leeren Kamin. Meine Tante wartete, bis Eliza seufzte, und sagte dann:

– Jaja, er ist in eine bessere Welt eingegangen.

Eliza seufzte noch einmal und neigte zustimmend den Kopf. Meine Tante fingerte am Stiel ihres Weinglases, bevor sie daran nippte.

– Ist er . . . friedlich? fragte sie.

– Doch, ganz friedlich, Ma'am, sagte Eliza. Man hat gar nicht gemerkt, wann er den letzten Atemzug getan hat. Er hatte einen schönen Tod, Gott sei gelobt.

– Und alles . . .?

– Pater O'Rourke war Dienstag bei ihm und hat ihn gesalbt und ihn vorbereitet und so.

– Er wußte also?

– Er war ganz gefaßt.

– Er sieht ganz gefaßt aus, sagte meine Tante.

– Das hat auch die Frau gesagt, die wir geholt haben, um ihn zu waschen. Sie sagte, er sieht ganz so aus, als ob er schläft, so friedlich und gefaßt sah er aus. Keiner hätte gedacht, daß er eine so schöne Leiche abgeben würde.

– Ja, wirklich, sagte meine Tante.

Sie nippte noch einmal an ihrem Glas und sagte:

– Tja, Miss Flynn, auf jeden Fall muß es für Sie ein großer Trost sein, zu wissen, daß Sie für ihn alles getan haben, was Sie konnten. Sie waren beide sehr gut zu ihm, das muß ich schon sagen.

Eliza strich ihr Kleid über den Knien glatt.
– Ach, der arme James! sagte sie. Gott weiß, wir haben alles getan, was wir konnten, so arm wie wir sind – wir wollten nicht, daß ihm was abging, solang er noch da war.
Nannie hatte ihren Kopf an das Sofakissen gelehnt und schien drauf und dran, einzuschlafen.
– Die arme Nannie da, sagte Eliza und sah sie an, sie ist ganz kaputt. Die ganze Arbeit, die wir gehabt haben, sie und ich, die Leichenwäscherin kommen lassen und dann ihn aufbahren und dann der Sarg und dann alles fertigmachen wegen der Messe in der Kapelle. Wenn Pater O'Rourke nicht gewesen wär, ich weiß nicht, was wir überhaupt gemacht hätten. Er hat uns die ganzen Blumen da gebracht und die beiden Kerzenständer da aus der Kapelle und die Anzeige für den *Freeman's General* aufgesetzt und sich um die ganzen Papiere für den Friedhof gekümmert und um die Versicherung vom armen James.
– Das war aber freundlich von ihm, nicht? sagte meine Tante.
Eliza schloß die Augen und schüttelte langsam den Kopf.
– Hmm, es geht doch nichts über die alten Freunde, sagte sie, wenn es zum letzten kommt, kann man sich auf keinen verlassen.
– O ja, das stimmt, sagte meine Tante. Und ich bin sicher, jetzt, wo er seinen ewigen Lohn empfangen gegangen ist, wird er Sie und alle Ihre Güte nicht vergessen.
– Ach, der arme James! sagte Eliza. Er hat uns nicht viel Mühe gemacht. Man hat ihn im Haus nicht mehr gehört als jetzt. Aber ich weiß, er ist nun fort und so zum ...
– Wenn erst alles vorbei ist, dann werden Sie ihn vermissen, sagte meine Tante.
– Das weiß ich, sagte Eliza. Ich bring ihm seine Tasse Bouillon nicht mehr rein, und Sie schicken ihm seinen Schnupftabak nicht mehr. Ach, der arme James!
Sie hielt inne, als kommuniziere sie mit der Vergangenheit, und sagte dann schlau:
– Wissen Sie, ich hab gemerkt, daß in letzter Zeit so etwas Komisches über ihn gekommen ist. Immer wenn ich ihm seine

Suppe reingebracht hab, hab ich ihn gefunden, wie er im Sessel zurückgesackt war, das Brevier hat auf der Erde gelegen, und sein Mund war auf.
Sie legte einen Finger an die Nase und krauste die Stirn: dann fuhr sie fort:
– Aber trotz und alledem hat er immer wieder gesagt, daß er noch vor Sommerende einmal ausfahren würde an einem schönen Tag, nur um das alte Haus wieder zu sehen, wo wir alle geboren sind, unten in Irishtown, und mich und Nannie wollte er mitnehmen. Wenn wir nur mal eine von den neumodischen Kutschen kriegen könnten, die keinen Lärm machen, von denen ihm Pater O'Rourke erzählt hat – die mit den rheumatischen Rädern –, hat er gesagt, billig für einen Tag bei Johnny Rush gegenüber, und alle drei gemeinsam mal einen Sonntagabend ausfahren könnten. Das hatte er sich in den Kopf gesetzt ... Der arme James!
– Der Herr sei seiner Seele gnädig! sagte meine Tante.
Eliza nahm ihr Taschentuch heraus und wischte sich damit die Augen. Dann steckte sie es wieder in die Tasche und starrte eine Zeitlang schweigend in den leeren Kamin.
– Er war immer zu gewissenhaft, sagte sie. Die Pflichten des Priesteramts, das war zuviel für ihn. Und dann war sein Leben auch sozusagen durchkreuzt.
– Ja, sagte meine Tante. Er war ein enttäuschter Mann. Man hat es ihm angesehen.
Schweigen bemächtigte sich der kleinen Stube, und unter seinem Schutz trat ich zum Tisch und kostete von meinem Sherry und kehrte dann still zu meinem Stuhl in der Ecke zurück. Eliza schien in tiefe Träumerei versunken. Wir warteten respektvoll, daß sie das Schweigen bräche: und nach einer langen Pause sagte sie langsam:
– Es war dieser Kelch, den er zerbrochen hat ... Damit hat es angefangen. Natürlich, es heißt, daß es nicht schlimm war, daß nichts drin war, meine ich. Aber trotzdem ... Es heißt, der Junge war schuld. Aber der arme James war so nervös, Gott sei ihm gnädig!

– Und das war es? sagte meine Tante. Ich hörte etwas ...
Eliza nickte.
– Das hat seinen Geist angegriffen, sagte sie. Danach wurde er dann so trübsinnig, redete mit niemand und ging immer allein für sich. Einmal nachts wurde er verlangt, weil er einen Besuch machen sollte, und sie konnten ihn nirgends finden. Sie haben von oben bis unten nach ihm gesucht; und trotzdem haben sie nirgends eine Spur von ihm gefunden. Dann hat der Küster vorgeschlagen, mal in der Kapelle nachzusehen. Dann haben sie sich die Schlüssel besorgt und die Kapelle aufgemacht, und der Küster und Pater O'Rourke und noch ein Priester, der da war, haben ein Licht mit reingenommen, um ihn zu suchen ... Und was glauben Sie, da war er, saß ganz allein im Dunkeln in seinem Beichtstuhl, hellwach und wie wenn er leise für sich lachen täte?
Sie hielt plötzlich inne, wie um zu lauschen. Auch ich lauschte; aber im Haus war kein Geräusch: und ich wußte, daß der alte Priester still in seinem Sarg lag, wie wir ihn gesehen hatten, feierlich und grimmig im Tode, einen leeren Kelch auf der Brust.
Eliza fuhr fort:
– Hellwach und wie wenn er für sich lachen täte ... Also dann natürlich, als sie das sahen, da haben sie gedacht, daß irgendetwas mit ihm nicht mehr stimmte ...

Eine Begegnung

Es war Joe Dillon, der uns mit dem Wilden Westen bekannt machte. Er hatte eine kleine Bibliothek, bestehend aus alten Heften von *The Union Jack*, *Pluck* und *The Halfpenny Marvel*. Jeden Abend nach der Schule trafen wir uns in seinem Hintergarten und veranstalteten Indianerkämpfe. Er und sein dicker jüngerer Bruder, der faule Leo, hielten den Speicher des Stalls, während wir versuchten, ihn im Sturm zu nehmen; oder wir trugen auf der Wiese eine offene Feldschlacht aus. Aber so gut wir uns auch schlugen, niemals gewannen wir eine Belagerung oder eine Schlacht, und alle unsere Waffengänge endeten mit Joe Dillons Siegestanz. Seine Eltern gingen zur Acht-Uhr-Messe jeden Morgen in die Gardiner Street, und der friedliche Geruch von Mrs. Dillon beherrschte den Hausflur. Er aber spielte zu wild für uns, die wir jünger und zaghafter waren. Er sah einem Indianer nicht unähnlich, wenn er mit einem alten Teewärmer auf dem Kopf durch den Garten tobte, mit der Faust auf eine Blechbüchse einschlug und brüllte:

– Ja! jaka, jaka, jaka!

Keiner wollte es glauben, als es hieß, daß er sich zum Priester berufen fühlte. Dennoch war es wahr.

Ein Geist der Aufsässigkeit breitete sich unter uns aus, und unter seinem Einfluß traten Bildungs- und Temperamentsunterschiede zurück. Wir rotteten uns zusammen, einige draufgängerisch, einige aus Spaß und einige fast aus Angst: und zu diesen, den widerwilligen Indianern, die als Streber oder Schwächlinge zu gelten fürchteten, gehörte auch ich. Die Abenteuer, von denen die Literatur des Wilden Westens erzählte, lagen meinem Wesen fern, aber wenigstens schlossen sie Türen auf zur Flucht. Manche amerikanischen Detektivgeschichten, die von Zeit zu Zeit von naturwüchsigen hitzköpfigen und schönen Mädchen durchstrichen wurden, sagten mir eher zu. Obwohl diese Geschichten nicht schlimm waren und obwohl sie manchmal sogar literarische Absichten verfolgten, kursierten sie in der Schule nur heimlich. Als Pater Butler eines Tages die vier Seiten römische Geschichte abhörte, wurde der täppische Leo Dillon mit einer Nummer von *The Halfpenny Marvel* erwischt.

– Diese Seite oder diese? Diese Seite? Los, Dillon, steh auf! *Kaum war der Tag* ... Weiter! Was für ein Tag? *Kaum war der Tag angebrochen* ... Hast du's gelernt? Was hast du denn da in der Tasche?

Alle Herzen klopften, als Leo Dillon das Heft hinaufreichte, und alle setzten ein unschuldiges Gesicht auf. Pater Butler blätterte stirnrunzelnd.

– Was ist das für Schund? sagte er. *Der Apachen-Häuptling!* Das also liest du, statt deine römische Geschichte zu lernen? Ich wünsche von diesem elenden Zeug nichts mehr in diesem College zu finden. Der Mann, der das geschrieben hat, war sicher irgendein elender Schmierer, der solche Sachen für ein Bier schreibt. Ich staune, daß Jungs wie ihr, bei eurer Schulbildung, solch Zeug lest. Ich könnte es noch verstehen, wenn ihr auf die ... National-Schule gehen würdet. Also, Dillon, ich rate dir dringend, mach deine Arbeit, oder ...

Dieser Verweis während der nüchternen Schulstunden ließ die Glorie des Wilden Westens für mich erheblich verblassen, und das verwirrte aufgedunsene Gesicht Leo Dillons weckte eines meiner Gewissen. Doch wenn der dämpfende Einfluß der Schule fern war, hungerte ich von neuem nach wilden Aufregungen, nach jener Flucht, die mir einzig jene Chroniken der Gesetzlosigkeit zu bieten schienen. Der abendlichen Kriegsspiele war ich bald ebenso überdrüssig wie der vormittäglichen Schulroutine, da ich wollte, daß mir wirkliche Abenteuer zustießen. Aber wirkliche Abenteuer, so überlegte ich, stoßen dem nicht zu, der zu Hause bleibt: sie wollen in der Fremde gesucht werden.

Die Sommerferien waren nahe, als ich mich entschloß, wenigstens für einen Tag aus der Öde des Schullebens auszubrechen. Mit Leo Dillon und einem Jungen namens Mahony faßte ich den Plan, einen Tag lang zu schwänzen. Jeder von uns sparte Sixpence. Wir wollten uns früh um zehn auf der Canal Bridge treffen. Mahonys große Schwester sollte eine Entschuldigung für ihn schreiben, und Leo Dillon sollte seinen Bruder beauftragen, zu sagen, daß er krank sei. Wir planten, die Wharf Road entlangzugehen, bis wir zu den Schiffen kämen, dann mit der Fähre überzusetzen und bis zum Pigeon House hinauszugehen. Leo Dillon fürchtete, daß wir Pater Butler oder jemand anderem aus dem College begegnen könnten; aber Mahony stellte die sehr vernünftige Frage, was Pater Butler wohl draußen am Pigeon House machen sollte. Wir waren beruhigt: und ich brachte die erste Phase der Verschwörung zu Ende, indem ich mir von den anderen beiden Sixpence aushändigen ließ und ihnen gleichzeitig meine Sixpence vorwies. Als wir am Vorabend die letzten Vorbereitungen trafen, waren wir alle unbestimmt erregt. Wir gaben uns lachend die Hand, und Mahony sagte:

– Bis morgen, Leute.

In jener Nacht schlief ich schlecht. Am Morgen war ich als erster auf der Brücke, da ich am nächsten wohnte. Ich versteckte meine Bücher im hohen Gras bei der Müllgrube am Ende des Gartens, wo nie jemand hinkam, und eilte am Kanalufer entlang. Es war ein milder sonniger Morgen in der ersten Juniwoche. Ich setzte mich auf die Brückenbrüstung, bewunderte meine leichten Leinenschuhe, die ich am Abend zuvor fleißig mit Pfeifenton geweißt hatte, und beobachtete die fügsamen Pferde, die einen Tramwagen voller Geschäftsleute hügelauf zogen. Alle Zweige der hohen Bäume, die die Promenade säumten, waren voller lustiger kleiner hellgrüner Blätter, und durch sie hindurch fiel der Sonnenschein schräg auf das Wasser. Der Granit der Brücke begann langsam warm zu werden, und ich begann, zum Takt einer Melodie in meinem Kopf mit den Händen darauf zu klatschen. Ich war sehr glücklich.

Nachdem ich fünf oder zehn Minuten so gesessen hatte, sah ich Mahonys grauen Anzug näherkommen. Lächelnd kam er

die Anhöhe herauf und kletterte neben mich auf die Brücke. Während wir warteten, zog er das Katapult hervor, das seine Innentasche ausbauchte, und erklärte einige Verbesserungen, die er daran vorgenommen hatte. Ich fragte ihn, warum er es mitgenommen habe, und er sagte, er habe es mitgenommen, um mit den Vögeln ein bißchen Fez zu machen. Mahony gebrauchte Slangausdrücke zwanglos, und Pater Butler nannte er den Bunsenbrenner. Wir warteten noch eine Viertelstunde, aber Leo Dillon ließ sich nicht blicken. Schließlich sprang Mahony hinunter und sagte:
– Komm. Ich hab gewußt, daß der Speckie Schiß hat.
– Und seine Sixpence . . .? sagte ich.
– Die hat er gesehn, sagte Mahony. Und um so besser für uns – einen Shilling und Sixpence statt einem Shilling.
Wir gingen die North Strand Road entlang, bis wir zu den Vitriolwerken kamen, und bogen dann nach rechts in die Wharf Road. Mahony fing an Indianer zu spielen, sobald uns niemand mehr sehen konnte. Er jagte eine Schar zerlumpter Mädchen, indem er sein ungeladenes Katapult schwang, und als zwei zerlumpte Jungen aus Ritterlichkeit begannen, Steine nach uns zu werfen, schlug er vor, sie zu attackieren. Ich wandte ein, daß die Jungen zu klein seien, und so gingen wir weiter, während die zerlumpte Horde hinter uns her schrie: *Blauköpfe! Blauköpfe!*, da sie uns für Protestanten hielt, weil Mahony, der dunkelhäutig war, das silberne Abzeichen eines Kricketklubs an seiner Mütze trug. Als wir das Smoothing Iron erreichten, veranstalteten wir eine Belagerung; aber das mißglückte, weil man dazu mindestens drei braucht. Wir rächten uns an Leo Dillon, indem wir sagten, was für ein Schisser er wäre, und Vermutungen darüber anstellten, wie viele er um drei Uhr von Mr. Ryan verpaßt bekommen würde.
Dann kamen wir in die Nähe des Flusses. Lange Zeit brachten wir damit zu, daß wir in den lauten Straßen herumwanderten, die von hohen Steinmauern flankiert waren, dem Betrieb der Kräne und Motoren zusahen und des öfteren von den Fahrern ächzender Wagen angebrüllt wurden, weil wir im Weg

standen. Es war Mittag, als wir die Quays erreichten, und da alle Arbeiter ihr Mittagbrot zu essen schienen, kauften wir uns zwei große Rosinenbrötchen und setzten uns zum Essen auf einige Metallröhren am Fluß. Wir ergötzten uns am Schauspiel des Dubliner Handels – der Schleppkähne, die sich aus großer Ferne durch ihre Kringel wolligen Rauches zu erkennen gaben, der braunen Fischereiflotte hinter Ringsend, des großen weißen Segelschiffs, das am gegenüberliegenden Quay entladen wurde. Mahony sagte, es wäre eine dolle Sache, auf einem dieser großen Schiffe durchzubrennen, und selbst ich sah oder stellte mir vor, während ich zu den hohen Masten hinblickte, wie die Geographie, die mir in der Schule in kargen Mengen verabreicht worden war, unter meinen Augen allmählich Substanz bekam. Schule und Elternhaus schienen von uns zu weichen, und ihr Einfluß auf uns schien nachzulassen.

Wir entrichteten unser Fahrgeld und überquerten die Liffey auf der Fähre in Gesellschaft zweier Arbeiter und eines kleinen Juden mit einem Beutel. Wir waren ernst bis zur Feierlichkeit, aber einmal während der kurzen Reise trafen sich unsere Blicke, und wir lachten. Als wir wieder an Land waren, sahen wir zu, wie der anmutige Dreimaster, den wir vom anderen Quay aus beobachtet hatten, entladen wurde. Ein Zuschauer sagte, es sei ein norwegisches Schiff. Ich ging zum Heck und versuchte, die Aufschrift darauf zu entziffern, aber da es mir nicht gelang, kam ich zurück und musterte die ausländischen Seeleute, um festzustellen, ob welche von ihnen grüne Augen hatten, denn ich hatte eine wirre Vorstellung ... Die Augen der Seeleute waren blau und grau und sogar schwarz. Der einzige Seemann, dessen Augen grün hätten genannt werden können, war ein großer Mann, der die Menge auf dem Quay erheiterte, indem er jedesmal, wenn die Planken fielen, fröhlich rief:

– Gut so! gut so!

Als wir dieses Anblicks müde waren, wanderten wir langsam nach Ringsend hinein. Der Tag war schwül geworden, und in den Schaufenstern der Lebensmittelläden bleichten muffige

Kekse. Wir kauften ein paar Kekse und Schokolade, die wir pflichtschuldigst aßen, während wir durch die schmutzstarrenden Straßen wanderten, wo die Familien der Fischer leben. Wir konnten kein Milchgeschäft finden und gingen darum in einen Hökerladen, um für jeden eine Flasche Himbeerlimonade zu kaufen. Davon erfrischt, jagte Mahony eine Katze ein Sträßchen hinunter, doch die Katze flüchtete sich auf ein offenes Feld. Wir fühlten uns beide ziemlich müde, und als wir das Feld erreichten, gingen wir gleich auf einen Damm mit schräger Böschung zu, über dessen Kamm hinweg wir die Dodder sehen konnten.

Es war zu spät, und wir waren zu müde, um noch wie geplant das Pigeon House zu besuchen. Wir mußten vor vier Uhr zu Hause sein, wenn unser Abenteuer nicht herauskommen sollte. Bedauernd betrachtete Mahony sein Katapult, und erst als ich vorschlug, mit der Bahn zurückzufahren, wurde er wieder etwas froher. Die Sonne verschwand hinter ein paar Wolken und überließ uns unseren ermatteten Gedanken und den Resten unseres Proviants.

Außer uns war niemand auf dem Feld. Als wir einige Zeit lang schweigend auf dem Damm gelegen hatten, sah ich, wie ein Mann vom anderen Ende des Feldes herankam. Ich beobachtete ihn träge, während ich an einem jener grünen Halme kaute, die Mädchen zum Wahrsagen benutzen. Er kam langsam die Böschung entlang. Er hatte beim Gehen die eine Hand auf die Hüfte gestützt, und in der anderen Hand hielt er einen Stock, mit dem er leicht auf das Gras tappte. Er trug einen schäbigen grünlich-schwarzen Anzug und einen Bibi, wie wir sagten, mit hohem Kopf. Er schien ziemlich alt zu sein, denn sein Schnurrbart war aschgrau. Als er zu unseren Füßen vorüberkam, blickte er rasch herauf und ging dann weiter. Wir folgten ihm mit den Augen und sahen, daß er sich nach vielleicht fünfzig Schritten umwandte und den Weg zurückkam. Er ging sehr langsam auf uns zu und tappte mit dem Stock immer auf den Boden, so langsam, daß ich meinte, er suche etwas im Gras.

Er blieb stehen, als er mit uns auf gleicher Höhe war, und wünschte uns einen guten Tag. Wir erwiderten den Gruß, und er setzte sich langsam und sehr umständlich neben uns auf die Böschung. Er begann vom Wetter zu reden, sagte, daß es ein sehr heißer Sommer werden würde, und fügte hinzu, daß die Jahreszeiten sich erheblich geändert hätten, seit er ein Junge gewesen wäre – vor langer Zeit. Er sagte, die glücklichste Zeit im Leben sei ohne Zweifel die Schuljungenzeit, und er gäbe alles darum, noch einmal jung zu sein. Während er diesen Meinungen, die uns ein wenig langweilten, Ausdruck gab, schwiegen wir. Dann begann er von der Schule und von Büchern zu sprechen. Er fragte uns, ob wir die Gedichte von Thomas Moore oder die Werke von Sir Walter Scott und Lord Lytton gelesen hätten. Ich tat, als hätte ich alle Bücher gelesen, die er erwähnte, so daß er schließlich sagte:

– Na, ich sehe, du bist genau so ein Bücherwurm wie ich. Aber der, fügte er hinzu und zeigte auf Mahony, der uns mit offenen Augen ansah, ist anders; der ist mehr für Spiele.

Er sagte, er habe alle Werke von Sir Walter Scott und alle Werke von Lord Lytton zu Hause und werde nie müde, darin zu lesen. Natürlich, sagte er, gebe es Werke von Lord Lytton, die nichts für Jungen seien. Mahony fragte, warum sie nichts für Jungen seien – eine Frage, die mich aufregte und mir peinlich war, weil ich fürchtete, der Mann würde mich für ebenso dumm wie Mahony halten. Der Mann lächelte jedoch nur. Ich sah, daß er große Lücken im Mund zwischen den gelben Zähnen hatte. Dann fragte er, wer von uns die meisten Schätzchen hätte. Mahony erwähnte leichthin, daß er drei Puppen habe. Der Mann fragte mich, wie viele ich hätte. Ich antwortete, ich hätte keine. Er glaubte mir nicht und sagte, er sei sicher, daß ich wenigstens eine hätte. Ich schwieg.

– Sagen Sie, fragte Mahony den Mann dreist, wie viele haben denn Sie?

Der Mann lächelte wie zuvor und sagte, in unserem Alter habe er eine Menge Schätzchen gehabt.

– Jeder Junge, sagte er, hat ein kleines Schätzchen.

Für einen Mann seines Alters fand ich seine Einstellung in diesem Punkt sonderbar freisinnig. Im Grunde meines Herzens schien mir, was er da über Jungen und Schätzchen sagte, vernünftig. Aber aus seinem Mund mißfielen mir die Worte, und ich fragte mich, warum er ein- oder zweimal zusammenzuckte, als habe er vor etwas Angst oder friere plötzlich. Als er weitersprach, stellte ich fest, daß seine Aussprache gut war. Er begann, von Mädchen zu sprechen, erzählte, was sie für hübsches weiches Haar hätten und wie weich ihre Hände seien und daß alle Mädchen nicht so brav wären, wie sie schienen, wenn man sich nur auskannte. Nichts wäre ihm lieber, sagte er, als ein hübsches junges Mädchen anzusehen, ihre hübschen weißen Hände und ihr schönes weiches Haar. Es kam mir vor, als wiederhole er etwas, das er auswendig gelernt hatte, oder als kreisten seine Gedanken, von irgendetwas in seinen eigenen Worten magnetisiert, Runde um Runde langsam auf immer der gleichen Umlaufbahn. Zuweilen sprach er, als spiele er einfach auf eine allgemein bekannte Tatsache an, und zuweilen senkte er die Stimme und sprach so rätselhaft, als verrate er uns ein Geheimnis, das er andere nicht mithören lassen wolle. Er wiederholte seine Sätze immer von neuem, wandelte sie ab und umhüllte sie mit seiner monotonen Stimme. Ich blickte unverwandt auf den Fuß der Böschung, während ich ihm zuhörte.
Nach langer Zeit unterbrach er seinen Monolog. Er stand langsam auf, sagte, daß er uns eine Minute verlassen müsse, ein paar Minuten, und ohne die Richtung meines Blickes zu ändern, sah ich, wie er langsam davonging, auf das uns nächstgelegene Ende des Feldes zu. Wir schwiegen, als er fort war. Nach einigen Minuten Schweigen hörte ich Mahony rufen:
– Na sowas! Guck mal, was er da macht!
Da ich weder antwortete noch meine Augen hob, rief Mahony noch einmal:
– Na sowas . . . Das ist ein komischer alter Pinsel!
– Falls er unsere Namen wissen will, sagte ich, dann bist du Murphy und ich Smith.

Mehr sprachen wir nicht miteinander. Ich überlegte noch, ob ich weggehen sollte oder nicht, als der Mann zurückkam und sich wieder neben uns setzte. Kaum hatte er sich gesetzt, da wurde Mahony der Katze ansichtig, die vordem vor ihm geflüchtet war, sprang auf und verfolgte sie querfeldein. Der Mann und ich beobachteten die Jagd. Die Katze flüchtete auch diesmal wieder, und Mahony begann Steine an die Mauer zu werfen, die sie hinaufgeklettert war. Dann ließ er davon ab und begann ziellos am entfernten Ende des Feldes umherzuschlendern.

Nach einer Pause redete mich der Mann an. Er sagte, mein Freund sei ein sehr rauhbeiniger Junge, und fragte, ob er in der Schule oft durchgeprügelt würde. Ich wollte entrüstet antworten, daß wir keine National-Schüler wären, die durchgeprügelt würden, wie er das nannte; aber ich blieb stumm. Er begann, sich über die Züchtigung von Jungen zu verbreiten. Wieder wie magnetisiert von seiner Rede, schienen seine Gedanken Runde um Runde langsam um ihren neuen Mittelpunkt zu kreisen. Er sagte, wenn Jungen von diesem Schlag wären, sollten sie durchgeprügelt werden, und zwar tüchtig durchgeprügelt. Wenn ein Junge rauhbeinig und aufsässig sei, bekäme ihm nichts so gut, wie ganz gehörig durchgeprügelt zu werden. Ein Klaps auf die Hand oder eine Ohrfeige täten es nicht: was er brauche, wäre, hübsch anständig durchgeprügelt zu werden. Mich überraschte diese Meinung, und unwillkürlich sah ich zu seinem Gesicht auf. Dabei begegnete ich dem Blick eines Paars flaschengrüner Augen, die mich unter einer zuckenden Stirn anstarrten. Ich wandte meine Augen wieder ab.

Der Mann setzte seinen Monolog fort. Er schien seine kurz zuvor an den Tag gelegte Freisinnigkeit vergessen zu haben. Er sagte, wenn er je einen Jungen dabei erwischen sollte, wie er mit Mädchen redete oder ein Mädchen als Schätzchen habe, würde er ihn noch und noch verprügeln; und das würde ihn lehren, nicht mit Mädchen zu reden. Und wenn ein Junge ein Mädchen als Schätzchen habe und nicht die Wahrheit darüber sagte, dann würde er ihn so verprügeln, wie auf dieser Welt noch kein Junge verprügelt worden sei. Er sagte, nichts auf dieser Welt wäre ihm lieber als das. Er beschrieb mir, wie er einen solchen Jungen verprügeln würde, als enthülle er ein kompliziertes Geheimnis. Er liebe das, sagte er, mehr als irgendetwas sonst auf dieser Welt; und während er mich monoton durch das Geheimnis geleitete, wurde seine Stimme fast zärtlich und schien mich inständig zu bitten, ihn doch zu begreifen.

Ich wartete, bis er seinen Monolog wieder unterbrach. Dann stand ich jäh auf. Um meine Aufregung nicht zu verraten, zögerte ich eine kurze Zeit, indem ich so tat, als bände ich meinen Schuh richtig zu, sagte dann, daß ich nun gehen müsse, und wünschte ihm einen guten Tag. Ruhig ging ich die Böschung hinauf, aber mein Herz schlug schnell, aus Angst, daß er mich an den Fesseln greifen würde. Als ich oben auf der Böschung war, drehte ich mich um, und ohne ihn anzusehen rief ich laut über das Feld:

– Murphy!

In meiner Stimme war ein Ton gezwungener Tapferkeit, und ich schämte mich meiner armseligen List. Ich mußte den Namen noch einmal rufen, ehe Mahony mich sah und zur Antwort hallo schrie. Wie schlug mein Herz, als er über das Feld auf mich zu rannte! Er rannte, als wolle er mir Hilfe bringen. Und ich war reumütig; denn in meinem Herzen hatte ich ihn immer ein wenig verachtet.

Arabia

North Richmond Street war, als Sackgasse, eine stille Straße, ausgenommen zu der Stunde, da die Christian-Brothers-Schule die Jungen in die Freiheit entließ. Ein unbewohntes zweistöckiges Haus stand an ihrem Ende, abgesondert von seinen Nachbarn auf einem viereckigen Grundstück. Die anderen Häuser der Straße, des ehrbaren Lebenswandels in ihrem Innern bewußt, sahen einander mit braunen unerschütterlichen Gesichtern an.

Der vormalige Mieter unseres Hauses, ein Priester, war in dem nach hinten gelegenen Salon gestorben. Luft, die vom lange Eingeschlossensein muffig war, hing in allen Zimmern, und die Rumpelkammer hinter der Küche war mit altem wertlosem Papier übersät. Darunter fand ich ein paar broschierte Bücher, deren Seiten wellig und feucht waren: *Der Abt* von Walter Scott, *Der gottesfürchtige Kommunikant* und die *Denkwürdigkeiten Vidocqs.* Das letzte gefiel mir am besten, da seine Blätter gelb waren. Der verwilderte Garten hinter dem Haus enthielt in der Mitte einen Apfelbaum und ein paar wuchernde Büsche; unter einem von ihnen fand ich die rostige Fahrradpumpe des verstorbenen Mieters. Er war ein sehr mildherziger Priester gewesen; in seinem Testament hatte er Stiftungen sein gesamtes Geld und seiner Schwester die Hauseinrichtung vermacht.

Wenn die kurzen Wintertage kamen, wurde es dämmerig, ehe wir noch mit dem Abendessen fertig waren. Wenn wir uns dann auf der Straße trafen, waren die Häuser düster geworden. Das Stück Himmel über uns war von einem ständig sich ändernden Violett, und ihm reckten die Lampen der Straße ihre schwachen Laternen entgegen. Die Luft war beißend kalt, und wir spielten, bis unsere Körper glühten. Unsere Rufe hallten in der stillen Straße. Der Verlauf unseres Spiels führte uns durch die dunklen schlammigen Sträßchen hinter den Häusern, wo uns die wilden Stämme aus den Cottages Spießruten laufen ließen, zu den Hintertüren der dunklen tropfnassen Gärten, wo Gestank aus den Müllgruben aufstieg, zu den dunklen stinkenden Ställen, wo ein Kutscher das Pferd striegelte und kämmte oder Musik aus den Schnallen des Geschirrs schüttelte. Wenn wir auf die Straße zurückkehrten, füllte inzwischen Licht aus den Küchenfenstern die Unterhöfe. Sahen wir meinen Onkel um die Ecke kommen, so versteckten wir uns im Schatten, bis wir ihn sicher im Haus wußten. Oder trat Mangans Schwester hinaus auf die Türschwelle, um ihren Bruder zum Tee hereinzurufen, so beobachteten wir aus unserm Schatten, wie sie die Straße auf- und abspähte. Wir warteten, um zu sehen, ob sie bleiben oder hineingehen würde, und wenn sie blieb, kamen wir aus unserem Schatten hervor und gingen resigniert zu Mangans Treppe. Sie wartete auf uns, und das aus der halb offenen Tür fallende Licht umriß ihre Gestalt. Ihr Bruder neckte sie immer, ehe er gehorchte, und ich stand am Gitterzaun und sah sie an. Ihr Kleid schwang, wenn sie den Körper bewegte, und der weiche Strang ihres Haars wurde von einer Seite auf die andere geworfen.

Jeden Morgen lag ich auf dem Fußboden im vorderen Salon und beobachtete ihre Tür. Das Rouleau war bis auf weniger als einen Zoll auf den Fensterrahmen herabgezogen, so daß ich nicht gesehen werden konnte. Wenn sie auf die Türschwelle trat, hüpfte mein Herz. Ich rannte auf den Flur, griff meine Bücher und folgte ihr. Ich behielt ihre braune Gestalt unverwandt im Auge, und wenn wir uns der Stelle näherten, wo unsere Wege sich trennten, beschleunigte ich den Schritt und überholte sie. So geschah es Morgen für Morgen. Ich hatte nie mit ihr gesprochen, ein paar beiläufige Worte ausgenommen, und dennoch wirkte ihr Name wie ein Weckruf auf all mein törichtes Blut.

Ihr Bild begleitete mich selbst an Orte, die für Romanzen am allerungeeignetsten sind. Wenn an Samstagabenden meine Tante auf den Markt ging, mußte ich mitgehen, um einige der Pakete zu tragen. Wir gingen durch die flimmernden Straßen, angerempelt von betrunkenen Männern und feilschenden

Frauen, umgeben von den Flüchen der Arbeiter, den schrillen Litaneien von Ladenschwengeln, die bei Fässern mit Schweinsfettbacken Wache hielten, den nasalen Melodien von Straßensängern, die einen *come-all-you* über O'Donovan Rossa oder eine Ballade über die Leiden unsres Heimatlands sangen. Diese Geräusche verschmolzen mir zu einem einzigen Lebensgefühl: ich stellte mir vor, ich trüge meinen Kelch sicher durch eine dichte Menge von Feinden. In seltsamen Gebeten und Lobpreisungen, die ich selber nicht verstand, drängte sich mir zuweilen ihr Name auf die Lippen. Meine Augen waren oft voller Tränen (ich wußte nicht, warum), und zuzeiten schien sich eine Flut aus meinem Herzen in meine Brust zu ergießen. Ich dachte kaum an die Zukunft. Ich wußte nicht, ob ich je mit ihr sprechen würde oder nicht oder wie ich, wenn ich mit ihr spräche, ihr meine verwirrte Anbetung zu verstehen geben sollte. Aber mein Körper war wie eine Harfe, und ihre Worte und Gebärden waren wie Finger, die über die Saiten strichen.

Eines Abends ging ich in den hinteren Salon, in dem der Priester gestorben war. Es war ein dunkler regnerischer Abend, und im Haus war kein Geräusch. Durch eine der zerbrochenen Scheiben hörte ich den Regen auf die Erde schlagen, die feinen Wassernadeln spielten unaufhörlich auf den durchweichten Beeten. Irgendeine ferne Lampe oder ein erleuchtetes Fenster schimmerte unter mir. Ich war dankbar dafür, daß ich so wenig sehen konnte. Alle meine Sinne schienen sich verschleiern zu wollen, und da ich fühlte, daß ich ihnen gleich entschlüpfen würde, preßte ich die Handflächen zusammen, bis sie zitterten, und murmelte viele Male *O Geliebte! O Geliebte!*

Schließlich sprach sie mich an. Als sie die ersten Worte an mich richtete, war ich dermaßen verwirrt, daß ich nicht wußte, was ich antworten sollte. Sie fragte mich, ob ich zum *Araby* ginge. Ich habe vergessen, ob ich ja oder nein antwortete. Es wäre ein himmlischer Basar, sagte sie; sie ginge liebend gern hin.

– Und warum kannst du nicht? fragte ich.

Beim Sprechen drehte sie einen silbernen Armreifen immer wieder um ihr Handgelenk. Sie könne nicht gehen, sagte sie,

weil sie diese Woche in ihrem Kloster Exerzitien hätten. Ihr Bruder und zwei andere Jungen balgten sich um ihre Mützen, und ich stand allein am Gitterzaun. Sie hatte eine der Eisenspitzen gefaßt und beugte ihren Kopf zu mir herüber. Der Schein der Lampe gegenüber unserer Haustür erfaßte die weiße Wölbung ihres Halses, erhellte das dort anliegende Haar, fiel dann abwärts und erhellte die Hand auf dem Gitter. Er fiel über eine Seite ihres Kleides und erfaßte den weißen Saum eines Unterrocks, der ein wenig hervorsah, während sie so ungezwungen dastand.
– Aber du kannst ja, sagte sie.
– Wenn ich gehe, sagte ich, bring ich dir etwas mit.
Welche unzähligen Torheiten verheerten von diesem Abend an meine Gedanken im Wachen wie im Schlafen! Gerne hätte ich die dazwischenliegenden öden Tage ausgelöscht. Ich sträubte mich gegen die Arbeit in der Schule. Bei Nacht in meinem Schlafzimmer und bei Tage im Klassenzimmer trat ihr Bild zwischen mich und die Seite, die ich mich zu lesen mühte. Die Silben des Wortes *Araby* wurden mir zugerufen durch die Stille, in der meine Seele schwelgte, und breiteten einen morgenländischen Zauber über mich. Ich bat um die Erlaubnis, am Samstagabend zum Basar gehen zu können. Meine Tante war überrascht und hoffte, es handele sich nicht um irgendeine freimaurerische Sache. In der Schule beantwortete ich wenig Fragen. Ich beobachtete, wie das Gesicht meines Lehrers von Freundlichkeit zu Strenge überging; er hoffte, ich finge nicht an zu faulenzen. Ich vermochte meine streunenden Gedanken nicht zusammenzuhalten. Ich hatte kaum Geduld mit der ernsten Arbeit des Lebens, die mir jetzt, da sie zwischen mir und meinem Begehren stand, wie eine Kinderei vorkam, eine widerwärtige eintönige Kinderei.
Am Samstagmorgen erinnerte ich meinen Onkel, daß ich abends zum Basar gehen wollte. Er machte sich an der Flurgarderobe zu schaffen, suchte die Hutbürste und antwortete mir kurz angebunden:
– Ja, Junge, ich weiß.

Da er im Flur war, konnte ich nicht in den vorderen Salon gehen und mich ans Fenster legen. Ich verließ schlechter Laune das Haus und ging langsam zur Schule. Die Luft war mitleidlos rauh, und schon jetzt schwante mir nichts Gutes.
Als ich zum Abendessen nach Hause kam, war mein Onkel noch nicht da. Aber es war noch früh. Ich saß und starrte eine Zeitlang die Uhr an, und als ihr Ticken mir auf die Nerven zu gehen begann, verließ ich das Zimmer. Ich stieg die Treppe hinauf in den oberen Teil des Hauses. Die hohen kalten leeren düsteren Räume befreiten mich, und singend ging ich von Zimmer zu Zimmer. Aus dem Vorderfenster sah ich meine Kameraden unten auf der Straße spielen. Ihre Rufe erreichten mich gedämpft und undeutlich, und ich lehnte meine Stirn an das kühle Glas und blickte hinüber zu dem dunklen Haus, wo sie wohnte. Vielleicht eine Stunde lang stand ich so und sah nichts als die braungekleidete Gestalt, die mir meine Phantasie vorspielte, zart vom Lampenlicht berührt an der Wölbung des Halses, an der Hand auf dem Gitterzaun und am Saum unter dem Kleid.
Als ich wieder nach unten kam, fand ich Mrs. Mercer am Feuer sitzen. Sie war eine alte schwatzhafte Frau, die Witwe eines Pfandleihers, die für irgendeinen frommen Zweck alte Briefmarken sammelte. Ich mußte den Teetischklatsch über mich ergehen lassen. Die Mahlzeit zog sich über eine Stunde hin, und noch immer kam mein Onkel nicht. Mrs. Mercer stand auf, um zu gehen: es tue ihr leid, daß sie nicht länger warten könne, aber es sei acht durch, und sie sei so spät nicht mehr gerne draußen, da die Nachtluft ihr nicht gut tue. Als sie weg war, begann ich mit geballten Fäusten im Zimmer auf und ab zu gehen. Meine Tante sagte:
– Ich fürchte, diesen Abend unseres Herrn wird es nichts mehr mit deinem Basar.
Um neun Uhr hörte ich den Hausschlüssel meines Onkels in der Flurtür. Ich hörte, wie er mit sich selber sprach, und hörte, wie der Garderobenständer schwankte, als er die Last seines Mantels aufgenommen hatte. Ich wußte mir diese Zeichen zu

deuten. Als er mit seinem Abendessen halb fertig war, bat ich ihn, mir das Geld zu geben, um zum Basar zu gehen. Er hatte es vergessen.

– Die Leute sind im Bett und schlafen längst, sagte er.

Ich lächelte nicht. Meine Tante fuhr ihn energisch an:

– Kannst du ihm nicht das Geld geben und ihn gehen lassen? Du hast ihn sowieso lange genug warten lassen.

Mein Onkel sagte, es tue ihm sehr leid, daß er es vergessen habe. Er sagte, er glaube an das alte Sprichwort: *Immer Arbeit, nie ein Spiel, wird dem Knaben Hans zuviel.* Er fragte, wo ich hinwolle, und als ich es ihm zum zweiten Mal gesagt hatte, fragte er, ob ich *Des Arabers Abschied von seinem Ross* kenne. Als ich die Küche verließ, schickte er sich gerade an, meiner Tante die Anfangszeilen des Gedichts zu deklamieren.

Ich hielt ein Zweishillingstück fest in der Hand, als ich die Buckingham Street zum Bahnhof hinunter marschierte. Der Anblick der von Käufern wimmelnden und vom Gaslicht hell leuchtenden Straßen rief mir den Zweck meiner Reise wieder ins Gedächtnis. Ich nahm im Dritter-Klasse-Wagen eines verlassenen Zuges Platz. Nach unerträglich langem Warten rollte der Zug langsam aus dem Bahnhof. Er kroch vorbei an verfallenden Häusern und über den glitzernden Fluß. Auf dem Bahnhof Westland Row drängte eine Menge Menschen an die Wagentüren; aber die Gepäckträger drückten sie zurück, denn es war, wie sie sagten, ein Sonderzug für den Basar. Ich blieb allein in dem kahlen Wagen. Ein paar Minuten später hielt der Zug an einem provisorischen Holzbahnsteig. Ich ging hinaus auf die Straße und sah an dem erleuchteten Zifferblatt einer Uhr, daß es zehn Minuten vor zehn war. Vor mir befand sich ein großes Gebäude, auf dem der magische Name prangte.

Ich konnte keinen Sixpenny-Eingang finden, und da ich fürchtete, daß der Basar geschlossen würde, ging ich schnell durch ein Drehkreuz und reichte einem müde aussehenden Mann einen Shilling. Ich fand mich in einer weiten Halle, um die sich in halber Höhe eine Galerie zog. Fast alle Stände waren

geschlossen, und der größere Teil der Halle lag im Dunkel. Mir fiel eine Stille auf, die der Stille in einer Kirche nach dem Gottesdienst glich. Schüchtern ging ich in die Mitte des Basars. Ein paar Leute hatten sich um die Stände gesammelt, die noch offen waren. Vor einem Vorhang, auf dem bunte Lampen die Wörter *Café Chantant* bildeten, zählten zwei Männer Geld auf einem Tablett. Ich horchte auf das Klimpern der fallenden Münzen.
Mich nur mühsam erinnernd, warum ich gekommen war, ging ich zu einem der Stände hinüber und sah mir prüfend Porzellanvasen und geblümte Teegeschirre an. An der Tür des Standes unterhielt sich eine junge Dame lachend mit zwei jungen Herren. Ich bemerkte ihren englischen Akzent und hörte ihre Unterhaltung unkonzentriert mit an.
– O sowas hab ich aber nie gesagt!
– O doch!
– O nein!
– Hat sie das nicht gesagt?
– Doch. Ich hab es gehört.
– O so ein . . . Schwindelmeier!
Als die junge Dame mich bemerkte, kam sie herüber und fragte, ob ich etwas kaufen wolle. Ihre Stimme klang nicht ermutigend; sie schien nur aus Pflichtgefühl mit mir gesprochen zu haben. Ich sah demütig auf die großen Krüge, die wie morgenländische Wachen zu beiden Seiten des dunklen Eingangs zu dem Stand postiert waren, und murmelte:
– Nein, danke sehr.
Die junge Dame rückte an einer der Vasen und ging zu den beiden jungen Männern zurück. Sie unterhielten sich weiter über das gleiche Thema. Ein- oder zweimal warf mir die junge Dame über die Schulter einen kurzen Blick zu.
Ich blieb noch etwas vor ihrem Stand stehen, obwohl ich wußte, daß mein Verweilen keinen Zweck hatte, um mein Interesse an ihren Waren etwas glaubwürdiger erscheinen zu lassen. Dann wandte ich mich langsam ab und ging die Mitte des Basars entlang. Ich ließ die beiden Pennies gegen das Sixpence-

Stück in meiner Tasche klimpern. Ich hörte eine Stimme von einem Ende der Galerie her rufen, daß das Licht aus sei. Der obere Teil der Halle war jetzt vollkommen dunkel.
In die Dunkelheit hinaufspähend, sah ich mich selber als ein Wesen, von Eitelkeit getrieben und lächerlich gemacht; und meine Augen brannten vor Qual und vor Zorn.

Eveline

Sie saß am Fenster und sah zu, wie der Abend in die Straße eindrang. Ihr Kopf war an die Fenstervorhänge gelehnt, und in ihrer Nase war der Geruch von staubigem Kretonne. Sie war müde.

Wenige Menschen gingen vorüber. Der Mann aus dem letzten Haus kam auf dem Heimweg vorbei; sie hörte seine Schritte auf dem Betonpflaster klappern und später auf dem Schlackenweg vor den neuen roten Häusern knirschen. Früher einmal war da ein Feld gewesen, auf dem sie jeden Abend mit den Kindern von andren Leuten gespielt hatten. Dann kaufte ein Mann aus Belfast das Feld und baute Häuser darauf – nicht solche kleinen braunen Häuser wie ihre, sondern helle Backsteinhäuser mit glänzenden Dächern. Die Kinder der Straße spielten immer zusammen auf jenem Feld – die Devines, die Waters, die Dunns, der kleine Krüppel Keogh, sie und ihre Brüder und Schwestern. Ernest jedoch spielte nie mit: er war zu erwachsen. Ihr Vater jagte sie oft mit seinem Schwarzdornstock aus dem Feld in die Häuser; aber gewöhnlich stand der kleine Keogh immer Schmiere und rief, wenn er ihren Vater kommen sah. Trotzdem waren sie damals anscheinend ganz glücklich gewesen. Ihr Vater war damals noch nicht so schlimm; und außerdem lebte ja ihre Mutter noch. Das war lange her; sie und ihre Brüder und Schwestern waren alle erwachsen; ihre Mutter war tot. Tizzie Dunn war auch tot, und die Waters waren nach England zurückgekehrt. Alles ändert sich. Jetzt würde sie fortgehen wie die anderen, ihr Elternhaus verlassen.

Elternhaus! Sie blickte sich im Zimmer um, musterte alle seine vertrauten Gegenstände, die sie so viele Jahre lang einmal die Woche abgestaubt hatte, und fragte sich, wo in aller Welt der ganze Staub bloß herkomme. Vielleicht würde sie diese vertrauten Gegenstände, von denen jemals getrennt zu werden sie sich nie hatte träumen lassen, nie mehr wiedersehen. Und

doch hatte sie während all der Jahre nie den Namen des Priesters herausbekommen, dessen vergilbende Photographie an der Wand über dem kaputten Harmonium neben dem Farbdruck der Verheißungen hing, die der Seligen Margareta Maria Alacoque gemacht worden waren. Er war ein Schulfreund ihres Vaters gewesen. Wann immer ihr Vater die Photographie einem Besucher zeigte, ging er mit einem beiläufigen Wort darüber weg:
– Er ist jetzt in Melbourne.
Sie hatte eingewilligt fortzugehen, ihr Elternhaus zu verlassen. War das klug? Sie versuchte, beide Seiten der Frage gegeneinander abzuwägen. Im Elternhaus hatte sie auf jeden Fall ein Dach überm Kopf und zu essen; um sich hatte sie die, die sie ihr ganzes Leben gekannt hatte. Natürlich mußte sie zu Hause und im Geschäft hart arbeiten. Was würden sie im Laden von ihr sagen, wenn herauskam, daß sie mit einem Burschen davongelaufen war? Daß sie närrisch war vielleicht; und ihre Stelle würde durch eine Anzeige neu besetzt werden. Miss Gavan wäre froh. Sie hatte sie immer auf dem Kieker gehabt, vor allem immer dann, wenn Leute zuhörten.
– Miss Hill, sehen Sie denn nicht, daß diese Damen warten?
– Nicht so verschlafen gucken, Miss Hill, bitte.
Dem Laden würde sie nicht viele Tränen nachweinen.
Aber in ihrem neuen Heim in einem fernen unbekannten Land würde es anders sein. Sie wäre dann verheiratet – sie, Eveline. Die Leute würden sie dann mit Respekt behandeln. Sie würde nicht behandelt werden wie einst ihre Mutter. Selbst jetzt, obwohl sie doch über neunzehn war, fühlte sie sich manchmal nicht sicher vor der Gewalttätigkeit ihres Vaters. Sie wußte, es war das, was ihr das Herzklopfen verursacht hatte. Als sie heranwuchsen, war er nie auf sie losgegangen, so wie er immer auf Harry und Ernest losging, weil sie ein Mädchen war; aber seit einiger Zeit hatte er angefangen, ihr zu drohen und zu sagen, was er mit ihr machen würde, wenn er sich nicht um ihrer toten Mutter willen zurückhielte. Und jetzt hatte sie niemanden, der sie in Schutz nahm. Ernest war

tot, und Harry, der im Devotionalienhandel war, reiste fast immer irgendwo im Land umher. Außerdem hatten die unvermeidlichen Geldzankereien am Samstagabend angefangen, ihr unaussprechlich lästig zu werden. Sie gab stets ihren ganzen Lohn – sieben Shilling –, und Harry schickte immer, was er konnte, aber die Schwierigkeit war, irgendwelches Geld von ihrem Vater zu bekommen. Er sagte, sie verschwende immer das Geld, sie habe nichts im Kopf, er würde ihr doch nicht sein schwerverdientes Geld geben, damit sie es zum Fenster hinausschmeiße, und vieles mehr, denn an Samstagabenden war er gewöhnlich ziemlich schlimm. Schließlich gab er ihr das Geld dann doch und fragte sie, ob sie eigentlich die Absicht habe, das Sonntagsessen einzukaufen. Dann mußte sie so schnell wie möglich hinausstürzen und ihre Einkäufe machen, ihre schwarze Lederbörse fest in der Hand, während sie sich mit den Ellbogen den Weg durch die Menge bahnte, und erst spät kehrte sie, beladen mit ihren Vorräten, nach Hause zurück. Es war harte Arbeit für sie, den Haushalt in Ordnung zu halten und dafür zu sorgen, daß die beiden jüngeren Kinder, die ihr anvertraut waren, regelmäßig zur Schule gingen und regelmäßig zu essen bekamen. Es war harte Arbeit – ein hartes Leben –, aber jetzt, da sie im Begriff war, es zu verlassen, fand sie es kein gänzlich unerträgliches Leben.

Sie war im Begriff, mit Frank ein neues Leben zu erforschen. Frank war sehr gut, männlich, offenherzig. Sie sollte mit ihm auf der Nachtfähre wegfahren, um seine Frau zu werden und mit ihm in Buenos Aires zu leben, wo sein Heim auf sie wartete. Wie gut erinnerte sie sich an das erste Mal, als sie ihn sah; er logierte in einem Haus an der Hauptstraße, wo sie immer Besuche machte. Es schien erst einige Wochen her zu sein. Er stand am Tor, die spitze Mütze nach hinten geschoben, und sein Haar fiel nach vorne in ein bronzenes Gesicht. Dann hatten sie sich kennengelernt. Jeden Abend holte er sie vor dem Laden ab und brachte sie nach Hause. Er ging mit ihr in *Die Zigeunerin*, und sie war in gehobener Stimmung, als sie mit ihm zusammen in einem ungewohnten Teil des Theaters saß.

Er hatte Musik schrecklich gern und sang selber ein wenig. Die Leute wußten, daß sie miteinander gingen, und wenn er sang vom Mädchen, das den Seemann liebt, fühlte sie sich stets angenehm verwirrt. Aus Spaß nannte er sie immer Poppens. Zuerst war es ihr aufregend vorgekommen, einen Burschen zu haben, und dann hatte sie Gefallen an ihm gefunden. Er wußte Geschichten von fernen Ländern. Er hatte als Schiffsjunge für ein Pfund im Monat auf einem Schiff der Allan-Linie im Kanadadienst angefangen. Er nannte ihr die Namen der Schiffe, auf denen er gewesen war, und die Namen der verschiedenen Linien. Er war durch die Magellan-Straße gefahren, und er erzählte ihr Geschichten über die schrecklichen Patagonier. Er sei in Buenos Aires auf die Füße gefallen, sagte er, und in die alte Heimat sei er nur herübergekommen, um Ferien zu machen. Natürlich hatte ihr Vater von der Affäre Wind bekommen und ihr verboten, irgendetwas mit ihm zu tun zu haben.
– Ich kenne diese Seesäcke, sagte er.
Eines Tages hatte er mit Frank gestritten, und danach mußte sie ihren Geliebten heimlich treffen.
Der Abend wurde dunkler auf der Straße. Das Weiß der beiden Briefe auf ihrem Schoß wurde undeutlich. Der eine war an Harry; der andere an ihren Vater. Ernest war ihr der liebste gewesen, aber auch Harry mochte sie gern. Ihr Vater wurde in letzter Zeit alt, stellte sie fest; er würde sie vermissen. Manchmal konnte er sehr nett sein. Vor noch nicht so langer Zeit, als sie einen Tag lang das Bett hüten mußte, hatte er ihr eine Gespenstergeschichte vorgelesen und am Feuer für sie Toast gemacht. Ein andermal, als ihre Mutter noch am Leben war, hatten sie alle zusammen einen Ausflug zum Hill of Howth gemacht. Sie erinnerte sich, wie ihr Vater sich die Haube ihrer Mutter aufgesetzt hatte, um die Kinder zum Lachen zu bringen.
Ihre Zeit wurde allmählich knapp, aber sie blieb weiter am Fenster sitzen, lehnte den Kopf an den Fenstervorhang und atmete den Geruch von staubigem Kretonne ein. Weit entfernt

auf der Straße konnte sie eine Drehorgel hören. Sie kannte die Melodie. Seltsam, daß sie ausgerechnet an diesem Abend zu hören war und sie an das Versprechen erinnerte, das sie ihrer Mutter gegeben hatte, ihr Versprechen, das Elternhaus so lang sie konnte zusammenzuhalten. Sie mußte an die letzte Nacht der Krankheit ihrer Mutter denken; wieder war sie in dem engen dunklen Zimmer auf der anderen Seite des Flurs, und draußen hörte sie eine wehmütige italienische Melodie. Den Drehorgelmann hatte man aufgefordert, zu verschwinden, und ihm Sixpence gegeben. Sie mußte daran denken, wie ihr Vater zurück ins Krankenzimmer gestelzt war und gesagt hatte:

– Diese verdammten Italiener! hier herüber zu kommen!

Während sie so sann, drang ihr die Vorstellung von dem kläglichen Leben ihrer Mutter wie eine Verwünschung bis ins Mark – dieses Leben aus banalen Opfern, das schließlich im Wahnsinn endete. Sie zitterte, als sie ihre Mutter wieder mit törichter Hartnäckigkeit sagen hörte:

– Derevaun Seraun! Derevaun Seraun!

Von jähem Schrecken gepackt, stand sie auf. Fliehen! Sie mußte fliehen! Frank würde sie retten. Er würde ihr Leben schenken, vielleicht auch Liebe. Aber sie wollte leben. Warum sollte sie unglücklich sein? Sie hatte ein Anrecht auf Glück. Frank würde sie in seine Arme nehmen, sie in seine Arme schließen. Er würde sie retten.

. . . .

Sie stand in der hin- und herdrängenden Menge auf den Landungsbrücken am North Wall Quay. Er hielt ihre Hand, und sie wußte, daß er auf sie einsprach, daß er immer wieder etwas von der Überfahrt sagte. Die Landungsbrücken waren voller Soldaten mit braunen Gepäckstücken. Durch die weiten Türen der Schuppen erblickte sie ein Stück der schwarzen Masse des Schiffes, das mit erleuchteten Bullaugen an der Mauer des Quays lag. Sie antwortete nichts. Ihre Wangen fühlten sich bleich und kalt, und aus einem Labyrinth der Seelennot heraus bat sie Gott, ihr den Weg zu weisen, ihr zu zeigen, was ihre Pflicht war. Die Schiffssirene tönte lang und kummervoll in den Nebel. Wenn sie ginge, wäre sie morgen mit Frank auf dem Meer, unterwegs nach Buenos Aires. Ihrer beider Überfahrt war gebucht. Konnte sie noch zurück nach allem, was er für sie getan hatte? Ihre Seelennot verursachte ihrem Körper Übelkeit, und immerfort bewegte sie die Lippen in stummem inbrünstigen Gebet.

Eine Glocke dröhnte gegen ihr Herz. Sie fühlte, wie er ihre Hand packte:

– Komm!

Alle Wasser der Welt brandeten um ihr Herz. Er zog sie in sie hinein: er würde sie ertrinken lassen. Sie klammerte sich mit beiden Händen an das Eisengitter.

– Komm!

Nein! Nein! Nein! Es war unmöglich. Wild umklammerten ihre Hände das Eisen. Inmitten der Wasser stieß sie einen Schrei der Qual aus!

– Eveline! Evvy!

Er trat schnell hinter die Absperrung und rief ihr zu, ihm zu folgen. Er wurde angebrüllt, er solle weitergehen, aber immer noch rief er nach ihr. Sie richtete ihr weißes Gesicht auf ihn, passiv, wie ein hilfloses Tier. Ihre Augen gaben ihm kein Zeichen der Liebe oder des Abschieds oder des Erkennens.

Nach dem Rennen

Die Wagen kamen nach Dublin hereingerast, wie Kugeln glitten sie gleichmäßig die Rille der Naas Road entlang. Auf der Höhe des Hügels in Inchicore hatten sich Trauben von Schaulustigen angesammelt, um die Wagen heimwärts karriolen zu sehen, und durch diesen Kanal der Armut und der Untätigkeit jagte der Kontinent seinen Reichtum und seinen Gewerbefleiß. Hin und wieder brachen die Menschentrauben in die Hochrufe der dankbar Unterdrückten aus. Ihre Sympathie indessen gehörte den blauen Wagen – den Wagen ihrer Freunde, der Franzosen.

Die Franzosen waren überdies die eigentlichen Sieger. Ihre Mannschaft hatte anständig abgeschnitten; sie waren auf den zweiten und dritten Platz gekommen, und von dem Fahrer des siegreichen deutschen Wagens hieß es, er sei Belgier. Jeder blaue Wagen wurde darum mit doppeltem Jubel begrüßt, wenn er auf der Höhe des Hügels ankam, und jeder Jubel wurde von denen im Wagen mit Lächeln und Kopfnicken quittiert. In einem dieser schmucken Wagen saß eine Gesellschaft von vier jungen Männern, deren Stimmung im Augenblick den Pegel erfolgreichen Franzosentums weit überschritten zu haben schien: ja, diese vier jungen Männer waren nahezu übermütig. Es waren Charles Ségouin, der Besitzer des Wagens; André Rivière, ein junger Elektriker kanadischer Herkunft; ein riesiger Ungar namens Villona und ein sehr gepflegter junger Mann namens Doyle. Ségouin war guter Dinge, weil er unverhofft im voraus einige Aufträge erhalten hatte (er hatte vor, demnächst in Paris eine Automobilfirma aufzumachen), und Rivière war guter Dinge, weil er der Leiter der Firma werden sollte; darüberhinaus waren diese beiden jungen Männer (die Cousins waren) wegen des Erfolgs der französischen Wagen guter Dinge. Villona war guter Dinge, weil er ein sehr zufriedenstellendes Lunch hinter sich hatte; und außerdem war er von Natur aus Optimist. Der vierte im

Bunde jedoch war zu aufgeregt, um wirklich glücklich zu sein.
Er war etwa sechsundzwanzig Jahre alt, hatte einen weichen hellbraunen Schnurrbart und ziemlich unschuldig dreinblikkende graue Augen. Sein Vater, der sein Leben als fortgeschrittener Nationalist begonnen hatte, hatte seine Ansichten früh gemäßigt. Er war als Fleischer in Kingstown zu seinem Geld gekommen, und durch die Eröffnung von Läden in und um Dublin hatte er sein Geld vervielfacht. Er hatte auch das Glück gehabt, sich einige der Lieferverträge mit der Polizei zu sichern, und am Ende war er so reich geworden, daß er in den Dubliner Zeitungen als Geldmagnat bezeichnet wurde. Er hatte seinen Sohn auf ein großes katholisches College in England geschickt und danach zum Jurastudium auf die Universität Dublin. Sehr ernsthaft allerdings studierte Jimmy nicht, und eine Zeitlang war sein Lebenswandel nicht der solideste. Er hatte Geld, und er war beliebt; und er teilte seine Zeit aufs verwunderlichste zwischen musikalischen und automobilistischen Kreisen. Dann war er für ein Trimester nach Cambridge geschickt worden, um das Leben ein wenig kennenzulernen. Vorwurfsvoll, aber insgeheim stolz auf den Exzeß, hatte sein Vater seine Rechnungen bezahlt und ihn nach Hause zurückgeholt. In Cambridge hatte er Ségouin kennengelernt. Bisher waren sie nicht viel mehr als bloße Bekannte, aber Jimmy fand etliches Vergnügen an der Gesellschaft eines Mannes, der soviel von der Welt gesehen hatte und angeblich einige der größten Hotels in Frankreich besaß. Ein solcher Mann war (wie sein Vater auch fand) die Bekanntschaft wohl wert, auch wenn er nicht der charmante Gesellschafter gewesen wäre, der er war. Auch Villona war unterhaltsam – ein glänzender Pianist –, aber, unglücklicherweise, sehr arm.
Der Wagen setzte mit seiner Ladung übermütiger Jugend fröhlich seinen Weg fort. Die beiden Cousins saßen auf dem Vordersitz; Jimmy und sein ungarischer Freund saßen hinten. Villona war ganz entschieden in bester Stimmung; über Meilen der Straße hin summte er melodisch in seinem tiefen Baß.

Die Franzosen warfen Gelächter und Scherzworte über die Schulter, und oft mußte sich Jimmy nach vorne recken, um die flinken Bemerkungen mitzubekommen. Das war für ihn nicht so ganz angenehm, weil er den Sinn fast immer erst geistesgegenwärtig erraten und eine passende Antwort gegen den scharfen Wind zurückschreien mußte. Außerdem konnte Villonas Gesumme jeden durcheinanderbringen; der Lärm des Wagens ebenfalls.
Rasche Fortbewegung durch den Raum beschwingt einen; Berühmtheit desgleichen; desgleichen der Besitz von Geld. Es waren dies drei gute Gründe für Jimmys Aufregung. Er war an diesem Tag von vielen seiner Freunde in der Gesellschaft dieser Kontinentalen gesehen worden. An der Kontrolle hatte Ségouin ihn einem der französischen Teilnehmer vorgestellt, und auf sein verwirrt gemurmeltes Kompliment hin hatte das dunkle Gesicht des Fahrers eine Reihe blendend weißer Zähne gebleckt. Es war angenehm, nach dieser Ehrung in die profane Welt der Zuschauer zurückzukehren, die sich anstießen und ihn bedeutungsvoll ansahen. Und was das Geld anging – er hatte tatsächlich eine große Summe zu seiner Verfügung. Ségouin würde es vielleicht für keine große Summe halten, doch Jimmy, der zeitweiligen Irrtümern zum Trotz im Herzen der Erbe solider Instinkte war, wußte wohl, wie mühsam es zusammengebracht worden war. Dieses Wissen hatte seine Rechnungen bis dahin im Rahmen vernünftigen Leichtsinns gehalten, und wenn er der im Geld latent enthaltenen Arbeit so bewußt gewesen war, wo es sich lediglich um irgendeine Laune der gehobenen Intelligenz handelte, um wieviel mehr war er es dann jetzt, da er im Begriff stand, den größeren Teil seines Vermögens zu riskieren! Es war eine ernste Sache für ihn.
Natürlich, die Investition war gut, und Ségouin hatte es verstanden, den Eindruck zu erwecken, daß das Scherflein irischen Geldes aus freundschaftlicher Gefälligkeit in das Kapital des Konzerns aufgenommen wurde. Jimmy hatte vor der Gerissenheit seines Vaters in geschäftlichen Dingen Respekt, und in diesem Fall war es sein Vater gewesen, der die

Investition zuerst vorgeschlagen hatte; im Automobilgeschäft wäre Geld zu machen, Geld wie Heu. Darüberhinaus besaß Ségouin das unverkennbare Air des Reichtums. Jimmy machte sich daran, diesen hochvornehmen Wagen, in dem er saß, in Arbeitstage umzurechnen. Wie gleichmäßig er fuhr. In welchem Stil waren sie über die Landstraßen karriolt! Die Fahrt legte einen Zauberfinger auf den wahren Puls des Lebens, und zuvorkommend mühte sich der Apparat der menschlichen Nerven, dem federnden Lauf des schnellen blauen Tiers zu entsprechen.

Sie fuhren die Dame Street entlang. Es herrschte ein ungewöhnlicher Verkehr auf der Straße, der Lärm hupender Automobilisten und ungeduldig klingelnder Trambahnfahrer. In der Nähe der Bank hielt Ségouin, und Jimmy und sein Freund stiegen aus. Eine kleine Menschenmenge versammelte sich auf dem Gehsteig, um dem schnaufenden Motor Reverenz zu erweisen. Die vier wollten am Abend in Ségouins Hotel dinieren, und in der Zwischenzeit sollten Jimmy und sein Freund, der bei ihm wohnte, nach Hause gehen und sich umziehen. Der Wagen setzte sich langsam in Richtung Grafton Street in Bewegung, während sich die beiden jungen Männer durch die dichte Menge der Gaffer einen Weg bahnten. Sonderbar enttäuscht, nun wieder ihre Glieder zu gebrauchen, gingen sie nach Norden, während die Stadt ihre fahlen Lichtkugeln über ihnen in den Dunst des Sommerabends hängte.

Bei Jimmy zu Hause war dieses Diner zu einem Ereignis erklärt worden. In einen gewissen Stolz mischte sich bei seinen Eltern Ängstlichkeit und auch ein gewisses Bedürfnis, fünf gerade sein zu lassen, denn wenigstens das bewirken die Namen großer Städte des Auslands. Jimmy sah in seiner Abendkleidung außerdem sehr gut aus, und als er auf dem Flur stand und den Schleifen seines Binders das letzte Gleichgewicht gab, mochte sein Vater sogar eine geschäftliche Genugtuung darüber verspürt haben, daß er seinem Sohn Eigenschaften mitgegeben hatte, die sonst käuflich kaum zu erwerben sind. Sein Vater war darum ungewöhnlich liebenswürdig zu Villona, und sein Gebaren drückte aufrichtige Hochachtung vor ausländischen Errungenschaften aus; aber der Ungar, den langsam ein heftiges Verlangen nach seinem Diner ankam, wußte diese Feinfühligkeit seines Gastgebers wahrscheinlich nicht zu würdigen.

Das Diner war exzellent, exquisit. Ségouin, so konstatierte Jimmy, war ein Feinschmecker. Die Gesellschaft wurde durch einen jungen Engländer namens Routh vergrößert, den Jimmy bei Ségouin in Cambridge kennengelernt hatte. Die jungen Männer soupierten in einem behaglichen, von elektrischen Kerzenlampen erleuchteten Raum. Sie redeten sprudelnd und so gut wie ohne Hemmungen. Jimmy, dessen Phantasie sich entzündete, sah die muntere Jugend der Franzosen als elegante Ranken auf dem soliden Balkenwerk der Umgangsformen des Engländers. Ein anmutiges Bild, das er da gefunden hatte, dachte er, und ein richtiges dazu. Er bewunderte das Geschick, mit dem ihr Gastgeber die Unterhaltung lenkte. Die fünf jungen Herren hatten verschiedene Neigungen, und ihre Zungen hatten sich gelöst. Mit immenser Hochachtung begann Villona dem leicht erstaunten Engländer die Schönheiten des englischen Madrigals zu enthüllen, bedauerte nur, daß die alten Instrumente verlorengegangen seien. Nicht ganz von ungefähr unternahm Rivière es, Jimmy den Triumph der französischen Mechaniker auseinanderzusetzen. Die volltönende Stimme des Ungarn war drauf und dran, höhnisch über die falschen Lauten der romantischen Maler zu obsiegen, als Ségouin seine Herde in die Politik trieb. Hier befanden sie sich alle auf vertrautem Boden. Animiert fühlte Jimmy den begrabenen Eifer seines Vaters in sich lebendig werden: das rüttelte endlich auch den apathischen Routh wach. Der Raum wurde doppelt so heiß, und Ségouins Aufgabe wurde mit jedem Augenblick schwieriger: sogar persönliche Gehässigkeiten drohten. Der alerte Gastgeber hob bei passender Gelegenheit sein Glas auf die Menschheit, und als man darauf getrunken hatte, riß er bedeutungsvoll ein Fenster auf.

An jenem Abend trug die Stadt die Maske einer Kapitale. In

einer schwachen Wolke aromatischen Rauches schlenderten die fünf jungen Herren am Stephen's Green entlang. Sie sprachen laut und lustig, und ihre Mäntel hingen lose über ihre Schultern. Die Leute machten ihnen Platz. An der Ecke Grafton Street setzte ein kleiner dicker Mann zwei hübsche Damen in einen Wagen und übergab sie der Obhut eines anderen dicken Mannes. Der Wagen fuhr davon, und der kleine Dicke wurde der Gesellschaft ansichtig.

– André?

– Das ist ja Farley!

Ein Wortschwall ergoß sich. Farley war Amerikaner. Keiner wußte genau, wovon eigentlich die Rede war. Villona und Rivière waren die lautesten, aber sie alle waren aufgeregt. Sie kletterten in einen Wagen und drängten sich unter viel Gelächter zusammen. Zur Musik fröhlicher Schellen fuhren sie an der Menge vorbei, die nun in weichen Farben verschwamm. Auf dem Bahnhof Westland Row nahmen sie den Zug, und schon ein paar Sekunden später, so kam es Jimmy vor, traten sie aus dem Bahnhof Kingstown. Der Mann an der Sperre grüßte Jimmy; er war ein alter Mann:

– Schöner Abend, Herr!

Es war ein heiterer Sommerabend; der Hafen lag wie ein gedunkelter Spiegel zu ihren Füßen. Untergehakt gingen sie auf ihn zu, sangen im Chor *Cadet Roussel* und stampften mit den Füßen bei jedem:

– *Ho! Ho! Hohé, vraiment!*

Auf der Helling stiegen sie in ein Ruderboot und fuhren zu der Jacht des Amerikaners hinüber. Dort sollte es ein Souper, Musik und Kartenspiel geben. Villona sagte mit Überzeugung:

– Es ist schön!

In der Kajüte war ein Klavier. Villona spielte für Farley und Rivière einen Walzer, bei dem Farley den Kavalier und Rivière die Dame abgab. Dann eine volkstümliche Quadrille-Improvisation, zu der die Männer neue Figuren erfanden. Was für ein Spaß! Jimmy übernahm seine Rolle mit Fleiß; endlich lernte er hier das Leben kennen. Dann kam Farley außer

Atem und rief *Halt!* Ein Mann brachte ein leichtes Souper herein, und um der Form willen setzten sich die jungen Männer dazu nieder. Aber sie tranken: so war es die Art der Boheme. Sie tranken auf Irland, England, Frankreich, Ungarn, die Vereinigten Staaten von Amerika. Jimmy hielt eine Rede, eine lange Rede, bei der Villona, wann immer es eine Pause gab, *Bravo! Bravo!* sagte. Es wurde mächtig geklatscht, als er sich setzte. Es mußte eine gute Rede gewesen sein. Farley klatschte ihm auf den Rücken und lachte laut. Was für heitere Kumpane! Was für eine gesellige Runde!

Karten! Karten! Der Tisch wurde freigemacht. Villona kehrte still an sein Klavier zurück und improvisierte für sie. Die anderen stürzten sich kühn in das Abenteuer und spielten Spiel auf Spiel. Sie tranken auf die Herzdame und die Karodame. Jimmy fühlte dunkel, daß es an Publikum fehlte: der Geist sprühte. Es wurde sehr hoch gespielt, und Papier begann hin- und herzugehen. Jimmy wußte nicht genau, wer gewann, aber er wußte, daß er verlor. Doch das war seine eigene Schuld, denn häufig irrte er sich in seinen Karten, und die anderen mußten die Schuldscheine für ihn ausrechnen. Es waren Mordskerle, doch er wünschte, sie würden aufhören: es wurde spät. Einer brachte einen Toast auf die Jacht *The Belle of Newport* aus, und dann schlug jemand ein großes Spiel zum Abschluß vor.

Das Klavierspiel hatte aufgehört; Villona mußte hinauf an Deck gegangen sein. Es war ein schreckliches Spiel. Kurz vor Schluß unterbrachen sie es, um auf ihr Glück zu trinken. Jimmy begriff, daß das Spiel zwischen Routh und Ségouin ging. Was für eine Aufregung! Auch Jimmy war aufgeregt; er würde natürlich verlieren. Wieviel Schulden hatte er schon gemacht? Die Männer standen auf, um redend und gestikulierend die letzten Stiche auszuspielen. Routh gewann. Die Kajüte erzitterte unter den Hochrufen der jungen Männer, und die Karten wurden zusammengerafft. Dann begannen sie einzusammeln, was sie gewonnen hatten. Farley und Jimmy hatten am meisten verloren.

Er wußte, am Morgen würde er bereuen, aber im Augenblick freute er sich über die Ruhe, freute er sich über die dunkle Betäubung, die seine Torheit zudecken würde. Er lehnte die Ellbogen auf den Tisch, stützte den Kopf in die Hände und zählte die Schläge der Schläfen. Die Kajütentür ging auf, und in einem Streifen grauen Lichts sah er den Ungarn stehen:
– Der Tag bricht an, meine Herren.

Zwei Kavaliere

Der graue warme Augustabend hatte sich auf die Stadt gesenkt, und milde warme Luft, eine Erinnerung an den Sommer, zirkulierte in den Straßen. Die Straßen mit den für den Sonntag geschlossenen Fensterläden wimmelten von einer fröhlich bunten Menge. Wie erleuchtete Perlen schienen die Lampen von den Höhen ihrer langen Masten herab auf das lebendige Gewebe, das, Form und Farbe unablässig ändernd, ein unveränderliches unablässiges Gemurmel in die warme graue Abendluft emporsandte.

Zwei junge Männer kamen die Anhöhe des Rutland Square herab. Einer brachte soeben einen langen Monolog zum Abschluß. Der andere, der am Rand des Gehsteigs ging und der Rücksichtslosigkeit seines Gefährten wegen von Zeit zu Zeit genötigt war, auf die Fahrbahn zu treten, zeigte ein amüsiertes lauschendes Gesicht. Er war gedrungen und rosig. Seine Seglermütze hatte er weit aus der Stirn geschoben, und die Erzählung, der er zuhörte, ließ aus den Winkeln von Nase und Augen und Mund ständig ein wogendes Mienenspiel über sein Gesicht gehen. Kleine Ausbrüche keuchenden Gelächters kamen einer nach dem anderen aus seinem sich windenden Körper. Seine Augen, die vor listiger Freude zwinkerten, blickten immer und immer wieder zu dem Gesicht seines Gefährten hinüber. Ein paarmal zog er den leichten Regenmantel zurecht, den er nach Toreroart über seine Schultern geworfen hatte. Seine Breeches, seine weißen Leinenschuhe mit Gummisohlen und sein forsch über die Achsel geworfener Regenmantel drückten Jugendlichkeit aus. Aber seine Figur wurde zur Taille hin rundlich, sein Haar war schütter und grau, und sein Gesicht sah verwüstet aus, sobald das wogende Mienenspiel verebbt war.

Als er ganz sicher war, daß die Erzählung beendet war, lachte er eine volle halbe Minute lang lautlos. Dann sagte er:
– Also! ... Das ist der Gipfel!

Seine Stimme schien bar aller Kraft; und um seinen Worten Nachdruck zu verleihen, fügte er humorvoll hinzu:
– Das ist der allerhöchste, einsam dastehende und, wenn ich so sagen darf, exquisite Gipfel!
Er wurde ernst und still, als er das gesagt hatte. Seine Zunge war müde, denn er hatte den ganzen Nachmittag über in einer Wirtschaft in der Dorset Street geredet. Die meisten Leute hielten Lenehan für einen Schnorrer, doch diesem Ruf zum Trotz hatten seine Gewandtheit und Beredsamkeit seine Freunde immer abgehalten, ein für allemal Partei gegen ihn zu ergreifen. Er hatte eine unerschrockene Art, in einer Kneipe zu einer Gruppe von ihnen hinzuzutreten und sich wendig am Rande der Gesellschaft zu halten, bis man ihn bei einer Runde mitbedachte. Er war ein sportlicher Vagant, ausgestattet mit einem gewaltigen Vorrat an Geschichten, Limericks und Rätseln. Er war unempfindlich für jegliche Art von Unhöflichkeit. Niemand wußte, wie er das harte Geschäft des Lebens bewältigte, aber sein Name wurde vage mit Wettzeitungen in Verbindung gebracht.
– Und wo hast du sie aufgegabelt, Corley? fragte er.
Corley fuhr sich mit der Zunge schnell über die Oberlippe.
– Eines Nachts, Mensch, sagte er, bin ich die Dame Street lang, und da seh ich eine dufte Puppe unter der Uhr von Waterhouse, und ich sage guten Abend, ja? Also sind wir da am Kanal spazierengegangen, und sie sagte mir, daß sie Dienstmädchen ist in einem Haus in der Baggot Street. Ich den Arm um sie und an dem Abend noch ein bißchen geknutscht. Dann, nächsten Sonntag, Mensch, hatt' ich mich mit ihr verabredet. Wir sind nach Donnybrook raus gegangen, und da hab ich sie auf ein Feld geschleppt. Sie erzählte mir, daß sie früher mit einem Milchmann gegangen war ... Es war dufte, Mensch. Jeden Abend hat sie mir Zigaretten angeschleppt und die Tram hin und zurück bezahlt. Und eines Abends schleppte sie zwei verflucht gute Zigarren an – ganz große Klasse, weißt du, was der Alte so rauchte ... Ich hatte schon Angst, Mensch, es hat eingeschlagen. Aber die ist mit allen Wassern gewaschen.

– Vielleicht glaubt sie, daß du sie heiratest, sagte Lenehan.
– Ich hab ihr gesagt, daß ich stellungslos bin, sagte Corley. Ich hab ihr gesagt, daß ich früher bei Pim war. Sie weiß meinen Namen nicht. Das wär mir doch ein bißchen zu riskant, ihr den zu verraten. Aber die denkt, ich bin aus besseren Kreisen, weißt du.
Wieder lachte Lenehan lautlos.
– Von allen guten Geschichten, die mir je zu Ohren gekommen sind, sagte er, ist die mit Abstand der Gipfel.
Corleys Gang quittierte das Kompliment. Sein massiger Körper schwang so aus, daß sein Freund genötigt war, ein paar leichte Sprünge vom Gehsteig auf die Fahrbahn und zurück zu vollführen. Corley war der Sohn eines Polizeiinspektors, und er hatte die Statur und den Gang seines Vaters geerbt. Beim Gehen hatte er die Hände an den Seiten, hielt sich gerade und wiegte den Kopf hin und her. Es war ein großer, kugeliger und öliger Kopf; er schwitzte bei jedem Wetter; und sein großer runder Hut, schräg daraufgestülpt, sah aus wie eine Knolle, die aus einer anderen herausgewachsen war. Immer starrte er geradeaus, als wäre er bei einer Parade, und wenn er auf der Straße jemandem nachblicken wollte, mußte er seinen Körper aus den Hüften herumschwenken. Im Augenblick lebte er in den Tag. Immer, wenn eine Stelle frei war, fand sich ein Freund, der ihm die schlimme Nachricht brachte. Häufig sah man ihn in ernstem Gespräch mit Polizisten in Zivil herumgehen. Er kannte die Hintergründe von allem, was sich so tat, und gab gerne endgültige Urteile von sich. Er redete, ohne seinen Gefährten zuzuhören. Seine Unterhaltung drehte sich hauptsächlich um ihn selber: was er zu dem oder dem gesagt hatte, und was der zu ihm gesagt hatte, und was er gesagt hatte, um den Fall zu erledigen. Wenn er diese Dialoge mitteilte, aspirierte er den Anfangsbuchstaben seines Namens nach Art der Florentiner.
Lenehan bot seinem Freund eine Zigarette an. Während die beiden jungen Männer weiter durch die Menge schritten, wandte sich Corley gelegentlich um, um einigen vorübergehenden

Mädchen zuzulächeln, aber Lenehans Blick war auf den großen schwachen Mond geheftet, den ein doppelter Hof einkreiste. Ernst beobachtete er, wie das graue Schleiergewebe über sein Antlitz zog. Endlich sagte er:

– Nun . . . sag mal, Corley, du wirst also die Sache schon schaukeln, ja?

Zur Antwort kniff Corley vielsagend ein Auge zu.

– Ob sie da mitspielt? fragte Lenehan zweifelnd. Bei Frauen weiß man nie.

– Sie geht in Ordnung, sagte Corley. Ich weiß schon, wie ich die rumkriege, Mensch. Sie ist ein bißchen verknallt in mich.

– Du bist mir schon ein Don Juan, sagte Lenehan. Und was für einer!

Ein Anflug von Spott milderte die Servilität seines Gehabens. Um sein Gesicht zu wahren, hatte er die Gewohnheit, seine Schmeicheleien so vorzubringen, daß sie ihm auch als Sticheleien ausgelegt werden konnten. Aber Corley hatte keinen sehr subtilen Geist.

– Nichts geht über ein gutes Dienstmädchen, bestätigte er. Das kannst du mir glauben.

– Einem, der sie alle durchprobiert hat, sagte Lenehan.

– Erst bin ich immer mit Mädchen gegangen, sagte Corley nunmehr mitteilsamer; Mädchen so an der South Circular Road. Ich bin mit ihnen immer mit der Tram irgendwohin rausgefahren, Mensch, und hab die Tram bezahlt, oder ich hab sie mitgenommen zu einer Kapelle oder zu einem Stück im Theater oder hab ihnen Schokolade gekauft oder Bonbons oder irgend so Zeug. Ich hab mich das wirklich was kosten lassen, fügte er in überzeugendem Ton hinzu, als wäre ihm bewußt, daß man ihm nicht glauben würde.

Aber Lenehan glaubte es gern; er nickte ernst.

– Ich kenne diese Tour, sagte er, sie ist was für Trottel.

– Und einen Dreck hat sie mir eingebracht, sagte Corley.

– Desgleichen bei mir, sagte Lenehan.

– Nur bei der einen, sagte Corley.

Er befeuchtete die Oberlippe, indem er mit der Zunge dar-

überfuhr. Die Erinnerung brachte Glanz in seine Augen. Auch er blickte zu der bleichen Mondscheibe hinauf, die jetzt fast ganz verschleiert war, und schien nachzudenken.
– Sie war ... eigentlich ganz in Ordnung, sagte er voll Bedauern.
Wieder schwieg er. Dann fügte er hinzu:
– Jetzt geht sie auf den Strich. Ich hab sie abends mal mit zwei Mackern auf einem Wagen die Earl Street runterfahren sehen.
– Das ist wohl dein Werk, sagte Lenehan.
– Vor mir hat sie schon andere rangelassen, sagte Corley abgeklärt.
Diesmal neigte Lenehan dazu, ihm nicht zu glauben. Er schüttelte den Kopf hin und her und lächelte.
– Du weißt doch, daß du mich nicht verflachsen kannst, Corley, sagte er.
– Ehrlich! sagte Corley. Hat sie's mir nicht selbst erzählt?
Lenehan machte eine tragische Geste.
– Gemeiner Verräter! sagte er.
Als sie am Gitterzaun von Trinity College vorüberkamen, hüpfte Lenehan auf den Fahrdamm und spähte zur Uhr hinauf.
– Zwanzig nach, sagte er.
– Zeit genug, sagte Corley. Sie wird schon da sein. Ich lasse sie immer ein bißchen warten.
Lenehan lachte leise.
– Gottogott! Corley, du weißt, wie man sie nehmen muß, sagte er.
– Ich kenn mich aus in allen ihren Schlichen, gestand Corley.
– Aber sag, bist du sicher, daß du das Ding deichseln kannst? fragte Lenehan wieder. Du weißt, das ist eine kitzlige Sache. In diesem Punkt sind sie verdammt zugeknöpft. Hä? ... Was?
Seine glänzenden kleinen Augen suchten im Gesicht seines Gefährten Bestätigung. Corley schwang den Kopf hin und her, als wolle er ein hartnäckiges Insekt abschütteln, und zog die Brauen zusammen.

– Ich werd's schon schaukeln, sagte er. Überlaß das gefälligst mir.
Lenehan sagte nichts weiter. Er wollte seinen Freund nicht verärgern, nicht zum Teufel geschickt werden und nicht hören, daß sein Rat unerwünscht sei. Etwas Taktgefühl war vonnöten. Aber Corleys Stirn war bald wieder glatt. Seine Gedanken gingen in eine andere Richtung.
– Sie ist eine dufte nette Puppe, sagte er anerkennend; das steht fest.
Sie gingen die Nassau Street entlang und bogen dann in die Kildare Street. Nicht weit vom Portal des Clubs stand ein Harfner auf der Straße und spielte für einen kleinen Kreis von Zuhörern. Er zupfte ungerührt an den Saiten, blickte von Zeit zu Zeit flüchtig dem jeweiligen Neuankömmling ins Gesicht und von Zeit zu Zeit, ebenso überdrüssig, zum Himmel. Seine Harfe, ungerührt auch sie, daß ihr die Hüllen über die Knie geglitten waren, schien der Augen der Fremden gleichermaßen überdrüssig wie der Hände ihres Herrn. Die eine spielte im Baß die Melodie *Silent, o Moyle,* während die andere nach jeder Gruppe von Tönen im Diskant umhergaloppierte. Die Töne der Weise pulsten tief und voll.
Die beiden jungen Männer gingen stumm die Straße hinauf, und die trauervolle Musik folgte ihnen. Als sie Stephen's Green erreichten, überquerten sie die Straße. Hier befreiten sie der Lärm der Trams, die Lichter und die Menschenmenge aus ihrem Schweigen.
– Da ist sie! sagte Corley.
An der Ecke Hume Street stand eine junge Frau. Sie trug ein blaues Kleid und einen weißen Matrosenhut. Sie stand am Bordstein und schwang einen Sonnenschirm an einer Hand. Lenehan wurde munter.
– Besehen wir sie uns mal, Corley, sagte er.
Corley blickte seinen Freund von der Seite an, und ein unangenehmes Grinsen trat auf sein Gesicht.
– Versuchst du etwa, mir ins Gehege zu kommen? fragte er.
– Quatsch! sagte Lenehan kühn, ich will ihr ja nicht vorgestellt

werden. Ich will sie nur mal angucken. Ich fresse sie schon nicht.
– Achso . . . angucken? sagte Corley freundlicher. Tja . . . ich will dir was sagen. Ich gehe rüber und rede mit ihr, und du kannst dann vorbeigehen.
– Gut! sagte Lenehan.
Corley hatte bereits ein Bein über die Ketten geworfen, als Lenehan rief:
– Und danach? Wo treffen wir uns?
– Halb elf, antwortete Corley und schwang sein anderes Bein hinüber.
– Wo?
– Ecke Merrion Street. Wir kommen zurück.
– Dann mach's gut, sagte Lenehan zum Abschied.
Corley gab keine Antwort. Er schlenderte über die Straße und wiegte den Kopf hin und her. Seine große Gestalt, sein leichter Gang und der solide Klang seiner Stiefel hatten etwas Erobererhaftes. Er trat an die junge Frau heran und begann ohne Gruß sich sofort mit ihr zu unterhalten. Sie ließ ihren Schirm schneller schwingen und vollführte halbe Umdrehungen auf den Absätzen. Ein- oder zweimal, als er aus nächster Nähe auf sie einredete, lachte sie und senkte den Kopf.
Lenehan beobachtete sie ein paar Minuten lang. Dann ging er in einiger Entfernung schnell an den Ketten entlang und überquerte schräg die Straße. Als er sich der Ecke Hume Street näherte, fand er die Luft stark parfümiert, und rasch und gespannt musterten seine Augen die Erscheinung der jungen Frau. Sie war im Sonntagsstaat. Ihr blauer Sergerock wurde an der Taille von einem schwarzen Ledergürtel gehalten. Die große Silberschnalle ihres Gürtels schien die Mitte ihres Körpers einzudrücken und hielt den leichten Stoff ihrer weißen Bluse wie ein Klipp. Sie trug eine kurze schwarze Jacke mit Perlmuttknöpfen und eine abgerissene schwarze Boa. Die Enden ihres kleinen Tüllspitzenkragens waren sorgsam zerzaust, und ein großer Bund roter Blumen war auf ihren Busen gesteckt, Stengel nach oben. Lenehans Augen registrierten beifällig ihren

stämmigen kurzen muskulösen Körper. Offenkundige derbe Gesundheit leuchtete in ihrem Gesicht, auf ihren dicken roten Wangen und aus ihren unerschrockenen blauen Augen. Ihre Züge waren stumpf. Sie hatte breite Nasenlöcher, einen ungleichmäßigen Mund, der in zufriedener Lüsternheit offenstand, und zwei vorstehende Schneidezähne. Im Vorbeigehen nahm Lenehan die Mütze ab, und etwa zehn Sekunden später erwiderte Corley den Gruß in die Luft hinein. Er tat es, indem er vage die Hand hob und nachdenklich den Neigungswinkel seines Hutes veränderte.

Lenehan ging bis zum Shelbourne Hotel, wo er stehen blieb und wartete. Als er kurze Zeit gewartet hatte, sah er sie auf sich zukommen, und als sie sich nach rechts wandten, folgte er ihnen mit leichten Schritten in seinen weißen Schuhen die eine Seite des Merrion Square entlang. Während er langsam weiterging und sein Tempo dem ihren anpaßte, beobachtete er Corleys Kopf, der sich alle Augenblicke zu dem Gesicht der jungen Frau hindrehte, einer großen Kugel gleich, die auf einem Zapfen rotiert. Er behielt das Paar im Auge, bis er es die Tram nach Donnybrook hatte erklimmen sehen; dann machte er kehrt und ging den Weg zurück, den er gekommen war.

Jetzt, da er allein war, wirkte sein Gesicht älter. Seine Fröhlichkeit schien ihn im Stich zu lassen, und als er am Gitterzaun von Duke's Lawn vorbeikam, erlaubte er seiner Hand, an ihm entlangzustreifen. Die Melodie, die der Harfner gespielt hatte, begann seine Bewegungen zu regieren. Seine weichgepolsterten Füße spielten die Melodie, während seine Finger am Gitter nach jeder Gruppe von Tönen müßig eine Skala von Variationen griffen.

Er ging lustlos um Stephen's Green herum und dann die Grafton Street hinunter. Obwohl seine Augen in der Menge, durch die er ging, viele Einzelheiten wahrnahmen, taten sie das mißmutig. Er fand alles trivial, was bestimmt war, ihn zu entzücken, und erwiderte die Blicke nicht, die ihn einluden, sich ein Herz zu fassen. Er wußte, daß er sehr viel reden, daß er erfinden und amüsieren müßte, und sein Gehirn und seine

Kehle waren zu trocken für eine solche Aufgabe. Das Problem, wie er sich die Stunden bis zu seinem Wiedersehen mit Corley vertreiben sollte, machte ihm Sorgen. Es fiel ihm keine Art ein, sie sich zu vertreiben, als weiterzugehen. Er bog nach links, als er zur Ecke des Rutland Square kam, und fühlte sich in der dunklen stillen Straße wohler, deren düsteres Aussehen seiner Stimmung entsprach. Schließlich blieb er vor dem Fenster eines ärmlich aussehenden Ladens stehen, über dem in weißen Buchstaben das Wort *Erfrischungen* stand. Auf dem Fensterglas befanden sich zwei flüchtige Inschriften: *Ginger Beer* und *Ginger Ale.* Ein angeschnittener Schinken war auf einer großen blauen Schüssel ausgestellt, während neben ihm auf einem Teller ein Segment sehr hellen Plumpuddings lag. Er beäugte eine Zeitlang diese Speisen ernst, und nachdem er vorsichtig die Straße auf- und abgeblickt hatte, trat er rasch in den Laden ein.

Er war hungrig, denn außer einigen Biskuits, die er zwei mürrische ›Kuraten‹ gebeten hatte, ihm zu bringen, hatte er seit dem Frühstück nichts gegessen. Er setzte sich an einen ungedeckten Holztisch gegenüber zwei jungen Arbeiterinnen und einem Mechaniker. Ein schlampiges Mädchen bediente ihn.

– Wieviel macht ein Teller Erbsen? fragte er.

– Drei Halfpence, der Herr, sagte das Mädchen.

– Dann bringen Sie mir einen Teller Erbsen, sagte er, und eine Flasche Ginger Beer.

Er sprach barsch, um den Anstrich der Vornehmheit, der ihn umgab, Lügen zu strafen, denn bei seinem Eintritt waren die Gespräche verstummt. Sein Gesicht war erhitzt. Um natürlich zu wirken, schob er die Mütze zurück und pflanzte die Ellbogen auf den Tisch. Der Mechaniker und die beiden Arbeiterinnen musterten ihn Punkt für Punkt, ehe sie ihre Unterhaltung mit gedämpfter Stimme wieder aufnahmen. Das Mädchen brachte ihm einen Teller heißer Erbsen, mit Pfeffer und Essig gewürzt, eine Gabel und sein Ginger Beer. Er aß gierig und fand das Essen so gut, daß er sich den Laden zu merken vornahm. Als er die Erbsen aufgegessen hatte, schlürfte er sein Gin-

ger Beer, blieb noch eine Weile sitzen und dachte an Corleys Abenteuer. In seiner Vorstellung sah er das Liebespaar eine dunkle Straße entlanggehen; er hörte Corley tief und energisch Kavaliersfloskeln vorbringen und sah noch einmal die Lüsternheit um den Mund der jungen Frau. Dieses Phantasiebild ließ ihn seine eigene Armut an Geld und Geist deutlich spüren. Er war es satt, sich herumzutreiben, in Geldschwierigkeiten zu stecken, er war die Unstetigkeit und die Intrigen satt. Im November wäre er einunddreißig. Würde er denn nie eine gute Stellung kriegen? Würde er nie ein eigenes Zuhause haben? Er dachte, wie angenehm es wäre, neben einem warmen Feuer zu sitzen und zu einem guten Essen sich hinzusetzen. Lange genug war er mit Freunden und mit Mädchen auf der Straße gewesen. Er wußte, was diese Freunde taugten: er wußte auch, was von den Mädchen zu halten war. Die Erfahrung hatte sein Herz mit Bitterkeit gegen die Welt gefüllt. Aber alle Hoffnung hatte ihn nicht verlassen. Er fühlte sich nach dem Essen besser, als er sich vorher gefühlt hatte, weniger lebensmüde, weniger niedergeschlagen. Vielleicht wäre es ihm ja noch möglich, in einem behaglichen Winkel zur Ruhe zu kommen und glücklich zu leben, wenn er nur ein gutes anspruchsloses Mädchen mit einer kleinen Barschaft fände.
Er bezahlte dem schlampigen Mädchen Twopence und Halfpenny und verließ den Laden, um seine Wanderschaft wiederaufzunehmen. Er ging in die Capel Street und weiter in Richtung City Hall. Dann bog er in die Dame Street. An der Ecke George's Street traf er zwei Freunde und blieb stehen, um sich mit ihnen zu unterhalten. Er war froh, von dem vielen Herumwandern ausruhen zu können. Seine Freunde fragten ihn, ob er Corley gesehen habe und was es Neues gebe. Er erwiderte, daß er den Tag mit Corley verbracht habe. Seine Freunde redeten sehr wenig. Gedankenlos blickten sie hinter einigen Gestalten in der Menge her und machten ab und zu eine kritische Bemerkung. Einer sagte, daß er vor einer Stunde in der Westmoreland Street Mac gesehen habe. Darauf sagte Lenehan, daß er am Abend zuvor mit Mac bei Egan gewesen

sei. Der junge Mann, der Mac in der Westmoreland Street gesehen hatte, fragte, ob es stimme, daß Mac beim Billard was gewonnen habe. Lenehan wußte es nicht: er sagte, daß Holohan ihnen bei Egan einen ausgegeben habe.
Um dreiviertel zehn verließ er seine Freunde und ging die George's Street hinauf. Bei den City Markets bog er nach links und ging weiter in die Grafton Street. Die Menge der Mädchen und jungen Männer war dünner geworden, und auf seinem Weg die Straße entlang hörte er viele Gruppen und Paare einander gute Nacht wünschen. Er ging bis zur Uhr des College of Surgeons: es war Schlag zehn. Er schritt an der Nordseite von Stephen's Green energisch aus und beeilte sich, aus Furcht, daß Corley zu früh zurückkäme. Als er die Ecke Merrion Street erreichte, stellte er sich in den Schatten einer Laterne und holte eine der Zigaretten hervor, die er sich aufgehoben hatte, und zündete sie an. Er lehnte sich an den Laternenpfahl und spähte unverwandt in die Richtung, aus der er Corley und die junge Frau zurückerwartete.
Sein Geist begann wieder zu arbeiten. Er war neugierig, ob Corley es geschafft hätte. Er war neugierig, ob er sie schon gefragt hätte oder ob er bis zuletzt damit warten würde. Er durchlitt all die Qualen und Aufregungen der Lage, in der sein Freund sich befand, wie auch der eigenen. Doch die Erinnerung an Corleys langsam rotierenden Kopf beruhigte ihn ein wenig: er war sicher, daß Corley es schon schaukeln würde. Plötzlich kam ihm der Gedanke, daß Corley sie auf einem andern Weg nach Hause gebracht und ihn versetzt haben könnte. Seine Augen suchten die Straße ab: keine Spur von ihnen. Doch war es bestimmt eine halbe Stunde her, seit er nach der Uhr des College of Surgeons gesehen hatte. Würde Corley so etwas tun? Er zündete sich seine letzte Zigarette an und begann sie nervös zu rauchen. Jedesmal, wenn am anderen Ende des Platzes eine Tram hielt, strengte er die Augen an. Sie mußten anderslang nach Hause gegangen sein. Das Papier seiner Zigarette riß ein, und fluchend warf er sie auf die Straße.

Plötzlich sah er sie auf sich zukommen. Vor Freude fuhr er zusammen, und während er dicht an seinem Laternenpfahl blieb, versuchte er, aus ihrem Gang das Ergebnis abzulesen. Sie gingen schnell, die junge Frau machte schnelle kurze Schritte, während Corley sich mit seinen langen Schritten an ihrer Seite hielt. Anscheinend sprachen sie nicht miteinander. Eine Ahnung des Ergebnisses stach ihn wie die Spitze eines scharfen Instruments. Er wußte, daß Corley es nicht schaffen würde; er wußte, daß da nichts zu machen war.
Sie bogen in die Baggot Street, und sogleich nahm er auf dem gegenüberliegenden Gehsteig die Verfolgung auf. Als sie stehenblieben, blieb auch er stehen. Eine kurze Weile lang sprachen sie miteinander, und dann stieg die junge Frau die Treppe zu einem Unterhof hinab. Corley stand und wartete am Rand des Fußwegs, nicht weit von der Vordertreppe. Einige Minuten vergingen. Dann öffnete sich die Haustür langsam und vorsichtig. Eine Frau kam die Vordertreppe herabgelaufen und hustete. Corley wandte sich um und ging auf sie zu. Ein paar Sekunden lang verdeckte seine breite Gestalt die ihre, dann kam sie wieder zum Vorschein und lief die Treppe hinauf. Die Tür schloß sich hinter ihr, und Corley ging rasch in Richtung Stephen's Green.
Lenehan lief eilig in dieselbe Richtung. Einige leichte Regentropfen fielen. Er faßte sie als Warnung auf, blickte zu dem Haus zurück, in dem die junge Frau verschwunden war, um sich zu vergewissern, daß er nicht beobachtet würde, und rannte ungeduldig über die Straße. Die Unruhe und der rasche Lauf brachten ihn außer Atem. Er rief:
– He, Corley!
Corley wandte den Kopf, um zu sehen, wer ihn gerufen hatte, und ging dann weiter wie zuvor. Lenehan lief ihm nach und zog dabei den Regenmantel über seinen Schultern mit einer Hand zurecht.
– He, Corley! schrie er noch einmal.
Er holte seinen Freund ein und sah ihm gespannt ins Gesicht. Er konnte nichts darin erkennen.

– Na? fragte er. Hat's geklappt?
Sie hatten die Ecke Ely Place erreicht. Immer noch ohne ihm eine Antwort zu geben, schwenkte Corley nach links und ging die Seitenstraße hinauf. Seine Gesichtszüge zeigten eine gesammelte finstere Ruhe. Lenehan hielt Schritt mit seinem Freund und atmete unruhig. Er war enttäuscht, und ein drohender Ton klang schneidend in seiner Stimme auf.
– Kannst du's einem denn nicht verraten? fragte er. Hast du's bei ihr versucht?
Corley blieb bei der ersten Laterne stehen und starrte grimmig vor sich hin. Dann streckte er mit ernster Gebärde eine Hand dem Licht entgegen und öffnete sie langsam und lächelnd dem Blick seines Jüngers. Eine kleine Goldmünze glänzte auf der Handfläche.

Die Pension

Mrs. Mooney war die Tochter eines Fleischers. Sie war eine Frau, die durchaus imstande war, Dinge für sich zu behalten: eine entschlossene Frau. Sie hatte den Gesellen ihres Vaters geheiratet und einen Fleischerladen in der Nähe von Spring Gardens aufgemacht. Doch kaum war sein Schwiegervater tot, da kam Mr. Mooney langsam auf den Hund. Er trank, plünderte die Ladenkasse, geriet bis über die Ohren in Schulden. Es hatte keinen Zweck, ihn Enthaltsamkeit geloben zu lassen: ein paar Tage später brach er doch nur wieder aus. Daß er mit seiner Frau in Gegenwart der Kunden zankte und daß er schlechtes Fleisch einkaufte, ruinierte sein Geschäft. Eines Abends ging er mit dem Hackmesser auf seine Frau los, und sie mußte im Haus eines Nachbarn übernachten.

Danach lebten sie getrennt. Sie ging zum Priester und erwirkte sich die Trennung, die Kinder wurden ihr zugesprochen. Ihm gab sie weder Geld noch Essen noch Unterkunft; und so war er genötigt, sich als Sheriff-Bote zu verdingen. Er war ein schäbiger gebeugter kleiner Säufer mit weißem Gesicht, weißem Schnurrbart und dünnen weißen Brauen über den kleinen Augen, die rotgeädert und wund waren; und den ganzen Tag über saß er in der Sheriffstube herum und wartete darauf, daß es etwas für ihn zu tun gab. Mrs. Mooney, die ihr verbleibendes Geld aus dem Fleischerladen gezogen und in der Hardwicke Street eine Pension eröffnet hatte, war eine große imposante Frau. Ihr Haus hatte eine wechselnde Bewohnerschaft, bestehend aus Touristen aus Liverpool und von der Insel Man und gelegentlich auch *artistes* aus dem Variété. Seine Stammpensionäre waren Büroangestellte aus der Stadt. Sie regierte das Haus mit List und fester Hand, wußte, wann sie Kredit gewähren konnte, wann sie hart bleiben mußte und wann sie den Dingen ihren Lauf lassen durfte. Alle jungen Pensionäre sprachen von ihr als »der Madame«.

Mrs. Mooneys junge Männer zahlten fünfzehn Shilling die

Woche für Unterkunft und Verpflegung (Bier oder Stout zum Abendessen nicht inbegriffen). Sie hatten gleiche Vorlieben und Beschäftigungen und standen darum auf gutem Fuße miteinander. Sie erörterten miteinander die Chancen von Favoriten und Außenseitern. Jack Mooney, der Sohn der Madame, der Schreiber bei einem Kommissionär in der Fleet Street war, stand in dem Ruf, ein doller Kerl zu sein. Er gab gerne soldatische Obszönitäten von sich: gewöhnlich kam er erst in den frühen Morgenstunden nach Hause. Wenn er seine Freunde traf, hatte er ihnen immer einen Neuen zu erzählen, und immer hatte er etwas Neues an der Hand – das heißt: ein vielversprechendes Pferd oder eine vielversprechende *artiste.* Auch wußte er seine Pratzen zu gebrauchen und sang komische Lieder. An Sonntagabenden war oft ein geselliges Beisammensein in Mrs. Mooneys vorderem Salon. Die *artistes* aus dem Variété ließen sich nicht lange bitten; und Sheridan spielte Walzer und Polkas und improvisierte Begleitungen. Polly Mooney, die Tochter der Madame, sang ebenfalls. Sie sang:

Ich bin ein ... freches Ding.
Was feixt ihr da:
Ihr wißt es ja.

Polly war ein schlankes Mädchen von neunzehn Jahren, sie hatte helles weiches Haar und einen kleinen vollen Mund. Ihre Augen, die grau waren mit einem Anflug von Grün dazwischen, hatten die Angewohnheit, nach oben zu blicken, wenn sie mit jemandem sprach, was ihr das Aussehen einer kleinen perversen Madonna verlieh. Mrs. Mooney hatte ihre Tochter zunächst als Tippfräulein in das Kontor eines Getreidehändlers geschickt, aber da jeden zweiten Tag ein übel beleumdeter Sheriff-Bote im Kontor erschien und darum ersuchte, ein Wort mit seiner Tochter sprechen zu dürfen, hatte sie ihre Tochter wieder nach Hause geholt und sie im Haushalt beschäftigt. Da Polly sehr lebhaft war, sollte sie es mit den jungen Männern probieren. Außerdem wissen junge Männer gern eine junge Frau in nicht allzu weiter Ferne. Natürlich flirtete Polly mit den jungen Männern, aber Mrs. Mooney, die sich da auskannte, wußte, daß die jungen Männer sich nur die Zeit vertrieben: keiner von ihnen gedachte ernsthaft einzusteigen. So liefen die Dinge eine lange Zeit, und Mrs. Mooney erwog bereits, Polly zurück an die Schreibmaschine zu schicken, als sie bemerkte, daß sich zwischen Polly und einem der jungen Männer etwas anbahnte. Sie beobachtete das Paar und behielt ihre Gedanken für sich.

Polly wußte, daß sie beobachtet wurde, aber dennoch konnte das beharrliche Schweigen ihrer Mutter nicht mißdeutet werden. Zwischen Mutter und Tochter hatte es keine offene Komplizenschaft gegeben, kein offenes Einverständnis, aber obwohl die Leute im Haus von der Affäre zu reden begannen, griff Mrs. Mooney nicht ein. Pollys Benehmen wurde ein wenig sonderbar, und der junge Mann war offensichtlich beunruhigt. Als sie den rechten Moment für gekommen hielt, griff Mrs. Mooney dann doch ein. Sie behandelte moralische Probleme wie ein Hackmesser das Fleisch: und in diesem Fall hatte sie sich entschieden.

Es war ein heller Sonntagmorgen im Frühsommer – er versprach Hitze, aber gleichzeitig eine frische Brise. Alle Fenster der Pension standen offen, und die Tüllgardinen bauschten sich unter den hochgeschobenen Fensterrahmen sanft zur Straße. Vom Glockenturm der George's Church läutete es ohne Unterlaß, und einzeln oder in Gruppen überquerten Kirchgänger den kleinen runden Platz vor der Kirche – ihr reserviertes Gebaren verriet ebenso ihr Ziel wie die kleinen Bände in ihren behandschuhten Händen. Das Frühstück in der Pension war vorbei, und der Tisch im Frühstückszimmer stand voller Teller mit Spuren von Eigelb, mit Speck- und Schwartenresten. Mrs. Mooney saß im Korbsessel und paßte auf, wie Mary, das Dienstmädchen, das Frühstücksgeschirr abräumte. Sie ließ Mary die Rinden und Brotbrocken einsammeln, die für den diensttäglichen Brotpudding verwendet werden sollten. Als der Tisch abgeräumt, die Brotbrocken eingesammelt, der Zucker und die Butter sicher hinter Schloß und Riegel waren, begann sie das Gespräch zu rekonstruieren, das sie am Abend zuvor mit Polly geführt hatte. Die Dinge standen so, wie sie vermutet hatte: ihre Fragen waren offen gewesen und Pollys Antworten gleichfalls. Beide waren sie natürlich etwas verlegen gewesen. Sie war verlegen gewesen, weil sie die Nachricht nicht allzu nonchalant aufnehmen oder den Eindruck erwecken wollte, daß sie dieser Entwicklung Vorschub geleistet hätte, und Polly war verlegen gewesen nicht nur, weil Anspielungen dieser Art sie immer verlegen machten, sondern auch, weil sie nicht den Gedanken aufkommen lassen wollte, daß sie in ihrer weisen Unschuld die Absicht hinter der Duldsamkeit ihrer Mutter erraten hatte.

Instinktiv sah Mrs. Mooney zu der kleinen vergoldeten Uhr auf dem Kaminsims hinüber, sobald sie durch ihr Träumen hindurch gewahr wurde, daß die Glocken der George's Church aufgehört hatten zu läuten. Es war siebzehn Minuten nach elf: sie hätte reichlich Zeit, die Angelegenheit mit Mr. Doran zu erledigen und trotzdem noch die kurze Zwölfuhrmesse in der Marlborough Street mitzukriegen. Sie war sicher, daß sie gewinnen würde. Zunächst hatte sie das ganze Gewicht der öffentlichen Meinung auf ihrer Seite: sie war eine empörte Mutter. Sie hatte ihm gestattet, unter ihrem Dach zu wohnen, in der Annahme, daß er ein Ehrenmann wäre, und er hatte ihre Gastfreundschaft einfach mißbraucht. Er war vier- oder fünfunddreißig Jahre alt, so daß Jugend als Entschuldigung nicht vorgebracht werden konnte; ebensowenig wie Unwissenheit, denn er war ein Mann, der sich in der Welt umgesehen hatte. Er hatte einfach Pollys Jugend und Unerfahrenheit ausgenutzt: das war klar. Die Frage war: welche Wiedergutmachung würde er leisten?

In solchen Fällen muß Wiedergutmachung geleistet werden. Für den Mann ist das alles schön und gut: er kann seiner Wege gehen, als wäre nichts geschehen, er hatte seinen kurzen Spaß, doch das Mädchen muß den Kopf hinhalten. Manche Mütter würden sich damit begnügen, eine solche Affäre für eine Summe Geldes zu vertuschen; derartige Fälle waren ihr

bekannt. Doch sie würde das nicht tun. Für sie war die Entehrung ihrer Tochter nur durch eins wiedergutzumachen: Heirat.
Sie zählte alle ihre Trümpfe noch einmal, ehe sie Mary zu Mr. Doran hinaufschickte, um ihm auszurichten, daß sie mit ihm zu sprechen wünsche. Sie hatte das sichere Gefühl, daß sie gewinnen würde. Er war ein seriöser junger Mann, nicht liederlich und laut wie die übrigen. Hätte es sich um Mr. Sheridan oder Mr. Meade oder Bantam Lyons gehandelt, wäre ihre Aufgabe viel schwieriger gewesen. Sie glaubte nicht, daß er es wagen würde, einen Skandal hervorzurufen. Alle Bewohner des Hauses wußten von der Affäre; einige hatten Einzelheiten hinzuerfunden. Außerdem arbeitete er seit dreizehn Jahren im Kontor eines großen katholischen Weinhändlers, und ein Skandal würde für ihn vielleicht den Verlust der Stellung bedeuten. Während alles gut werden konnte, wenn er einwilligte. Sie wußte, daß er jedenfalls nicht übel dastand, und sie nahm an, daß er auch etwas zurückgelegt hatte.
Fast halb! Sie stand auf und musterte sich im Wandspiegel. Der entschlossene Ausdruck ihres großen geröteten Gesichts stellte sie zufrieden, und sie dachte an andere Mütter aus ihrer Bekanntschaft, die sich ihre Töchter nicht von der Tasche zu schaffen verstanden.
Mr. Doran war an diesem Sonntagvormittag wirklich sehr beunruhigt. Zweimal hatte er versucht, sich zu rasieren, aber seine Hand war so unsicher gewesen, daß er es aufgeben mußte. Der rötliche Bart dreier Tage säumte seine Kiefer, und alle paar Minuten beschlug seine Brille, so daß er sie abnehmen und mit dem Taschentuch putzen mußte. Die Erinnerung an die Beichte am Vorabend verursachte ihm heftigen Schmerz; der Priester hatte jede lächerliche Einzelheit der Affäre aus ihm herausgeholt und seine Sünde schließlich so vergrößert, daß er nahezu dankbar war, als ihm ein Schlupfloch der Wiedergutmachung geboten wurde. Der Schaden war angerichtet. Was blieb ihm jetzt übrig, als sie zu heiraten oder davonzulaufen? Er konnte sich nicht dreist darüber hinwegsetzen. Be-

stimmt würde über die Affäre geredet werden, und gewiß würde sie seinem Arbeitgeber zu Ohren kommen. Dublin ist eine so kleine Stadt; jeder weiß, was jeder andere treibt. Er fühlte das Herz warm im Halse schlagen, als er in seiner erregten Phantasie den alten Mr. Leonard mit seiner krächzenden Stimme rufen hörte: *Bitte schicken Sie Mr. Doran zu mir.*
Alle seine langen Dienstjahre für nichts und wieder nichts! All sein Fleiß und alle Anstrengung vertan! Natürlich hatte er seine Jugendsünden hinter sich; er hatte sich mit seinem Freidenkertum gebrüstet und vor seinen Gefährten in den Kneipen die Existenz Gottes geleugnet. Doch all das war vorbei und erledigt ... beinahe. Noch immer kaufte er sich einmal die Woche *Reynolds's Newspaper*, aber seine religiösen Pflichten vernachlässigte er nicht, und neun Zehntel des Jahres führte er ein normales Leben. Geld genug, einen Hausstand zu gründen, hatte er; das war es nicht. Aber die Familie würde auf sie herabsehen. Da war erstens ihr schlecht beleumdeter Vater, und dann bekam die Pension ihrer Mutter langsam einen gewissen Ruf. Es kam ihm in den Sinn, daß er hereingelegt wurde. Er konnte sich schon vorstellen, wie seine Freunde über die Affäre redeten und lachten. Sie war wirklich etwas ordinär; manchmal sagte sie *käuft* oder *größer wie*. Doch was machte die Grammatik schon aus, wenn er sie wirklich liebte? Er konnte sich nicht entscheiden, ob er sie für das, was sie getan hatte, lieben oder verachten sollte. Natürlich hatte auch er es getan. Sein Instinkt riet ihm, frei zu bleiben, nicht zu heiraten. Wenn du einmal verheiratet bist, bist du erledigt, sagte er.
Während er in Hemd und Hose hilflos auf dem Bettrand saß, klopfte sie leise an die Tür und trat ein. Sie sagte ihm alles, sagte, daß sie ihrer Mutter das Herz ausgeschüttet habe und daß ihre Mutter noch an diesem Vormittag mit ihm sprechen würde. Sie weinte, schlang die Arme um seinen Hals und sagte:
– Ach Bob! Bob! Was soll ich tun? Was soll ich nur tun?
Sie würde sich das Leben nehmen, sagte sie.
Er tröstete sie zaghaft, bat sie, nicht mehr zu weinen, alles

würde gut werden, keine Angst. An seinem Hemd spürte er die Aufregung ihres Busens.
Es war nicht allein seine Schuld, daß es passiert war. Mit dem seltsam geduldigen Gedächtnis des Zölibatärs erinnerte er sich genau an die ersten zufälligen Liebkosungen durch ihr Kleid, ihren Atem, ihre Finger. Dann, spät eines Abends, als er sich gerade auszog, hatte sie schüchtern an seine Tür geklopft. Sie wollte ihre Kerze, die ein Windstoß gelöscht hatte, an der seinen wieder anzünden. Es war ihr Badeabend. Sie trug eine lose, offene Frisierjacke aus bedrucktem Flanell. In der Öffnung ihrer fellbesetzten Pantoffeln leuchtete ihr weißer Spann, und hinter ihrer duftenden Haut glühte warm ihr Blut. Auch von ihren Händen und Handgelenken ging ein schwacher Duft aus, während sie ihre Kerze entzündete und gerade richtete.
Wenn er sehr spät abends nach Hause kam, war sie es, die sein Essen aufwärmte. Er wußte kaum, was er aß, wenn er sie allein neben sich spürte, nachts, in dem schlafenden Haus. Und wie aufmerksam sie war! Wenn es ein irgendwie kalter oder nasser oder windiger Abend war, stand mit Sicherheit ein Glas Punsch für ihn bereit. Vielleicht könnten sie miteinander glücklich sein ...
Zusammen waren sie immer auf Zehenspitzen nach oben gegangen, jeder mit einer Kerze in der Hand, und auf dem dritten Treppenabsatz hatten sie sich widerstrebend gute Nacht gesagt. Sie küßten sich auch. Er erinnerte sich gut an ihre Augen, die Berührung ihrer Hand und sein Delirium ...
Doch das Delirium vergeht. Er wiederholte sich ihren Satz und wandte ihn auf sich selber an: *Was soll ich tun?* Der Instinkt des Zölibatärs riet ihm, sich zurückzuhalten. Doch die Sünde war da; auch sein Ehrgefühl sagte ihm, daß für eine solche Sünde Wiedergutmachung geleistet werden mußte.
Während er mit ihr auf der Bettkante saß, kam Mary an die Tür und sagte, daß die Gnädige ihn im Salon zu sprechen wünsche. Er erhob sich, um Rock und Weste anzuziehen, hilfloser jetzt als je. Als er angezogen war, ging er zu ihr hinüber, um sie zu trösten. Es würde alles gut, keine Angst. Er ließ sie

weinend und leise O *mein Gott!* stöhnend auf dem Bett zurück.
Als er die Treppe hinunterging, beschlug seine Brille so, daß er sie abnehmen und putzen mußte. Er wünschte sich, durch das Dach aufzusteigen und fortzufliegen in ein anderes Land, wo er von seinen Sorgen nie wieder hören würde, und doch drückte ihn eine Gewalt Stufe um Stufe nach unten. Die unerbittlichen Gesichter seines Chefs und der Madame starrten auf sein Mißgeschick. Auf der letzten Treppenflucht begegnete er Jack Mooney, der mit zwei Flaschen *Bass,* die er an der Brust wiegte, aus der Speisekammer heraufkam. Sie grüßten sich kalt; und die Augen des Liebhabers ruhten ein oder zwei Sekunden lang auf einem dicken Bulldoggengesicht und einem Paar dicker kurzer Arme. Als er am Fuß der Treppe angekommen war, blickte er hinauf und sah, wie Jack ihn von der Tür des Hinterzimmers aus musterte.
Plötzlich fiel ihm der Abend ein, als einer der *artistes* vom Variété, ein kleiner blonder Londoner, eine ziemlich freizügige Bemerkung über Polly gemacht hatte. Jacks Heftigkeit hatte das gesellige Beisammensein fast gesprengt. Alle hatten sie versucht, ihn zu beruhigen. Der *artiste* vom Variété, etwas bleicher als sonst, lächelte weiter und versicherte, daß er es nicht böse gemeint habe; aber Jack schrie ihn weiter an, daß er jedem Kerl, der solche Scherze über *seine* Schwester riskierte, die verdammte Fresse einschlagen werde, das würde er tun.

. . . .

Polly saß eine kurze Zeitlang auf der Bettkante und weinte. Dann trocknete sie sich die Augen und ging zum Spiegel hinüber. Sie tauchte einen Handtuchzipfel in die Wasserkanne und machte ihre Augen mit dem kühlen Wasser frisch. Sie betrachtete sich im Profil und brachte eine Haarnadel über dem Ohr in Ordnung. Dann ging sie zurück zum Bett und setzte sich ans Fußende. Sie sah die Kissen eine lange Zeit an, und ihr Anblick weckte in ihr geheime angenehme Erinnerungen. Sie lehnte ihren Nacken an das kühle eiserne Bettgestell und begann zu träumen. Auf ihrem Gesicht war keine Unruhe mehr sichtbar.

Sie wartete geduldig weiter, fast fröhlich, ohne Panik, und ihre Erinnerungen machten langsam Hoffnungen und Zukunftsvisionen Platz. Ihre Hoffnungen und Visionen waren so verwickelt, daß sie die weißen Kissen nicht mehr wahrnahm, auf die ihr Blick gerichtet war, und daß sie sich nicht mehr bewußt war, auf etwas zu warten.

Endlich hörte sie ihre Mutter rufen. Sie sprang auf die Füße und lief zum Treppengeländer.

– Polly! Polly!

– Ja, Mama?

– Komm runter, Schatz. Mr. Doran möchte mit dir sprechen.

Da fiel ihr wieder ein, worauf sie gewartet hatte.

Eine kleine Wolke

Acht Jahre zuvor hatte er seinen Freund am North Wall verabschiedet und ihm glückliche Reise gewünscht. Gallaher war vorangekommen. Man merkte es sofort an seiner weltläufigen Miene, seinem gutgeschnittenen Tweedanzug und seiner unerschrockenen Aussprache. Wenige Burschen hatten Talente wie er, und noch wenigere wurden von einem solchen Erfolg nicht verdorben. Gallaher hatte das Herz am rechten Fleck, und er hatte seinen Triumph verdient. Es war schon etwas, einen solchen Freund zu haben.

Little Chandler hatte sich seit dem Mittagessen in Gedanken mit dem Wiedersehen mit Gallaher beschäftigt, mit Gallahers Einladung und mit der großen Stadt London, wo Gallaher lebte. Er wurde Little Chandler genannt, weil er klein wirkte, obwohl er nur wenig kleiner war als der Durchschnitt. Seine Hände waren weiß und klein, sein Leib zerbrechlich, seine Stimme ruhig und seine Manieren kultiviert. Sein helles seidiges Haar und seinen Schnurrbart pflegte er aufs sorgfältigste, und sein Taschentuch war dezent parfümiert. Die Halbmonde seiner Fingernägel waren makellos, und wenn er lächelte, erblickte man eine Reihe kindlich weißer Zähne.

Während er an seinem Pult in den King's Inns saß, dachte er an die Veränderungen, die diese acht Jahre mit sich gebracht hatten. Aus dem Freund, den er in einem schäbigen und ärmlichen Zustand gekannt hatte, war eine glänzende Figur der Londoner Presse geworden. Er sah oft von seiner ermüdenden Schreibarbeit auf, um aus dem Bürofenster zu blicken. Die Glut eines Spätherbstsonnenuntergangs bedeckte die Rasenflächen und Wege. Sie sprühte freundlichen Goldstaub auf die verschlampten Kindermädchen und hinfälligen Greise, die auf den Bänken dösten; sie flimmerte auf all den sich bewegenden Figuren – auf den Kindern, die kreischend die Kiespfade entlangrannten, und auf allen, die durch den Park gingen. Er beobachtete die Szene und dachte an das Leben; und er wurde (wie immer, wenn er an das Leben dachte) traurig. Eine sanfte Melancholie ergriff Besitz von ihm. Er spürte, wie zwecklos es war, gegen das Geschick anzukämpfen – darin bestand die Last der Weisheit, die die Jahrhunderte ihm vermacht hatten.

Ihm fielen die Gedichtbände auf seinen Bücherborden zu Hause ein. Er hatte sie in seinen Junggesellentagen gekauft, und manch einen Abend, wenn er in dem kleinen Zimmer neben dem Flur saß, war er versucht gewesen, einen vom Bord zu nehmen und seiner Frau etwas vorzulesen. Doch immer hatte ihn Schüchternheit abgehalten; und so waren die Bücher auf ihren Borden geblieben. Manchmal wiederholte er sich einzelne Verse, und das tröstete ihn.

Als seine Stunde geschlagen hatte, stand er auf und verabschiedete sich gewissenhaft von seinem Pult und den Kollegen. Er tauchte unter dem feudalen Bogen der King's Inns auf, eine ordentliche bescheidene Figur, und ging rasch die Henrietta Street hinunter. Der goldene Sonnenuntergang war im Schwinden, und die Luft war kühl geworden. Eine Horde schmieriger Kinder bevölkerte die Straße. Sie standen oder rannten auf dem Fahrdamm oder krochen die Stufen vor den gähnenden Haustüren hinauf oder hockten wie Mäuse auf den Schwellen. Little Chandler wendete keinen Gedanken an sie. Geschickt suchte er sich den Weg durch all dieses winzige ungezieferhafte Leben im Schatten der hageren geisterhaften Patrizierhäuser, in denen einst der alte Adel Dublins bramarbasiert hatte. Keine Erinnerung an die Vergangenheit berührte ihn, denn sein Sinn war voll einer gegenwärtigen Freude.

Er war noch nie bei Corless gewesen, aber er wußte, was der Name galt. Er wußte, daß die Leute dort nach dem Theater hingingen, um Austern zu essen und Likör zu trinken; und er hatte gehört, daß die Kellner dort Französisch und Deutsch sprachen. Wenn er abends schnell vorbeigegangen war, hatte er Droschken vor der Tür halten und reichgekleidete, von Kavalieren begleitete Damen aussteigen und rasch eintreten sehen. Sie trugen rauschende Kleider und viele Umhänge. Ihre Gesichter waren gepudert, und wie erschreckte Atalantas rafften sie ihre Kleider hoch, wenn diese den Boden berührten. Er war immer vorbeigegangen, ohne den Kopf zu wenden. Selbst bei Tag war er gewohnt, auf der Straße schnell zu gehen, und immer, wenn er sich spät abends in der Stadt befand, eilte er furchtsam und aufgeregt seines Wegs. Zuweilen jedoch forderte er die Ursachen seiner Angst heraus. Er suchte dann die dunkelsten und engsten Straßen auf, und während er tapfer weiterging, ängstigte ihn die Stille, die um seine Schritte gebreitet war, ängstigten ihn die schweifenden schweigenden Figuren; und zuweilen ließ ihn der Klang leisen flüchtigen Gelächters wie ein Blatt erzittern.

Er bog nach rechts, Richtung Capel Street. Ignatius Gallaher bei der Londoner Presse! Wer hätte das vor acht Jahren für möglich gehalten? Dennoch, als er jetzt auf die Vergangenheit zurückschaute, konnte Little Chandler sich an viele Anzeichen künftiger Größe bei seinem Freund erinnern. Die Leute sagten, Ignatius Gallaher wäre nicht zu bändigen. Natürlich hatte er damals einen ziemlich liederlichen Umgang gehabt, reichlich getrunken und von allen Seiten Geld gepumpt. Schließlich war er in irgendeine fragwürdige Affäre verwickelt gewesen, irgendeine Geldtransaktion: jedenfalls war das die eine Erklärung für seine Flucht. Doch Talent sprach ihm niemand ab. Immer gab es ein gewisses ... Etwas in Ignatius Gallaher, das einen wider Willen beeindruckte. Selbst wenn er völlig abgebrannt war und keine Ahnung mehr hatte, wo er Geld herbekommen sollte, trug er ein hochgemutes Gesicht zur Schau. Little Chandler erinnerte sich (und die Erinnerung ließ ein wenig stolzes Rot auf seine Wangen treten) an eine von Ignatius Gallahers Redensarten, wenn er in der Klemme war:

– Nun mal langsam, Jungs, sagte er dann heiter. Wo ist meine Denkkappe?

Das war der ganze Ignatius Gallaher; und zum Teufel, man konnte nicht umhin, ihn dafür zu bewundern.

Little Chandler beschleunigte seinen Schritt. Zum ersten Mal in seinem Leben fühlte er sich den Leuten, an denen er vorüberkam, überlegen. Zum ersten Mal rebellierte seine Seele gegen die öde Uneleganz der Capel Street. Es gab keinen Zweifel: wenn man Erfolg haben wollte, mußte man fortgehen. In Dublin konnte man nichts werden. Als er über die Grattan Bridge ging, blickte er flußabwärts zu den unteren Quays und bedauerte die armen verkümmerten Häuser. Sie kamen ihm vor wie eine Bande von Vagabunden, zusammengekauert am Flußufer entlang, die alten Mäntel mit Staub und Ruß bedeckt, betäubt von dem Panorama des Sonnenuntergangs und in Erwartung der ersten Nachtkühle, die sie aufstehen, sich schütteln und weiterziehen heißen würde. Er fragte sich, ob er ein Gedicht schreiben könnte, das diese Idee ausdrückte. Vielleicht wäre Gallaher in der Lage, es für ihn in einer Londoner Zeitung unterzubringen. Konnte er etwas Originelles schreiben? Er war nicht sicher, welche Idee er auszudrücken wünschte, doch der Gedanke, daß ein poetischer Augenblick ihn gestreift hatte, erwachte in ihm zum Leben wie eine aufkeimende Hoffnung. Tapfer schritt er voran.

Jeder Schritt brachte ihn London näher, weiter weg von seinem eigenen nüchternen unkünstlerischen Leben. Ein Licht begann am Horizont seines Geistes zu flackern. Er war gar nicht so alt – zweiunddreißig. Sein Charakter hatte sozusagen den Punkt der Reife gerade erreicht. Es gab so viele verschiedene Stimmungen und Eindrücke, die er in Versen auszudrücken wünschte. Er fühlte sie in seinem Innern. Er versuchte, seine Seele zu wägen, um zu sehen, ob sie eine Dichterseele war. Melancholie war der Grundton seines Charakters, dachte er, doch es war eine Melancholie, die durch wiederkehrende Phasen des Glaubens und der Resignation und einfacher Freude gemildert war. Wenn es ihm gelang, sie in einem Gedichtband zum Ausdruck zu bringen, würde die Menschheit vielleicht aufhorchen. Populär würde er nie sein: das war ihm klar. Die Menge konnte er nicht entflammen, aber vielleicht fände er bei einem kleinen Kreis verwandter Geister Anklang. Die englischen Kritiker würden ihn aufgrund des melancholischen Tons seiner Gedichte vielleicht zu der keltischen Schule rechnen; außerdem würde er Anspielungen einfügen. Er begann,

Sätze und Wendungen aus den Rezensionen seines Buches zu erfinden. *Chandlers Begabung für beschwingte und anmutige Verse ... Eine wehmütige Trauer durchzieht diese Gedichte ... Der keltische Ton.* Es war ein Jammer, daß sein Name nicht irischer wirkte. Vielleicht wäre es besser, vor dem Nachnamen den Namen seiner Mutter einzufügen: Thomas Malone Chandler, oder besser noch: T. Malone Chandler. Er würde mit Gallaher darüber reden.

So hingegeben fuhr er in seinen Träumen fort, daß er seine Straße verpaßte und zurückgehen mußte. In der Nähe von Corless überwältigte ihn seine frühere Erregung, und er blieb unentschlossen vor der Tür stehen. Schließlich öffnete er die Tür und trat ein.

Das Licht und der Lärm der Bar hielten ihn eine kurze Zeit am Eingang zurück. Er sah sich um, doch der Glanz vieler roter und grüner Weingläser verwirrte seinen Blick. Die Bar schien ihm voller Leute, und er hatte das Gefühl, daß die Leute ihn neugierig beobachteten. Schnell schaute er nach links und rechts (und runzelte dabei leicht die Stirn, um seinem Hiersein den Anschein der Ernsthaftigkeit zu geben), doch als sein Blick etwas klarer wurde, sah er, daß niemand sich nach ihm umgedreht hatte: und da war ja auch Ignatius Gallaher, mit dem Rücken an den Tresen gelehnt und sehr breitbeinig aufgepflanzt.

– He, Tommy, altes Haus, da bist du ja! Was soll's denn sein? Was nimmst du? Ich einen Whisky: besser hier als das Zeug, das wir da drüben am andern Ufer kriegen. Soda? Lithiumwasser? Kein Mineral? Für mich auch nicht. Verpatzt den Geschmack ... Hallo, *garçon,* bringen Sie uns zwei halbe Malzwhisky, seien Sie so gut ... Na, und wie ist es dir denn so ergangen, seit wir uns zum letzten Mal gesehen haben? Großer Gott, was werden wir alt! Sieht man mir an, daß ich älter werde – hm, wie? Ist ein bißchen grau und gelichtet oben, wie?

Ignatius Gallaher nahm den Hut ab und entblößte einen großen kurzgeschnittenen Schädel. Sein Gesicht war schwer, bleich und glattrasiert. Seine Augen, die von bläulichem Schiefergrau waren, belebten seine ungesunde Blässe und leuchteten auffällig über dem lebhaften Orange seiner Krawatte. Zwischen diesen rivalisierenden Zügen erschienen die Lippen sehr lang und form- und farblos. Er senkte den Kopf und befühlte mit zwei teilnahmsvollen Fingern das dünne Haar um seinen Scheitel. Little Chandler schüttelte verneinend den Kopf. Ignatius Gallaher setzte seinen Hut wieder auf.

– Das schafft einen, sagte er. Diese Presse. Immer auf Zack, immer auf Trab, immer auf der Suche nach Stoff, und manchmal findet sich keiner: und dann soll immer auch noch etwas Neues dabeisein. Korrekturen und Drucker können mir ein paar Tage gestohlen bleiben, hab ich mir gesagt. Ich bin verflixt froh, wieder mal in den heimatlichen Gefilden zu sein, das kann ich dir sagen. Tut einem gut, ein bißchen Urlaub. Ich fühl mich viel wohler, seit ich wieder im lieben schmuddeligen Dublin an Land gegangen bin... Hier das ist für dich, Tommy. Wasser? Sag halt.

Little Chandler ließ sich seinen Whisky sehr verdünnen.

– Du weißt ja nicht, was gut für dich ist, alter Knabe, sagte Ignatius Gallaher. Ich trinke meinen pur.

– Ich trinke in der Regel sehr wenig, sagte Little Chandler bescheiden. Gelegentlich mal einen Halben, wenn ich einen von dem alten Haufen wiedersehe; mehr nicht.

– Na dann, sagte Ignatius Gallaher fröhlich, auf uns und auf die alten Tage und die alte Bekanntschaft.

Sie stießen an und tranken.

– Ich hab heute ein paar aus der alten Runde getroffen, sagte Ignatius Gallaher. Mit O'Hara scheint es schlimm zu stehen. Was macht er?

– Nichts, sagte Little Chandler. Er ist auf den Hund gekommen.

– Aber Hogan hat eine gute Stellung, nicht?

– Ja; er ist in der Land Commission.

– Ich habe ihn einmal abends in London gesehen, und er schien gut bei Kasse... Der arme O'Hara! Suff, vermute ich?

– Auch anderes, sagte Little Chandler knapp.
Ignatius Gallaher lachte.
– Tommy, sagte er, ich sehe, du hast dich kein bißchen geändert. Du bist immer noch derselbe ernsthafte Kerl, der mir sonntagmorgens Predigten gehalten hat, wenn ich einen dicken Kopf hatte und eine pelzige Zunge. Du solltest dich ein wenig in der Welt umtun. Bist du denn nie wo gewesen, wenigstens kurz mal?
– Ich bin auf der Insel Man gewesen, sagte Little Chandler.
Ignatius Gallaher lachte.
– Die Insel Man! sagte er. Fahr nach London oder Paris: Paris zum Beispiel. Das würde dir gut tun.
– Kennst du Paris?
– Das kann man wohl sagen! Ich habe mich da ein bißchen umgetan.
– Und ist es wirklich so schön, wie es heißt? fragte Little Chandler.
Er nippte ein wenig an seinem Whisky, während Ignatius Gallaher den seinen verwegen hinunterkippte.
– Schön? fragte Ignatius Gallaher und verweilte bei dem Wort und dem Geschmack seines Whiskys. So schön ist es eigentlich nicht. Natürlich ist es schön ... Aber es ist das Pariser Leben; das ist die Chose. Ach, es gibt keine Stadt sonst, die wie Paris ist, so lebenslustig, so munter, so aufregend ...
Little Chandler trank seinen Whisky aus und brachte es nach einiger Mühe zuwege, den Blick des Barmanns zu erhaschen. Er bestellte noch einmal das gleiche.
– Ich war im Moulin Rouge, fuhr Ignatius Gallaher fort, als der Barmann ihre Gläser weggenommen hatte, und in all den Künstlercafés. Dolle Kiste! Nichts für eine brave Haut wie dich, Tommy.
Little Chandler sagte nichts, bis der Barmann mit den zwei Gläsern zurückkam: dann stieß er leicht mit seinem Freund an und erwiderte den Toast von vorhin. Er fing an, sich etwas desillusioniert zu fühlen. Gallahers Aussprache und Redeweise gefielen ihm nicht. Sein Freund hatte etwas Ordinäres

an sich, das ihm früher nicht aufgefallen war. Aber vielleicht kam das nur von dem Leben in London bei der Hetze und dem Konkurrenzkampf der Presse. Der alte persönliche Charme war unter seiner neuen großtuerischen Art immer noch da. Und schließlich hatte Gallaher gelebt, hatte die Welt gesehen. Little Chandler sah seinen Freund neidisch an.

– Alles in Paris ist lebenslustig, sagte Ignatius Gallaher. Sie finden, man soll das Leben genießen – und meinst du nicht, daß sie recht haben? Wenn du was vom Leben haben willst, mußt du nach Paris. Und weißt du, für Iren haben sie da viel übrig. Als sie gehört haben, daß ich aus Irland bin, haben sie mich geradezu verhätschelt, Mensch.

Little Chandler trank vier oder fünf Schluck aus seinem Glas.

– Sag mal, begann er, stimmt es, daß Paris so... unmoralisch ist, wie man behauptet?

Ignatius Gallaher machte eine weltumfassende Geste mit dem rechten Arm.

– Alle Orte sind unmoralisch, sagte er. Natürlich ist in Paris manches schon ganz happig. Du brauchst bloß mal auf einen der Studentenbälle zu gehen. Da geht es hoch her, allerdings, wenn die Kokotten loslegen. Du weißt, was Kokotten sind, ja?

– Ich habe von ihnen gehört, sagte Little Chandler.

Ignatius Gallaher trank seinen Whisky und schüttelte den Kopf.

– Ach, sagte er, du kannst sagen, was du willst. Keine Frau ist wie die Parisienne – keine hat soviel Stil, soviel Schwung.

– Dann ist es also eine unmoralische Stadt, sagte Little Chandler mit schüchterner Hartnäckigkeit – ich meine im Vergleich zu London oder Dublin?

– London! sagte Ignatius Gallaher. Das gibt sich nichts. Frag mal Hogan, mein Lieber. Ich hab ihn ein bißchen in London herumgeführt, als er drüben war. Er würde dir die Augen öffnen ... Also Tommy, mach keinen Punsch aus deinem Whisky: gieß dir noch einen hinter die Binde.

– Nein, wirklich...

– Ach was, los, einer mehr wird dir schon nicht schaden. Was soll's sein? Dasselbe nochmal, ja?
– Hm ... na gut.
– *François*, nochmal dasselbe... Möchtest du was rauchen, Tommy?
Ignatius Gallaher zog sein Zigarrenetui hervor. Die beiden Freunde zündeten ihre Zigarren an und pafften schweigend, bis ihre Getränke kamen.
– Wenn ich dir meine Meinung sagen soll, sagte Ignatius Gallaher und kam hinter den Rauchschwaden zum Vorschein, in denen er eine Zeitlang Zuflucht gesucht hatte, es ist schon eine irre Welt. Was heißt hier Unmoral! Ich habe von Fällen gehört – was sage ich? – ich habe sie miterlebt: Fälle von... Unmoral...
Ignatius Gallaher paffte nachdenklich an seiner Zigarre und hob dann an, seinem Freund mit der Gelassenheit eines Historikers ein paar Bilder der Verderbnis, die im Ausland wucherte, zu umreißen. Er resümierte die Laster vieler Hauptstädte und schien geneigt, die Palme Berlin zuzugestehen. Für manches konnte er nicht bürgen (er hatte es von Freunden gehört), aber anderes hatte er selber erlebt. Er schonte weder Rang noch Stand. Er enthüllte viele der Geheimnisse von religiösen Häusern auf dem Kontinent und beschrieb einige der Praktiken, die in der guten Gesellschaft im Schwange waren, und erzählte zum Abschluß in allen Einzelheiten eine Geschichte über eine englische Herzogin – eine Geschichte, die wahr sei, wie er wisse.
Little Chandler war erstaunt.
– Na ja, sagte Ignatius Gallaher, hier sind wir in dem alten Trott von Dublin, wo man von solchen Sachen keine Ahnung hat.
– Wie öde mußt du es finden, sagte Little Chandler, nach all den Orten, wo du gewesen bist!
– Na ja, sagte Ignatius Gallaher, es ist ganz erholsam, wieder mal rüberzukommen, weißt du. Und schließlich sind es die heimatlichen Gefilde, wie man so sagt, nicht? Dafür hat man nun einmal eine gewisse Schwäche. Das liegt in der Natur des

Menschen ... Aber jetzt erzähl mir von dir. Hogan hat mir erzählt, daß du ... von den Wonnen der ehelichen Freuden gekostet hast. Vor zwei Jahren, nicht?
Little Chandler wurde rot und lächelte.
– Ja, sagte er, ich habe im Mai vor einem Jahr geheiratet.
– Ich hoffe, es ist nicht zu spät am Tag, dir meine herzlichsten Wünsche auszusprechen, sagte Ignatius Gallaher. Ich habe deine Adresse nicht gehabt, sonst hätte ich's seinerzeit getan.
Er streckte seine Hand aus, die Little Chandler nahm.
– Also, Tommy, sagte er, da wünsche ich dir und der Deinigen alle Wonnen des Lebens, altes Haus, und Berge von Geld, und daß du nicht stirbst, bis ich dich erschieße. Und das wünscht dir ein aufrichtiger Freund, ein alter Freund. Das weißt du doch?
– Das weiß ich, sagte Little Chandler.
– Wie steht's mit dem Nachwuchs? fragte Ignatius Gallaher.
Little Chandler wurde wieder rot.
– Wir haben ein Kind, sagte er.
– Sohn oder Tochter?
– Einen kleinen Jungen.
Ignatius Gallaher schlug seinem Freund dröhnend auf den Rücken.
– Bravo, sagte er, ich hatte auch nicht an dir gezweifelt, Tommy.
Little Chandler lächelte, blickte verwirrt auf sein Glas und biß sich mit drei kindlich weißen Vorderzähnen auf die Unterlippe.
– Ich hoffe, du kommst uns einen Abend besuchen, sagte er, ehe du zurückfährst. Meine Frau wird sich freuen, dich kennenzulernen. Wir können etwas Musik machen und –
– Tausend Dank, altes Haus, sagte Ignatius Gallaher, schade, daß wir uns nicht früher gesehen haben. Aber morgen abend muß ich wieder weg.
– Vielleicht heute abend?
– Tut mir schrecklich leid, alter Freund. Weißt du, ich bin mit jemand anders hier, ein gescheiter junger Kerl übrigens, und wir wollten ein bißchen Karten spielen gehen. Sonst gerne...

– In diesem Fall natürlich...
– Aber wer weiß? sagte Ignatius Gallaher rücksichtsvoll. Nächstes Jahr mache ich vielleicht mal wieder eine Spritztour herüber, jetzt wo ich das Eis gebrochen habe. Aufgeschoben ist nicht aufgehoben.
– Also gut, sagte Little Chandler, wenn du das nächste Mal kommst, müssen wir einen Abend zusammen verbringen. Das steht fest, nicht?
– Ja, das steht fest, sagte Ignatius Gallaher. Nächstes Jahr, falls ich komme, *parole d'honneur*.
– Und um das zu besiegeln, sagte Little Chandler, trinken wir jetzt noch einen.
Ignatius Gallaher zog eine große goldene Uhr hervor und schaute darauf.
– Ist es dann auch der letzte? fragte er. Weil, wie gesagt, ich habe nämlich eine Verabredung.
– Ja, absolut, sagte Little Chandler.
– Also schön, sagte Ignatius Gallaher, trinken wir noch einen als *deoc an doruis* – das ist gute Landessprache für einen kleinen Whisky, glaube ich.
Little Chandler bestellte die Getränke. Die Röte, die ihm einige Augenblicke zuvor ins Gesicht gestiegen war, behauptete sich. Jede Winzigkeit ließ ihn jederzeit rot werden: und jetzt fühlte er sich warm und aufgeregt. Die drei kleinen Whiskys waren ihm zu Kopf gestiegen, und Gallahers starke Zigarre hatte seine Gedanken durcheinandergebracht, denn er war fragil und enthaltsam. Das Abenteuer, Gallaher nach acht Jahren wiederzusehen, mit Gallaher zusammen in dem Licht und Lärm von Corless zu sein, Gallahers Geschichten anzuhören und für eine kurze Weile Gallahers unstetes und triumphales Leben zu teilen, brachte sein sensibles Wesen aus dem Gleichgewicht. Scharf fühlte er den Kontrast zwischen seinem eigenen Leben und dem seines Freundes, und er schien ihm ungerecht. Gallaher war ihm nach Herkunft und Bildung unterlegen. Er war sicher, daß er etwas Besseres leisten könne, als sein Freund je geleistet hatte oder je leisten könne, etwas

Höheres als bloßen billigen Journalismus, wenn er nur die Chance bekäme. Was war es, das ihm im Weg stand? Seine unglückselige Schüchternheit! Er wünschte sich irgendwie zu rechtfertigen, seine Männlichkeit unter Beweis zu stellen. Er durchschaute Gallahers Ablehnung seiner Einladung. Gallaher ließ sich durch seine Freundlichkeit nur gönnerhaft zu ihm herab, so wie er sich zu Irland durch seinen Besuch herabließ.
Der Barmann brachte ihre Whiskys. Little Chandler schob ein Glas seinem Freund hin und hob das andere verwegen.
– Wer weiß? sagte er, als sie ihre Gläser hoben. Wenn du das nächste Jahr kommst, habe ich vielleicht das Vergnügen, Herrn und Frau Ignatius Gallaher ein langes Leben und viel Glück zu wünschen.
Ignatius Gallaher kniff beim Trinken vielsagend ein Auge über dem Rand seines Glases zu. Als er ausgetrunken hatte, schmatzte er entschlossen mit den Lippen, setzte das Glas ab und sagte:
– Da brauchst du weiß Gott keine Angst zu haben, mein Lieber. Ich tobe mich erst aus und lerne das Leben und die Welt ein bißchen kennen, ehe ich den Kopf in den Sack stecke – wenn ich das je tue.
– Eines Tages tust du's bestimmt, sagte Little Chandler ruhig.
Ignatius Gallaher wandte seine orange Krawatte und seine schieferblauen Augen voll dem Freund zu.
– Meinst du? sagte er.
– Du steckst den Kopf in den Sack, wiederholte Little Chandler wacker, wie alle anderen, wenn du nur die Richtige findest.
Er hatte seinem Ton etwas Nachdruck gegeben, und er merkte, daß er sich verraten hatte; aber obwohl die Farbe seiner Wangen intensiver geworden war, wich er dem Blick seines Freundes nicht aus. Ignatius Gallaher beobachtete ihn eine kurze Zeitlang und sagte dann:
– Wenn das je passiert, dann kannst du deinen letzten Dollar verwetten, daß keine Gefühlsduselei dabei ist. Ich habe vor,

Geld zu heiraten. Sie hat entweder ein gutes dickes Bankkonto, oder sie ist nichts für mich.
Little Chandler schüttelte den Kopf.
– Also Menschenskind, sagte Ignatius Gallaher heftig, was denkst du eigentlich? Ich brauche nur ein Wort zu sagen, und morgen kann ich die Frau und die Kohlen haben. Du glaubst das nicht? Ich weiß es aber. Es gibt Hunderte – was sage ich? – Tausende von reichen Deutschen und Jüdinnen, die im Geld ersticken und nur zu froh wären ... Wart's nur ab, mein Lieber. Paß auf, ob ich meine Karten nicht richtig ausspiele. Wenn ich mir was vorgenommen habe, dann meine ich es ernst, das sag ich dir. Wart's nur ab.
Er riß das Glas zum Mund, trank aus und lachte laut. Dann blickte er nachdenklich vor sich hin und sagte in ruhigerem Ton:
– Aber ich habe keine Eile. Die können warten. Ich denke nicht daran, mich an *eine* Frau zu binden, weißt du.
Er bewegte die Lippen, als koste er von etwas, und zog ein schiefes Gesicht.
– Muß ziemlich öd werden, denk ich, sagte er.

. . . .

Little Chandler saß in dem Zimmer neben dem Flur und hielt ein Kind in den Armen. Um Geld zu sparen, hatten sie kein Mädchen, aber Annies jüngere Schwester Monica kam vormittags und abends für je etwa eine Stunde und half. Monica jedoch war längst nach Hause gegangen. Es war viertel vor neun. Little Chandler war spät zum Tee nach Hause gekommen, und außerdem hatte er vergessen, Annie das Paket Kaffee von Bewley mitzubringen. Natürlich war sie schlechter Laune und kurz angebunden. Sie sagte, daß sie auf den Tee auch verzichten könne, aber als die Zeit heranrückte, da der Laden an der Ecke zumachte, beschloß sie, selber ein Viertelpfund Tee und zwei Pfund Zucker zu holen. Sie legte ihm das schlafende Kind geschickt in die Arme und sagte:
– Hier. Mach ihn nicht wach.

Eine kleine Lampe mit weißem Porzellanschirm stand auf dem Tisch, und ihr Licht fiel auf eine Photographie in einem Rahmen aus Hornsplittern. Es war Annies Bild. Little Chandler betrachtete es und verweilte auf den dünnen, fest geschlossenen Lippen. Sie trug die hellblaue Sommerbluse, die er ihr eines Samstags als Geschenk mitgebracht hatte. Zehn Shilling und elf Pence hatte sie ihn gekostet; aber welche Nervenqualen dazu! Wie hatte er damals gelitten, als er an der Ladentür wartete, bis der Laden leer war, als er am Ladentisch stand und ungezwungen zu wirken versuchte, während das Mädchen Damenblusen vor ihm aufhäufte, als er am Pult bezahlte und den Penny zu nehmen vergaß, den er herausbekam, und der Kassierer ihn zurückrief, und als er sich schließlich bemühte, sein Erröten beim Verlassen des Ladens zu verbergen, indem er untersuchte, ob das Paket sicher verschnürt war. Als er die Bluse nach Hause brachte, küßte Annie ihn und sagte, sie sei sehr hübsch und schick; doch als sie den Preis erfuhr, warf sie die Bluse auf den Tisch und sagte, es sei glatter Betrug, einem dafür zehn Shilling und elf Pence abzunehmen. Zuerst wollte sie sie wieder zurückbringen, aber dann probierte sie sie an und fand sie entzückend, vor allem den Schnitt der Ärmel, und sie küßte ihn und sagte, daß es sehr lieb von ihm sei, an sie zu denken.
Hm! . . .
Er blickte kalt in die Augen des Photos, und kalt antworteten sie. Gewiß waren sie hübsch, und das Gesicht selbst war es auch. Aber er fand etwas Gemeines darin. Warum war es so bewußtseinsleer und damenhaft? Die Gefaßtheit der Augen irritierte ihn. Sie stießen ihn ab und boten ihm Trotz: es war keine Leidenschaft in ihnen, keine Verzückung. Er dachte an das, was Gallaher über reiche Jüdinnen gesagt hatte. Diese dunklen orientalischen Augen, dachte er, wie sie voll sind von Leidenschaft, von wollüstiger Sehnsucht! . . . Warum hatte er die Augen auf dem Photo geheiratet?
Er ertappte sich bei der Frage und sah sich nervös im Zimmer um. Er fand etwas Gemeines in den hübschen Möbeln, die er für sein Haus auf Ratenzahlung gekauft hatte. Annie hatte

sie selber ausgesucht, und sie erinnerten ihn an sie. Auch sie waren steif und hübsch. Ein dumpfer Groll gegen sein Leben erwachte in ihm. Konnte er seinem kleinen Haus nicht entfliehen? War es für ihn zu spät, ein so verwegenes Leben zu versuchen wie Gallaher? Konnte er nach London gehen? Die Möbel mußten noch bezahlt werden. Wenn er nur ein Buch schreiben und veröffentlichen könnte, das würde ihm vielleicht die Bahn freimachen.

Ein Band mit Gedichten von Byron lag vor ihm auf dem Tisch. Er öffnete ihn vorsichtig mit der linken Hand, um das Kind nicht wachzumachen, und begann das erste Gedicht im Buch zu lesen:

Der Wind verstummt, der Abend düstert sich,
Kein leiser Zephyr wandelt durch den Hain,
Zu Margarethens Grabe wend' ich mich,
Um Blumen dem geliebten Staub zu streun.

Er hielt inne. Um sich her im Zimmer spürte er den Rhythmus der Verse. Wie melancholisch er war! Ob auch er so schreiben, die Melancholie seiner Seele in Versen ausdrücken könnte? Es gab so vieles, das er zu beschreiben wünschte: seine Empfindung auf der Grattan Bridge ein paar Stunden zuvor beispielsweise. Wenn er sich in jene Stimmung zurückversetzen könnte ...

Das Kind wurde wach und begann zu schreien. Er blickte von der Seite auf und versuchte, es zu beruhigen; aber es ließ sich nicht beruhigen. Er begann es in den Armen zu wiegen, doch sein plärrendes Geschrei wurde nur noch heftiger. Er wiegte es schneller, während seine Augen die zweite Strophe zu lesen begannen:

In dieser engen Zelle ruht ihr Staub,
Der Staub, den erst ...

Es war zwecklos. Er konnte nicht lesen. Er konnte überhaupt nichts machen. Das Geplärr des Kindes zerriß ihm das Trommelfell. Es war zwecklos, zwecklos! Er war lebenslänglich gefangen. Seine Arme zitterten vor Zorn, und sich plötzlich zum Gesicht des Kindes hinabbeugend, brüllte er:

– Hör auf!

Das Kind hörte einen Augenblick lang auf, krümmte sich in Panik zusammen und begann dann laut zu kreischen. Er sprang vom Stuhl auf und ging mit dem Kind im Arm hastig im Zimmer auf und ab. Es weinte herzzerreißend, kam vier oder fünf Sekunden lang außer Atem, dann brach es von neuem aus ihm hervor. Die dünnen Wände des Zimmers warfen das Geschrei zurück. Er versuchte, es zu beruhigen, doch die Weinkrämpfe wurden nur schlimmer. Er blickte in das zusammengekniffene und zuckende Gesicht des Kindes und bekam Angst. Er zählte sieben Schluchzer ohne eine Pause dazwischen und drückte das Kind in Panik an die Brust. Wenn es starb! ...

Die Tür wurde aufgestoßen, und eine junge Frau kam außer Atem hereingestürzt.

– Was ist los? Was ist los? rief sie.

Als das Kind die Stimme seiner Mutter hörte, wurde sein Weinen paroxystisch.

– Es ist nichts, Annie ... es ist nichts ... Er hat angefangen zu schreien ...

Sie schleuderte ihre Päckchen auf den Boden und riß ihm das Kind weg.

– Was hast du ihm getan? schrie sie und starrte ihm ins Gesicht.

Little Chandler hielt einen Augenblick lang den Blick ihrer Augen aus, und sein Herz zog sich zusammen, als er dem Haß in ihnen begegnete. Er begann zu stammeln:

– Es ist nichts ... Er ... er ... hat angefangen zu schreien ... Ich konnte nicht ... Ich habe nichts getan ... Was?

Ohne ihn zu beachten, begann sie im Zimmer auf und ab zu gehen, drückte das Kind fest in die Arme und murmelte:

– Mein Kleiner! Mein Kleinchen! Ha'du Angst gehabt, Schätzchen? ... Nicht doch, Schätzchen! Nicht doch! ... Schäfchen! Mamas kleines Lämmerschwänzchen! ... Nicht doch!

Little Chandler fühlte Schamröte auf seinen Wangen und trat aus dem Lichtschein der Lampe. Er hörte, wie das paroxystische Weinen des Kindes mehr und mehr nachließ; und Tränen der Reue traten ihm in die Augen.

Entsprechungen

Die Klingel rasselte wütend, und als Miss Parker zum Sprachrohr ging, rief eine wütende Stimme mit schneidendem nordirischen Akzent:
– Schicken Sie Farrington hoch!
Miss Parker kehrte an ihre Maschine zurück und sagte zu einem Mann, der an einem Pult schrieb:
– Mr. Alleyne will Sie oben sprechen.
Der Mann murmelte flüsternd *Zum Teufel mit ihm!* und stieß seinen Stuhl zurück, um aufzustehen. Stehend wirkte er groß und massig. Er hatte ein sackendes dunkel-weinfarbenes Gesicht mit hellen Augenbrauen und Schnurrbart: seine Augen traten leicht hervor, und ihr Weißes war schmutzig. Er hob die Barriere und ging, vorbei an den Klienten, mit schwerem Schritt hinaus.
Schwer stieg er hinauf zum zweiten Treppenabsatz, wo eine Tür ein Messingschild mit der Aufschrift *Mr. Alleyne* trug. Hier blieb er stehen, schnaufte vor Anstrengung und Verdruß und klopfte. Die schrille Stimme rief:
– Herein!
Der Mann betrat Mr. Alleynes Zimmer. Im gleichen Moment ließ Mr. Alleyne, ein kleiner Mann mit einer goldgerandeten Brille auf einem glattrasierten Gesicht, seinen Kopf über einem Stapel von Dokumenten hochschnellen. Der Kopf war so rosig und haarlos, daß er wie ein großes Ei aussah, das da auf den Papieren ruhte. Mr. Alleyne verlor keinen Augenblick:
– Farrington? Was soll das heißen? Warum muß ich mich immer über Sie beschweren? Darf ich wohl fragen, warum Sie keine Abschrift von dem Vertrag zwischen Bodley und Kirwan gemacht haben? Ich habe Ihnen doch gesagt, daß er um vier fertig sein muß.
– Aber Mr. Shelley hat gesagt, Sir –
– *Mr. Shelley hat gesagt, Sir* . . . Kümmern Sie sich gefälligst

um das, was ich sage, und nichts da von *Mr. Shelley hat gesagt, Sir.* Immer haben Sie irgendeine Ausrede, um sich um die Arbeit zu drücken. Lassen Sie sich gesagt sein, daß ich die Sache Mr. Crosbie melden werde, wenn der Vertrag nicht bis heute abend abgeschrieben ist ... Haben Sie mich jetzt verstanden?
– Jawohl, Sir.
– Haben Sie mich jetzt verstanden? ... Und dann noch eine Kleinigkeit! Ich könnte ebenso gut einer Wand predigen wie Ihnen. Merken Sie sich ein für allemal, daß Sie eine halbe Stunde Mittagspause haben und nicht anderthalb. Ich möchte mal wissen, wieviele Gänge denn der Herr speist ... Hab ich mich jetzt klar ausgedrückt?
– Jawohl, Sir.
Mr. Alleyne senkte den Kopf wieder auf seinen Papierstapel. Der Mann starrte unverwandt auf den blanken Schädel, der die Geschäfte von Crosbie & Alleyne führte, und schätzte seine Zerbrechlichkeit ab. Ein Zornkrampf umklammerte eine kurze Weile seine Kehle und löste sich dann, um ein akutes Durstgefühl zu hinterlassen. Dem Mann kam das Gefühl bekannt vor, und es war ihm nach einer ordentlich durchzechten Nacht zumute. Der Monat war schon mehr als halb vorbei, und wenn er die Abschrift rechtzeitig fertig bekäme, gäbe ihm Mr. Alleyne vielleicht eine Anweisung für den Kassierer. Er rührte sich nicht und blickte unverwandt auf den Kopf über dem Papierstapel. Plötzlich begann Mr. Alleyne alle Papiere durcheinander zu werfen, auf der Suche nach irgendetwas. Dann, als wäre er der Anwesenheit des Mannes bis zu diesem Augenblick nicht gewahr gewesen, ließ er den Kopf von neuem hochschnellen und sagte:
– Nanu? Wollen Sie den ganzen Tag dastehen? Auf mein Wort, Farrington, Sie nehmen die Dinge leicht!
– Ich habe gewartet, um zu sehen ...
– Sehr schön, Sie brauchen nicht zu warten, um zu sehen. Gehen Sie runter und machen Sie Ihre Arbeit.
Der Mann ging schwer zur Tür, und als er das Zimmer verließ, hörte er, wie Mr. Alleyne ihm nachrief, daß Mr. Crosbie

von der Sache erfahren würde, wenn der Vertrag bis zum Abend nicht abgeschrieben wäre.
Er kehrte an sein Pult im Büro unten zurück und zählte die Blätter, die noch abzuschreiben blieben. Er nahm seinen Federhalter und tauchte ihn in die Tinte, doch dann blickte er weiter dümmlich auf die letzten Worte, die er geschrieben hatte: *In keinem Fall soll besagter Bernard Bodley . . .* Der Abend brach herein, und in ein paar Minuten würden sie die Gasbeleuchtung anstecken: dann könnte er schreiben. Er spürte, daß er den Durst in seiner Kehle löschen mußte. Er stand von seinem Pult auf, hob die Barriere wie zuvor und verließ das Büro. Als er hinausging, sah ihn der Bürovorsteher fragend an.
– Schon in Ordnung, Mr. Shelley, sagte der Mann und zeigte mit dem Finger, um den Bestimmungsort seiner Unternehmung anzudeuten.
Der Bürovorsteher warf einen Blick auf den Hutständer, doch da er die Reihe vollzählig fand, sagte er nichts. Sobald er draußen auf der Treppe war, zog der Mann eine karierte Schäfermütze aus der Tasche, setzte sie auf und lief schnell die wacklige Treppe hinab. Von der Haustür an ging er verstohlen dicht an den Häusern entlang zur Ecke und tauchte plötzlich in einen Hauseingang. Im dunklen Hinterzimmer von O'Neills Kneipe war er jetzt in Sicherheit, und indem er das kleine Fenster zum Schankraum mit seinem geröteten Gesicht ausfüllte, das die Farbe dunklen Weines oder dunklen Fleisches hatte, rief er:
– Los, Pat, bringen Sie uns mal ein Glas Porter, seien Sie so gut.
Der ›Kurat‹ brachte ihm ein Glas einfachen Porter. Der Mann stürzte es auf einen Zug herunter und verlangte ein Kümmelkorn. Er legte seinen Penny auf die Theke, ließ den ›Kuraten‹ in der Düsternis danach tasten und zog sich aus dem Hinterzimmer so verstohlen zurück, wie er gekommen war.
Dunkelheit, begleitet von dichtem Nebel, überwältigte die Februardämmerung, und die Laternen auf der Eustace Street waren angezündet worden. Der Mann ging an den Häusern entlang bis zur Tür seines Büros und fragte sich, ob er seine

Abschrift wohl rechtzeitig schaffen würde. Auf der Treppe grüßte ein feuchter durchdringender Parfumgeruch seine Nase: offenbar war Miss Delacour gekommen, während er bei O'Neill gewesen war. Er stopfte seine Mütze in die Tasche zurück, nahm eine geistesabwesende Miene an und trat wieder in das Büro.

– Mr. Alleyne hat nach Ihnen gerufen, sagte der Bürovorsteher streng. Wo waren Sie?

Der Mann warf einen kurzen Blick auf die beiden Klienten, die an der Barriere standen, als wolle er zu verstehen geben, daß ihre Gegenwart ihn an einer Antwort hindere. Da die Klienten beide männlichen Geschlechts waren, erlaubte sich der Bürovorsteher ein Lachen.

– Ich kenn die Tour, sagte er. Fünfmal am Tag ist ein bißchen ... Na, machen Sie schon schnell und suchen Sie die Abschrift unserer Korrespondenz in der Sache Delacour für Mr. Alleyne heraus.

Diese Worte in Gegenwart des Publikums, das schnelle Treppensteigen und der Porter, den er so hastig heruntergestürzt hatte, brachten den Mann durcheinander, und als er sich an sein Pult setzte, um das Verlangte herauszusuchen, wurde ihm klar, wie hoffnungslos die Aufgabe war, die Abschrift des Vertrages noch vor halb sechs fertigzustellen. Die finster-feuchte Nacht kam, und er sehnte sich, sie in den Kneipen zu verbringen, mit seinen Freunden inmitten des grellen Gaslichts und des Geklirrs der Gläser zu trinken. Er suchte die Delacour-Korrespondenz heraus und verließ das Büro. Er hoffte, Mr. Alleyne würde nicht entdecken, daß die beiden letzten Briefe fehlten.

Das feuchte durchdringende Parfum lagerte auf dem ganzen Weg hinauf in Mr. Alleynes Zimmer. Miss Delacour war eine Frau mittleren Alters und von jüdischem Aussehen. Mr. Alleyne, hieß es, habe es auf sie oder ihr Geld abgesehen. Sie kam oft ins Büro und blieb dann immer lange. Sie saß jetzt in einer Wolke von Parfum neben seinem Pult, strich über den Griff ihres Schirms und nickte mit der großen schwarzen Feder auf ihrem Hut. Mr. Alleyne hatte seinen Stuhl so gedreht, daß er ihr gegenübersaß, und seinen rechten Fuß forsch auf sein linkes Knie geworfen. Der Mann legte die Korrespondenz auf das Pult und verbeugte sich respektvoll, doch weder Mr. Alleyne noch Miss Delacour nahm irgendeine Notiz von seiner Verbeugung. Mr. Alleyne tippte mit dem Finger auf die Korrespondenz und schnickte ihn dann in seine Richtung, als wolle er sagen: *Schon gut, Sie können gehen.*

Der Mann kehrte in das Büro unten zurück und setzte sich wieder an sein Pult. Er starrte angespannt auf den unvollendeten Satz: *In keinem Fall soll besagter Bernard Bodley ...* und dachte, daß es doch seltsam wäre, wie die letzten drei Wörter mit demselben Buchstaben anfingen. Der Bürovorsteher begann Miss Parker zu drängen – sie würde, sagte er, die Briefe nie rechtzeitig für die Post getippt haben. Der Mann lauschte ein paar Minuten lang dem Klappern der Maschine und machte sich dann daran, seine Abschrift zu beenden. Doch sein Kopf war nicht klar, und seine Gedanken wanderten fort zu dem grellen Licht und dem Geklirr des Wirtshauses. Es war eine Nacht für heißen Punsch. Er quälte sich weiter mit seiner Abschrift, aber als die Uhr fünf schlug, hatte er immer noch vierzehn Seiten zu schreiben. Zum Teufel damit! Es war nicht zu schaffen. Gerne hätte er laut geflucht, hätte er seine Faust wuchtig auf irgendetwas niedergehen lassen. Er war so erbittert, daß er *Bernard Bernard* statt *Bernard Bodley* schrieb und auf einem neuen Blatt noch einmal anfangen mußte.

Er fühlte sich stark genug, das ganze Büro eigenhändig kurz und klein zu schlagen. Sein Körper brannte darauf, etwas zu tun, hinauszustürzen und in Gewalttätigkeit zu schwelgen. All die Demütigungen seines Lebens erbitterten ihn ... Ob er den Kassierer privat um einen Vorschuß bitten konnte? Nein, mit dem Kassierer war nichts anzufangen, verdammt nichts: der würde ihm keinen Vorschuß geben ... Er wußte, wo er die Jungs finden würde: Leonard und O'Halloran und Nosey Flynn. Das Barometer seiner Gefühlslage zeigte eine Unwetterperiode an.

Seine Vorstellungen hatten ihn so abgelenkt, daß sein Name

zweimal gerufen wurde, ehe er antwortete. Mr. Alleyne und Miss Delacour standen vor der Barriere, und alle Angestellten hatten sich erwartungsvoll umgewandt. Der Mann stand von seinem Pult auf. Mr. Alleyne begann eine Schimpftirade und sagte, daß zwei Briefe fehlten. Der Mann antwortete, er wisse nichts von ihnen, er habe eine genaue Abschrift gemacht. Die Tirade ging weiter: sie war so bitter und heftig, daß der Mann nur schwer seine Faust zurückhalten konnte, auf den Kopf des Männchens vor ihm niederzufahren.

– Ich weiß nichts von irgendwelchen anderen zwei Briefen, sagte er dümmlich.

– *Sie – wissen – nichts.* Sie wissen natürlich nichts, sagte Mr. Alleyne. Sagen Sie, fügte er hinzu, nachdem er zunächst einen beifallheischenden Blick auf die Dame neben sich gerichtet hatte, halten Sie mich für einen Idioten? Halten Sie mich für einen Vollidioten?

Der Mann blickte von dem Gesicht der Dame zu dem kleinen Eierkopf und wieder zurück; und fast ehe es ihm bewußt wurde, hatte seine Zunge einen glückhaften Augenblick gefunden:

– Das, Sir, sagte er, fragen Sie mich besser nicht.

Die Angestellten hielten den Atem an. Alle waren sie perplex (der Urheber des Bonmots nicht minder als seine Nachbarn), und Miss Delacour, die eine derbe freundliche Person war, begann breit zu lächeln. Mr. Alleyne lief rot an wie eine wilde Rose, und sein Mund begann vor zwergenhafter Leidenschaft zu zukken. Er schüttelte seine Faust vor dem Gesicht des Mannes, bis sie wie der Griff eines elektrischen Geräts zu zittern schien:

– Sie unverschämter Flegel! Sie unverschämter Flegel! Ich mache kurzen Prozeß mit Ihnen! Warten Sie nur ab! Sie werden sich bei mir für diese Unverschämtheit entschuldigen, oder Sie verlassen das Büro auf der Stelle! Sie verlassen es, sage ich Ihnen, oder Sie entschuldigen sich bei mir!

. . . .

Er stand im Hauseingang dem Büro gegenüber und wartete ab, ob der Kassierer allein herauskommen würde. Alle Angestellten kamen heraus, und schließlich kam auch der Kassierer mit dem Bürovorsteher. Es hatte keinen Zweck, auch nur ein Wort mit ihm zu sprechen, wenn er mit dem Bürovorsteher zusammen war. Seine Lage, fühlte der Mann, war schlecht genug. Er war genötigt worden, sich bei Mr. Alleyne für seine Unverschämtheit unterwürfig zu entschuldigen, doch er wußte, was für ein Wespennest das Büro jetzt für ihn sein würde. Es war ihm in Erinnerung, wie Mr. Alleyne den kleinen Peake aus dem Büro getrieben hatte, um Platz für seinen eigenen Neffen zu schaffen. Er war wütend und durstig und rachsüchtig, böse auf sich selber wie auf alle anderen. Keine Stunde würde Mr. Alleyne ihn in Frieden lassen; sein Leben würde die Hölle sein. Dieses Mal hatte er sich richtig zum Idioten gemacht. Konnte er denn seine Zunge nicht im Zaum halten? Aber sie waren von Anfang an nicht miteinander ausgekommen, er und Mr. Alleyne, jedenfalls seit dem Tage nicht, als Mr. Alleyne mitangehört hatte, wie er zur Belustigung von Higgins und Miss Parker seinen nordirischen Akzent nachmachte: damit hatte es angefangen. Er hätte versuchen können, Higgins anzupumpen, aber Higgins hatte ja selber nie etwas. Ein Mann, der für zwei Haushalte aufzukommen hatte, natürlich konnte der nicht ...

Wieder fühlte er, wie sein großer Körper auf die Wohltat des Wirtshauses brannte. Der Nebel ließ ihn frösteln, und er fragte sich, ob er Pat bei O'Neill anhauen könne. Mehr als ein Shilling war bei ihm nicht zu holen – und ein Shilling hatte keinen Zweck. Doch irgendwoher mußte er das Geld bekommen: seinen letzten Penny hatte er für das Glas Porter ausgegeben, und bald wäre es zu spät, noch irgendwo Geld herzukriegen. Plötzlich, als er an seiner Uhrkette fingerte, fiel ihm Terry Kellys Pfandhaus in der Fleet Street ein. Das war die Idee! Warum war ihm das nicht eher eingefallen?

Er ging schnell durch die enge Temple Bar und murmelte vor sich hin, daß sie von ihm aus alle zur Hölle fahren könnten, weil er sich jedenfalls einen vergnügten Abend machen würde. Der Angestellte bei Terry Kelly sagte *Eine Crown!*, doch der

Deponent bestand auf sechs Shilling; und schließlich wurden ihm tatsächlich sechs Shilling bewilligt. Er verließ das Pfandhaus fröhlich und machte einen kleinen Geldzylinder zwischen Daumen und Fingern. Auf der Westmoreland Street wimmelten die Gehsteige von jungen Männern und Frauen, die von der Arbeit kamen, und zerlumpte Knirpse liefen hin und her und riefen die Namen der Abendausgaben aus. Der Mann schritt durch die Menge, betrachtete das Schauspiel im großen und ganzen mit stolzer Genugtuung und starrte die Bürомädchen gebieterisch an. Sein Kopf war voll von dem Lärm der Tramglocken und der sirrenden Stromabnehmer, und seine Nase schnupperte schon die kräuselnden Punschdämpfe. Während er weiterging, überlegte er sich im voraus, wie er den Jungs den Vorfall erzählen würde:

– Also, ich hab ihn nur angesehn – ganz kühl, nicht, und dann hab ich sie angesehn. Dann hab ich wieder ihn angesehn – ich hab mir Zeit gelassen, nicht. *Das fragen Sie mich besser nicht,* sag ich.

Nosey Flynn saß in seiner Stammecke bei Davy Byrne, und als er die Geschichte hörte, gab er Farrington einen Halben aus – das wäre eine der dollsten Sachen, die er je gehört hätte. Farrington gab seinerseits einen aus. Nach einer Weile kamen O'Halloran und Paddy Leonard herein, und die Geschichte wurde ihnen wiederholt. O'Halloran gab der ganzen Runde je einen dreiviertel heißen Malzwhisky aus und erzählte die Geschichte von der Replik, die er dem Bürovorsteher gegenüber gemacht hatte, als er bei Callan in der Fownes's Street arbeitete; doch da es eine Replik in der Art der losen Schäfer in den Eklogen war, mußte er zugeben, daß sie nicht so gescheit war wie Farringtons Replik. Darauf forderte Farrington die Jungs auf, ihren Schnaps wegzuputzen und noch einen zu sich zu nehmen.

Als sie gerade ihre Medizin bestellten, wer kam da herein? Higgins! Natürlich mußte er sich zu den anderen setzen. Die Männer forderten ihn auf, seine Version zum besten zu geben, und er tat es sehr lebhaft, denn der Anblick fünf kleiner heißer Whiskys war sehr aufmunternd. Alle brüllten sie vor Lachen, als er zeigte, wie Mr. Alleyne die Faust vor Farringtons Gesicht geschüttelt hatte. Dann machte er Farrington nach, sagte: *Und da steht er, so kühl wie nur was,* während Farrington die Gesellschaft aus seinen schweren schmutzigen Augen ansah, lächelte und von Zeit zu Zeit mit Hilfe seiner Unterlippe verirrte Schnapstropfen aus seinem Schnurrbart herunterholte.

Als diese Lage zu Ende war, entstand ein Schweigen. O'Halloran hatte Geld, doch von den anderen beiden schien keiner welches zu haben; also verließ die ganze Gesellschaft etwas bedauernd die Kneipe. An der Ecke Duke Street schwenkten Higgins und Nosey Flynn links ab, während die anderen drei zurückgingen in Richtung Stadtzentrum. Regen nieselte auf die kalten Straßen nieder, und als sie das Ballast Office erreichten, schlug Farrington das Scotch House vor. Die Kneipe war voll von Männern und laut vom Lärm der Zungen und Gläser. Die drei drängten sich an den winselnden Streichholzverkäufern nahe der Tür vorbei und bildeten eine kleine Gruppe an der Ecke der Theke. Sie begannen Geschichten auszutauschen. Leonard stellte sie einem jungen Kerl namens Weathers vor, der im Tivoli als Akrobat und dummer August auftrat. Farrington gab eine ganze Runde aus. Weathers sagte, er nehme einen kleinen Irischen und Apollinaris. Farrington, der feste Vorstellungen davon hatte, was sich gehörte, fragte die Jungs, ob auch sie ein Apollinaris wollten; aber die Jungs forderten Tim auf, ihren heiß zu machen. Das Gespräch wandte sich dem Theater zu. O'Halloran gab eine Runde aus, und dann gab Farrington noch eine Runde aus, während Weathers einwandte, daß solche Gastfreundschaft zu irisch wäre. Er versprach, sie hinter die Kulissen zu bringen und mit ein paar netten Mädchen bekannt zu machen. O'Halloran sagte, daß er und Leonard mitkommen würden, aber Farrington nicht, weil er ja ein verheirateter Mann wäre; und Farringtons schwere schmutzige Augen musterten die Gesellschaft tückisch, zum Zeichen, daß er verstand, daß man sich über ihn

lustig machte. Weathers ließ allen grade nur einen Kurzen auf seine Rechnung kommen und versprach, sie später bei Mulligan in der Poolbeg Street wiederzutreffen.
Als das Scotch House schloß, gingen sie um die Ecke zu Mulligan. Sie gingen in die Hinterstube, und O'Halloran bestellte eine Runde kleiner heißer Specials. Sie begannen sich alle benebelt zu fühlen. Farrington gab gerade noch eine weitere Runde aus, als Weathers zurückkam. Zu Farringtons großer Erleichterung trank er diesmal ein Glas Bitter. Die Mittel wurden knapp, aber noch hatten sie genug, um weiterzumachen. Im Augenblick kamen zwei junge Frauen mit großen Hüten und ein junger Mann in einem karierten Anzug herein und setzten sich an einen Tisch in der Nähe. Weathers grüßte sie und erzählte den anderen, daß sie aus dem Tivoli wären. Farringtons Augen wanderten jeden Moment zu einer der jungen Frauen hinüber. Ihre Erscheinung hatte etwas Auffallendes. Ein riesiger Schal aus pfauenblauem Musselin war um ihren Hut geschlungen und in einer großen Schleife unter dem Kinn verknotet; und sie trug hellgelbe Handschuhe, die bis zum Ellbogen reichten. Farrington starrte bewundernd auf den rundlichen Arm, den sie sehr oft und mit viel Anmut bewegte; und als sie nach kurzer Zeit seinen Blick erwiderte, bewunderte er noch mehr ihre großen dunkelbraunen Augen. Ihr schräger staunender Ausdruck faszinierte ihn. Ein- oder zweimal sah sie flüchtig zu ihm herüber, und als die Gruppe aufbrach, streifte sie seinen Stuhl und sagte mit Londoner Akzent O *pardon!* Er verfolgte, wie sie den Raum verließ, in der Hoffnung, daß sie sich nach ihm umsehen werde, doch er wurde enttäuscht. Er verfluchte seinen Geldmangel und verfluchte all die Runden, die er ausgegeben hatte, besonders all die Whiskys und Apollinaris, die er Weathers ausgegeben hatte. Wenn ihm etwas verhaßt war, dann ein Schmarotzer. Er war so zornig, daß ihm die Unterhaltung seiner Freunde entging.
Als Paddy Leonard ihn rief, stellte er fest, daß sie über Kraftproben redeten. Weathers zeigte der Runde seinen Bizeps und gab so an, daß die anderen beiden Farrington aufgefordert

hatten, die nationale Ehre zu retten. Farrington zog also seinen Ärmel hoch und zeigte der Runde seinen Bizeps. Die beiden Arme wurden geprüft und verglichen, und schließlich kam man überein, eine Kraftprobe zu veranstalten. Der Tisch wurde abgeräumt, die beiden stützten ihre Ellbogen darauf und verklammerten ihre Hände. Wenn Paddy Leonard *Los!* sagte, sollte jeder versuchen, die Hand des anderen auf den Tisch herunterzudrücken. Farrington sah sehr ernst und entschlossen aus.

Die Probe begann. Nach etwa dreißig Sekunden drückte Weathers die Hand seines Gegnes langsam auf den Tisch herunter. Der Zorn und die Demütigung, von einem solchen Grünschnabel geschlagen worden zu sein, rötete Farringtons dunkel-weinfarbenes Gesicht noch mehr.

– Man darf sein Körpergewicht nicht einsetzen. Fair spielen, sagte er.

– Wer spielt hier nicht fair? sagte der andere.

– Noch mal. Wer zweimal von dreien gewinnt.

Die Probe begann von neuem. Auf Farringtons Stirn traten die Adern hervor, und Weathers' bleiches Gesicht bekam die Farbe einer Päonie. Ihre Hände und Arme zitterten vor Anstrengung. Nach langem Kampf drückte Weathers die Hand seines Gegners wieder langsam auf den Tisch. Die Zuschauer murmelten beifällig. Der ›Kurat‹, der neben dem Tisch stand, nickte mit seinem roten Kopf zum Sieger hin und sagte mit blöder Vertraulichkeit:

– Jawoll! So wird's gemacht.

– Was zum Teufel verstehen Sie davon? sagte Farrington grimmig und drehte sich zu dem Mann um. Wieso haben Sie dazwischenzureden?

– Pst, pst! sagte O'Halloran mit einem Blick auf Farringtons gewalttätigen Gesichtsausdruck. Jetzt blecht mal, Jungs. Einen Schluck trinken wir noch, und dann raus hier.

Ein Mann mit sehr verdrossenem Gesicht stand an der Ecke der O'Connell Bridge und wartete auf die kleine Tram nach

Sandymount, die ihn nach Hause bringen sollte. Er war voll von schwelendem Zorn und Rachsucht. Er fühlte sich gedemütigt und mißgelaunt; er fühlte sich noch nicht einmal betrunken; und er hatte nur noch Twopence in der Tasche. Er fluchte auf alles. Er hatte sich geschafft im Büro, hatte seine Uhr versetzt, sein ganzes Geld ausgegeben; und er war noch nicht einmal betrunken. Wieder kam das Durstgefühl, und er sehnte sich zurück in die heiße stinkige Wirtschaft. Er hatte seinen Ruf als starker Mann verloren, zweimal war er von einem bloßen Jungen geschlagen worden. Wut stieg in ihm hoch, und als er an die Frau mit dem großen Hut dachte, die ihn gestreift und *Pardon!* gesagt hatte, erstickte ihn die Wut fast.

Seine Tram setzte ihn an der Shelbourne Road ab, und er steuerte seinen massigen Körper im Schatten der Kasernenmauer entlang. Es graute ihm davor, nach Hause zu kommen. Als er durch die Seitentür eintrat, fand er die Küche leer und das Küchenfeuer beinahe erloschen. Er brüllte nach oben:

– Ada! Ada!

Seine Frau war klein, hatte scharfe Gesichtszüge, tyrannisierte ihren Mann, wenn er nüchtern war, und wurde von ihm tyrannisiert, wenn er betrunken war. Sie hatten fünf Kinder. Ein kleiner Junge kam die Treppe herabgerannt.

– Wer ist das? sagte der Mann und spähte in die Dunkelheit.

– Ich, Papa.

– Wer ist ich? Charlie?

– Nein, Papa. Tom.

– Wo ist deine Mutter?

– Sie ist in der Kirche.

– Achja . . . Hat sie daran gedacht, mir was zu essen dazulassen?

– Ja, Papa. Ich –

– Mach die Lampe an. Was soll das überhaupt heißen, hier alles dunkel zu lassen? Sind die andern Kinder im Bett?

Der Mann setzte sich schwer auf einen der Stühle, während der kleine Junge die Lampe anzündete. Er begann, die ordinäre Dubliner Aussprache seines Sohnes nachzumachen, indem er

halb zu sich selber sagte: *In der Kirche. In der Kirche, wenn du nichts dagegen hast!* Als die Lampe angezündet war, schlug er mit der Faust auf den Tisch und schrie:
– Was krieg ich zu essen?
– Ich ... ich werde es dir kochen, Papa, sagte der kleine Junge.
Der Mann sprang wütend auf und zeigte auf das Feuer.
– Auf diesem Feuer! Du hast das Feuer ausgehn lassen! Bei Gott, ich will dich lehren, das nochmal zu machen!
Er machte einen Schritt auf die Tür zu und griff sich den Spazierstock, der dahinter stand.
– Ich will dich lehren, das Feuer ausgehn zu lassen! sagte er, während er den Ärmel hochkrempelte, um seinem Arm Spielraum zu geben.
Der kleine Junge rief *Ach, Papa!* und rannte heulend um den Tisch, doch der Mann folgte ihm und bekam ihn an der Jacke zu fassen. Der kleine Junge blickte verängstigt umher, aber da er keinen Fluchtweg sah, fiel er auf die Knie.
– Du wirst mir das Feuer nochmal ausgehn lassen! sagte der Mann und schlug mit dem Stock böse auf ihn ein. Da hast du's, du Bengel!
Der Junge stieß einen wimmernden Schmerzensschrei aus, als der Stock in seinen Schenkel schnitt. Er faltete die Hände in der Luft, und seine Stimme bebte vor Angst.
– Ach Papa! rief er. Schlag mich nicht, Papa! Ich sag ... ich sag auch ein *Ave Maria* für dich ... Ich sag ein *Ave Maria* für dich, Papa, wenn du mich nicht schlägst ... Ich sag ein *Ave Maria* ...

Erde

Die Aufseherin hatte ihr erlaubt, gleich nach der Teestunde der Frauen auszugehen, und Maria freute sich auf ihren Ausgeh-Abend. Die Küche war blitz und blank: die Köchin sagte, man könne sich spiegeln in den großen Kupferkesseln. Das Feuer war nett und hell, und auf einem der Seitentische lagen vier ganz große Rosinenkuchen. Diese Rosinenkuchen sahen noch unzerschnitten aus; doch wenn man dichter heranging, konnte man sehen, daß sie in lange dicke gleichmäßige Stücke geschnitten waren, bereit, zum Tee herumgereicht zu werden. Maria hatte sie selber geschnitten.

Maria war wirklich sehr, sehr klein, aber sie hatte eine sehr lange Nase und ein sehr langes Kinn. Sie sprach ein wenig durch die Nase, immer begütigend: *Doch, meine Liebe,* und *Nein, meine Liebe.* Immer wurde sie hinzugerufen, wenn die Frauen über ihren Waschzubern zankten, und immer gelang es ihr, sie wieder friedfertig zu machen. Eines Tages hatte die Aufseherin zu ihr gesagt:

– Maria, Sie gehören wahrhaftig zu den Friedfertigen!

Und die Unteraufseherin und zwei der Damen von der Kommission hatten das Kompliment mitangehört. Und Ginger Mooney sagte immer, daß sie wer weiß was mit der Taubstummen machen würde, die die Eisen unter sich hatte, wenn Maria nicht wäre. Alle hatten sie Maria so gern.

Um sechs Uhr bekämen die Frauen ihren Tee, und sie würde noch vor sieben wegkommen. Von Ballsbridge zur Nelson-Säule zwanzig Minuten; von der Säule nach Drumcondra zwanzig Minuten; und zwanzig Minuten, um die Sachen einzukaufen. Vor acht noch wäre sie da. Sie nahm ihre Geldbörse mit den Silberschnallen heraus und las noch einmal die Worte *Ein Geschenk aus Belfast.* Sie hatte diese Geldbörse sehr gern, weil Joe sie ihr vor fünf Jahren mitgebracht hatte, als er und Alphy am Pfingstmontag einmal einen Ausflug nach Belfast gemacht hatten. In der Geldbörse waren zwei halbe Crowns

und ein paar Kupfermünzen. Volle fünf Shilling blieben ihr, wenn sie die Tram gezahlt hätte. Was für ein netter Abend das werden würde, wenn die Kinder alle sangen! Hoffentlich käme nur Joe nicht betrunken nach Hause. Er war so anders, wenn er etwas getrunken hatte.
Oft hatte er gewünscht, daß sie zu ihnen zöge; aber sie wäre sich im Wege vorgekommen (obwohl Joes Frau doch riesig nett zu ihr war), und sie hatte sich auch an das Leben in der Waschanstalt gewöhnt. Joe war ein guter Kerl. Sie hatte ihn großgezogen und Alphy auch; und Joe sagte oft:
– Mama ist Mama, aber Maria ist meine richtige Mutter.
Nachdem es zu Hause den Krach gegeben hatte, hatten ihr die Jungen jene Stellung in der Waschanstalt *Dublin by Lamplight* verschafft, und sie gefiel ihr. Vorher hatte sie eine so schlechte Meinung von den Protestanten gehabt, aber jetzt hielt sie sie für sehr nette Leute, ein bißchen still und ernst, aber im täglichen Leben doch sehr nette Leute. Dann hatte sie auch ihre Pflanzen im Wintergarten, und sie sorgte sehr gerne für sie. Sie hatte wunderhübsche Farne und Wachsblumen, und jedesmal, wenn jemand sie besuchen kam, gab sie dem Besucher ein oder zwei Ableger aus ihrem Wintergarten. Nur eins gefiel ihr nicht, und das waren die Traktate an den Wänden; aber die Aufseherin war im täglichen Umgang eine so nette, eine so feine Frau.
Als die Köchin ihr sagte, daß alles fertig sei, ging sie in den Frauenraum und begann die große Glocke zu läuten. Nach ein paar Minuten kamen die Frauen zu zweit und zu dritt herein, wischten sich ihre dampfenden Hände an den Unterröcken ab und zogen die Ärmel ihrer Blusen über ihre roten dampfenden Arme. Sie ließen sich vor ihren gewaltigen Bechern nieder, die die Köchin und die Taubstumme mit heißem Tee füllten, der in gewaltigen Blechkannen bereits mit Milch und Zucker gemischt war. Maria überwachte die Verteilung des Rosinenkuchens und achtete darauf, daß jede Frau ihre vier Stücke bekam. Es ging sehr lustig zu während der Mahlzeit, und es wurde viel gelacht. Lizzie Fleming sagte, Maria

würde bestimmt den Ring kriegen, und obwohl die Fleming das schon an manchem Abend vor Allerheiligen gesagt hatte, mußte Maria lachen und sagen, daß sie den Ring gar nicht wollte und auch gar keinen Mann; und als sie lachte, funkelten ihre graugrünen Augen vor enttäuschter Schüchternheit, und ihre Nasenspitze berührte fast die Spitze des Kinns. Dann hob Ginger Mooney ihren Teebecher und trank auf Marias Wohl, während die anderen Frauen alle mit ihren Bechern auf dem Tisch klapperten, und sagte, es tue ihr leid, daß sie für diesen Zweck nicht einen Schluck Porter habe. Und wieder lachte Maria, bis ihre Nasenspitze fast die Spitze des Kinns berührte und bis ihr winziger Körper fast auseinanderbarst, weil sie wußte, daß die Mooney es gut meinte, wenn sie natürlich auch Vorstellungen wie eine gewöhnliche Frau hatte.

Aber wie froh war Maria, als die Frauen mit ihrem Tee fertig waren und die Köchin und die Taubstumme angefangen hatten, die Teesachen abzuräumen! Sie ging in ihr kleines Schlafzimmer, und da ihr einfiel, daß der nächste Morgen ein Messemorgen war, stellte sie den Zeiger des Weckers von sieben auf sechs. Dann zog sie ihren Arbeitsrock und ihre Hausstiefel aus und breitete ihren besten Rock auf dem Bett aus und stellte ihre winzigen Ausgehstiefel an den Fuß des Bettes. Sie wechselte auch die Bluse, und wie sie vor dem Spiegel stand, dachte sie daran, wie sie sich als junges Mädchen sonntagsmorgens für die Messe herausgeputzt hatte; und mit kuriosem Wohlgefallen betrachtete sie sich den winzigen Körper, den sie so oft geschmückt hatte. Trotz seiner Jahre, fand sie, war es ein netter proprer kleiner Körper.

Als sie nach draußen kam, glänzten die Straßen vor Nässe, und sie war froh um den alten braunen Regenmantel. Die Tram war voll, und sie mußte auf dem kleinen Klappsitz am Ende des Wagens sitzen, all den Leuten zugekehrt und mit den Zehen kaum den Boden berührend. In Gedanken legte sie sich zurecht, was sie alles noch zu erledigen hatte, und dachte, wieviel besser es doch war, unabhängig zu sein und sein eigenes Geld in der Tasche zu haben. Sie hoffte, daß sie einen net-

ten Abend verbringen würden. Sie war sicher, daß sie das würden, aber sie mußte dennoch daran denken, wie schade es war, daß Alphy und Joe nicht miteinander sprachen. Immer waren sie jetzt zerstritten, aber als Jungen waren sie immer die besten Freunde gewesen: aber so war eben das Leben.
Sie stieg an der Säule aus ihrer Tram und wieselte eilig durch die Menge. Sie ging in Downes's Kuchenladen, aber der Laden war so voll, daß es lange dauerte, bis es ihr gelang, bedient zu werden. Sie kaufte ein Dutzend gemischte Penny-Kuchen und kam schließlich mit einer großen Tüte aus dem Laden. Dann überlegte sie, was sie sonst noch kaufen sollte: sie wollte etwas richtig Nettes kaufen. Äpfel und Nüsse hätten sie bestimmt reichlich. Es war schwer zu sagen, was sie kaufen sollte, und es fiel ihr nichts ein als Kuchen. Sie beschloß, Plumcake zu kaufen, aber Downes's Plumcake hatte obendrauf nicht genug Mandelguß, so daß sie hinüber in einen Laden in der Henry Street ging. Hier dauerte es eine ganze Weile, bis sie sich schlüssig wurde, und die schicke junge Dame hinter dem Ladentisch, der sie offenbar ein wenig auf die Nerven ging, fragte sie, ob es Hochzeitstorte sein solle. Das ließ Maria erröten und die junge Dame anlächeln; doch die junge Dame nahm das alles sehr ernst und schnitt schließlich ein dickes Stück Plumcake ab, packte es ein und sagte:
– Zwei und vier bitte.
Sie dachte, daß sie in der Tram nach Drumcondra stehen müßte, weil keiner der jungen Männer sie zu bemerken schien, doch ein älterer Herr machte ihr Platz. Es war ein kräftiger Herr, und er trug einen braunen steifen Hut; er hatte ein eckiges rotes Gesicht und einen angegrauten Schnurrbart. Maria dachte, er sehe wie ein Oberst aus, und es ging ihr durch den Kopf, wieviel höflicher er doch war als die jungen Männer, die einfach vor sich hinstarrten. Der Herr begann mit ihr ein Gespräch über den Abend vor Allerheiligen und das Regenwetter. Er meinte, die Tüte sei wohl voll von leckeren Sachen für die Kleinen, und sagte, es wäre nur recht, wenn die Kinder ihre Freude hätten, solange sie noch klein waren. Maria war

der gleichen Meinung und beehrte ihn mit züchtigem Kopfnicken und zustimmenden Hms. Er war sehr nett zu ihr, und als sie an der Canal Bridge ausstieg, dankte sie ihm und machte eine Verbeugung, und er machte auch eine Verbeugung und lüftete den Hut und lächelte liebenswürdig; und als sie auf der Terrassenseite hinaufging und ihren winzigen Kopf unter dem Regen duckte, dachte sie, wie leicht es doch wäre, in jemandem den Herrn zu erkennen, selbst wenn er ein wenig beduselt war.

Alle sagten sie: *Ah, da ist ja Maria!* als sie bei Joe ankam. Joe war da, er war aus dem Geschäft nach Hause gekommen, und alle Kinder hatten ihre Sonntagssachen an. Zwei große Mädchen von nebenan waren auch da, und Spiele waren im Gange. Maria gab die Kuchentüte dem ältesten Jungen, Alphy, damit er sie teile, und Mrs. Donnelly sagte, es wäre furchtbar lieb von ihr, so eine große Tüte Kuchen mitzubringen, und ließ alle Kinder *Danke, Maria* sagen.

Aber Maria sagte, für Papa und Mama habe sie etwas Besonderes mitgebracht, etwas, das sie bestimmt gerne mögen würden, und sie begann ihren Plumcake zu suchen. Sie sah in der Tüte von Downes nach und dann in den Taschen ihres Regenmantels und dann auf der Flurgarderobe, aber nirgends konnte sie ihn finden. Dann fragte sie alle Kinder, ob jemand ihn aufgegessen habe – aus Versehen natürlich –, aber die Kinder sagten alle nein und sahen aus, als äßen sie ungern Kuchen, wenn sie des Diebstahls bezichtigt würden. Jeder hatte eine Lösung für das Rätsel, und Mrs. Donnelly sagte, es sei klar, daß Maria ihn in der Tram liegengelassen habe. Maria, der einfiel, wie verwirrt der Herr mit dem angegrauten Schnurrbart sie gemacht hatte, errötete vor Scham und Verdruß und Enttäuschung. Bei dem Gedanken an die mißglückte kleine Überraschung und an die zwei Shilling und vier Pence, die sie für nichts und wieder nichts hinausgeworfen hatte, brach sie fast in Tränen aus.

Aber Joe sagte, es mache nichts, und bat sie, sich ans Feuer zu setzen. Er war sehr nett zu ihr. Er erzählte ihr alles, was in seinem Büro vor sich ging, und wiederholte eine kesse Antwort, die er dem Vorsteher gegeben hatte. Maria begriff nicht, warum Joe über seine Antwort so lachte, aber sie sagte, der Vorsteher müsse ja so im Umgang ein sehr anmaßender Mann gewesen sein. Joe sagte, so schlimm sei er nicht, wenn man ihn nur zu nehmen wisse, er sei ein ganz anständiger Kerl, solange man ihn nicht gegen den Strich bürste. Mrs. Donnelly spielte für die Kinder Klavier, und sie tanzten und sangen. Dann reichten die beiden Mädchen von nebenan die Nüsse herum. Keiner konnte die Nußknacker finden, und Joe wurde darüber fast ungehalten und fragte, wie sie sich wohl vorstellten, daß Maria ohne Nußknacker Nüsse knacke. Aber Maria sagte, sie mache sich gar nichts aus Nüssen und sie sollten doch ihretwegen keine Umstände machen. Dann fragte Joe, ob sie eine Flasche Stout wolle, und Mrs. Donnelly sagte, auch Portwein sei im Haus, wenn sie den lieber möge. Maria sagte, am liebsten wäre es ihr, wenn sie ihr gar nichts anböten: aber Joe blieb dabei.

So ließ ihm Maria denn seinen Willen, und sie saßen am Feuer und redeten von alten Zeiten, und Maria dachte, sie würde ein gutes Wort für Alphy einlegen. Aber Joe rief, daß Gott ihn auf der Stelle tot umfallen lassen solle, wenn er je wieder ein Wort mit seinem Bruder spräche, und Maria sagte, es tue ihr leid, von der Sache angefangen zu haben. Mrs. Donnelly sagte zu ihrem Mann, es sei einfach eine Schande, so von seinem eigen Fleisch und Blut zu sprechen, aber Joe sagte, daß Alphy nicht sein Bruder sei, und fast gab es Streit darüber. Aber Joe sagte, an so einem Abend wolle er sich nicht ereifern, und bat seine Frau, noch etwas Stout aufzumachen. Die beiden Mädchen von nebenan hatten ein paar Allerheiligenspiele arrangiert, und bald war alles wieder fröhlich. Maria war glücklich, die Kinder so fröhlich und Joe und seine Frau in so guter Laune zu sehen. Die Mädchen von nebenan stellten ein paar Untertassen auf den Tisch und führten dann die Kinder mit verbundenen Augen an den Tisch. Eins bekam das Gebetbuch, und die anderen drei bekamen das Wasser; und als eins der Mädchen von nebenan den Ring bekam, drohte Mrs. Donnelly dem errötenden Mädchen mit dem Finger, als wolle sie sagen: *O ich weiß schon Bescheid!* Sie bestanden dann darauf, auch Maria die Augen zu verbinden und sie zum Tisch zu führen, um zu sehen, was sie bekommen würde; und während sie ihr die Binde umlegten, lachte Maria und lachte wieder, bis ihre Nasenspitze fast die Spitze ihres Kinns berührte.

Sie führten sie unter Lachen und Scherzen an den Tisch, und sie streckte die Hand in die Luft aus, wie man ihr sagte. Sie bewegte die Hand in der Luft hin und her und senkte sie auf eine der Untertassen. Ihre Finger fühlten eine weiche feuchte Masse, und sie war überrascht, daß niemand sprach oder ihr die Binde abnahm. Einige Sekunden lang herrschte Schweigen; dann gab es viel Hin und Her und Geflüster. Jemand sagte etwas vom Garten, und schließlich sagte Mrs. Donnelly sehr ungehalten etwas zu einem der Mädchen von nebenan und forderte sie auf, das sofort hinauszuwerfen: das wäre kein Spiel. Maria begriff, daß diesmal etwas nicht gestimmt hatte, und so mußte sie es denn noch einmal machen: und jetzt bekam sie das Gebetbuch.

Danach spielte Mrs. Donnelly Miss McCloud's Reel für die Kinder, und Joe überredete Maria, ein Glas Wein zu trinken. Bald waren sie alle wieder ganz fröhlich, und Mrs. Donnelly sagte, Maria würde noch vor Ende des Jahres in ein Kloster gehen, weil sie doch das Gebetbuch bekommen hatte. So nett zu ihr wie an diesem Abend hatte Maria Joe noch nie erlebt, so aufgelegt zu angenehmer Unterhaltung und so voll von Erinnerungen. Sie sagte, alle seien sie sehr lieb zu ihr.

Schließlich wurden die Kinder müde und schläfrig, und Joe fragte Maria, ob sie nicht irgendein kleines Lied singen wolle, bevor sie ging, eins von den alten Liedern. Mrs. Donnelly sagte *Ach bitte, Maria!*, und so mußte Maria denn aufstehen und sich neben das Klavier stellen. Mrs. Donnelly bat die Kinder, still zu sein und Marias Lied anzuhören. Dann spielte sie das Vorspiel und sagte: *Jetzt, Maria!*, und Maria, tief errötend, begann mit dünner zittriger Stimme zu singen. Sie sang

Im Traum sah ich mich, und als sie zur zweiten Strophe kam, sang sie noch einmal:

Im Traum sah ich mich im Marmorsaal,
Vasallen und Diener um mich,
Und der Stolz und die Hoffnung der ganzen Zahl
Im weiten Palast war nur ich,
Meine Schätze, sie waren unzählbar,
Meine Ahnen königlich,
Doch das höchste Glück des Traumes war,
Daß ich sah, du liebtest mich.

Aber niemand versuchte, sie auf ihren Irrtum aufmerksam zu machen; und als sie ihr Lied beendet hatte, war Joe sehr gerührt. Er sagte, es ginge doch nichts über die alte Zeit, und über die Musik des guten alten Balfe ginge ihm auch nichts, was die Leute auch sagen mochten; und seine Augen füllten sich so mit Tränen, daß er nicht finden konnte, was er suchte, und am Ende mußte er seine Frau bitten, ihm zu sagen, wo der Korkenzieher war.

Ein betrüblicher Fall

Mr. James Duffy wohnte in Chapelizod, da er möglichst weit von der Stadt zu leben wünschte, deren Bürger er war, und da er alle anderen Vororte Dublins gewöhnlich, modern und prätentiös fand. Er wohnte in einem alten düsteren Haus, und von seinen Fenstern aus konnte er in die stillgelegte Brennerei oder den seichten Fluß hinauf blicken, an dem Dublin erbaut ist. Die stattlich hohen Wände seines teppichlosen Zimmers waren ohne Bilder. Jedes Möbelstück im Zimmer hatte er selber gekauft: ein schwarzes Eisenbett, ein eisernes Waschgestell, vier Rohrstühle, einen Kleiderständer, einen Kohlenbehälter, einen Kaminvorsetzer mit Schürhaken sowie einen viereckigen Tisch, auf dem ein Doppelpult stand. Ein Bücherregal aus weißen Holzbrettern war in einer Nische aufgestellt. Das Bett war mit weißem Bettzeug bezogen, und am Fußende lag eine schwarzrote Decke. Ein kleiner Handspiegel hing über dem Waschgestell, und tagsüber stand eine Lampe mit weißem Schirm als einziger Schmuck auf dem Kaminsims. Die Bücher auf den weißen Brettern waren von unten nach oben der Größe nach aufgestellt. Ein vollständiger Wordsworth stand an einem Ende des untersten Bretts und ein Exemplar des *Maynooth-Katechismus,* in die Leinendeckel eines Notizbuches eingenäht, stand an einem Ende des obersten. Immer waren Schreibutensilien auf dem Pult. Im Pult lag das Manuskript einer Übersetzung von Hauptmanns *Michael Kramer,* deren Regieanweisungen in purpurner Tinte geschrieben waren, sowie ein kleines Bündel Papiere, das von einer Messingklammer zusammengehalten wurde. Auf diese Blätter wurde gelegentlich ein Satz eingetragen, und in einem ironischen Augenblick war die Überschrift einer Anzeige für *Gallen-Pillen* auf das erste Blatt geklebt worden. Hob man den Deckel des Pults, so entströmte ein schwacher Duft – der Duft neuer Zedernholzbleistifte oder einer Flasche Leim oder eines überreifen Apfels, der dort vielleicht liegengelassen und vergessen worden war.

Mr. Duffy war alles ein Greuel, was auf körperliche oder geistige Unordnung hindeutete. Ein mittelalterlicher Arzt hätte ihn saturnisch genannt. Sein Gesicht, in dem die Geschichte seiner Jahre vollständig verzeichnet war, hatte die braune Färbung der Dubliner Straßen. Auf seinem langen und ziemlich großen Schädel wuchs trockenes schwarzes Haar, und ein gelblichbrauner Schnurrbart verdeckte einen unliebenswürdigen Mund nicht ganz. Auch seine Backenknochen gaben seinem Gesicht einen harten Ausdruck; gar nicht hart jedoch sahen die Augen aus, die die Welt unter ihren gelblichbraunen Brauen anblickten und wie die eines Mannes wirkten, der immer bereit war, in anderen einen versöhnlichen Zug wahrzunehmen, aber oft enttäuscht worden war. Er lebte ein wenig in Distanz zu seinem Körper und verfolgte sein eigenes Verhalten mit zweifelnden Seitenblicken. Er hatte eine sonderbare autobiographische Gewohnheit, die ihn dazu brachte, hin und wieder in Gedanken einen kurzen Satz über sich selbst zu verfassen, der ein Subjekt in der dritten Person und ein Prädikat in der Vergangenheit enthielt. Er gab Bettlern niemals Almosen, hatte einen festen Gang und trug einen derben Haselstock.

Seit vielen Jahren war er Kassierer bei einer Privatbank in der Baggot Street. Jeden Morgen fuhr er von Chapelizod mit der Tram hinein. Zu Mittag ging er zu Dan Burke und nahm dort sein Lunch – eine Flasche Lagerbier und ein kleines Tablett Arrowroot-Biskuits. Um vier Uhr wurde er in die Freiheit entlassen. Er aß in einem Speiselokal auf der George's Street zu Abend, wo er sich vor der Gesellschaft von Dublins *jeunesse dorée* sicher fühlte und der Speisezettel eine gewisse aufrechte Schlichtheit wahrte. Seine Abende verbrachte er entweder am Klavier seiner Wirtin oder auf Streifzügen durch die Außenbezirke der Stadt. Seine Vorliebe für Mozarts Musik führte ihn zuweilen in die Oper oder ein Konzert: es waren das die einzigen Zerstreuungen seines Lebens.

Er hatte weder Gefährten noch Freunde, weder Konfession noch Glauben. Er führte sein spirituelles Leben, ohne mit anderen zu kommunizieren, besuchte seine Verwandten zu Weihnachten und geleitete sie zum Friedhof, wenn sie starben. Er erfüllte diese beiden gesellschaftlichen Pflichten den alten Anstandsgeboten zuliebe, aber weitere Zugeständnisse machte er den Konventionen nicht, die das bürgerliche Leben regeln. Er gestattete sich zwar den Gedanken, daß er unter gewissen Umständen seine Bank berauben würde, aber da diese Umstände nie eintraten, rollte sein Leben gleichförmig ab – eine Geschichte bar der Abenteuer.

Eines Abends fand er sich in der Rotunda neben zwei Damen sitzen. Das nur dünn besetzte und stille Haus prophezeite deprimierend sein Fiasko. Die Dame, die neben ihm saß, sah sich in dem verlassenen Haus ein paarmal um und sagte dann:

– Wie schade, daß es heute so schlecht besetzt ist! Es ist so schwer für die Leute, vor leeren Bänken singen zu müssen.

Er faßte die Bemerkung als eine Einladung zum Gespräch auf. Es überraschte ihn, daß sie so wenig befangen wirkte. Während sie sich unterhielten, versuchte er, sie seinem Gedächtnis dauerhaft einzuprägen. Als er erfuhr, daß das junge Mädchen neben ihr ihre Tochter war, kam er zu dem Schluß, daß sie etwa ein Jahr jünger war als er. Ihr Gesicht, das einmal hübsch gewesen sein mußte, war intelligent geblieben. Es war ein ovales Gesicht mit stark ausgeprägten Zügen. Die Augen waren sehr dunkelblau und ruhig. Ihr Blick hatte zunächst etwas Trotziges, wurde aber dadurch aus der Fassung gebracht, daß sich die Pupille scheinbar absichtlich in die Iris verlor und so für einen Augenblick ein Temperament von großer Sensibilität verriet. Die Pupille behauptete sich schnell, dieses halb preisgegebene Wesen unterwarf sich erneut dem Regime der Vernunft, und ihre Astrachanjacke, die einen Busen von einer gewissen Fülle modellierte, unterstrich jenes Trotzige noch entschiedener.

Er traf sie ein paar Wochen später bei einem Konzert in der Earlsfort Terrace wieder und nutzte die Augenblicke, in denen die Aufmerksamkeit ihrer Tochter abgelenkt war, um vertraulich zu werden. Sie erwähnte ein- oder zweimal ihren Mann, aber ihr Ton war so, daß die Erwähnung nicht wie eine Warnung wirkte. Sie hieß Sinico. Der Ururgroßvater ihres Mannes stammte aus Livorno. Ihr Mann war Kapitän eines Frachters, der zwischen Dublin und Holland verkehrte; und sie hatten ein Kind.

Als er sie zufällig ein drittes Mal traf, fand er den Mut, eine Verabredung zu treffen. Sie kam. Dies war die erste von vielen Begegnungen; sie trafen sich immer abends und wählten die stillsten Viertel für ihre gemeinsamen Spaziergänge. Mr. Duffy verabscheute Heimlichkeiten, und da er fand, daß sie sich bislang unter der Hand treffen mußten, zwang er sie, ihn zu sich nach Hause einzuladen. Kapitän Sinico ermutigte seine Besuche, da er der Meinung war, es gehe um die Hand seiner Tochter. Er hatte seine Frau so gründlich aus der Galerie seiner Vergnügungen gestrichen, daß der Verdacht, ein anderer könnte sich für sie interessieren, ihm gar nicht kam. Da der Mann oft weg war und die Tochter außer Hause Musikunterricht gab, hatte Mr. Duffy manche Gelegenheit, sich der Gesellschaft der Dame zu erfreuen. Weder er noch sie hatte jemals ein derartiges Abenteuer gehabt, und keiner von ihnen war sich irgendeiner Ungehörigkeit bewußt. Nach und nach verschränkte er seine Gedanken mit den ihren. Er lieh ihr Bücher, versorgte sie mit Ideen, teilte sein intellektuelles Leben mit ihr. Sie hörte sich alles an.

Als Gegengabe für seine Theorien teilte sie ihm zuweilen diesen oder jenen Umstand aus ihrem Leben mit. Mit nahezu mütterlicher Fürsorglichkeit drängte sie ihn, sich ganz zu offenbaren; sie wurde sein Beichtiger. Er erzählte ihr, daß er eine Zeitlang an den Versammlungen einer irischen Sozialistischen Partei teilgenommen habe, wo er sich unter zwei Dutzend nüchternen Arbeitern in einer von einer unzureichenden Ölfunzel erleuchteten Dachkammer wie ein Unikum vorgekommen sei. Als sich die Partei in drei Sektionen spaltete, jede von ihnen unter einem eigenen Führer und in einer eigenen Dachkammer, habe er seine Besuche eingestellt. Die Diskussionen der Arbeiter, sagte er, seien zu zaghaft gewesen; ihr Interesse an Lohnfragen über Gebühr groß. Er habe das Gefühl gehabt, daß sie grobschlächtige Realisten waren und sich an einer Exaktheit stießen, die das Ergebnis einer nicht in ihrer Reichweite liegenden Muße war. Es würde wohl noch einige Jahrhunderte dauern, sagte er zu ihr, bis es in Dublin zu einer sozialen Revolution käme.

Sie fragte ihn, warum er seine Gedanken nicht niederschrieb. Wozu, fragte er sie mit vorsichtigem Hohn. Um es mit Phrasendreschern aufzunehmen, die außerstande waren, sechzig Sekunden lang hintereinander zu denken? Um sich der Kritik einer dumpfen Mittelklasse auszusetzen, die ihre Moral der Polizei und ihre schönen Künste Impresarios anvertraute?

Er besuchte sie oft in ihrem kleinen Cottage außerhalb Dublins; oft verbrachten sie ihre Abende allein. Als sich ihre Gedanken nach und nach verschränkten, sprachen sie von weniger entlegenen Gegenständen. Ihre Kameradschaft war wie warmer Boden für eine exotische Pflanze. Viele Male ließ sie die Dunkelheit auf sie herabsinken und vermied es, die Lampe anzuzünden. Der dunkle verschwiegene Raum, ihre Isolierung, die Musik, die in ihren Ohren noch nachklang, vereinte sie. Diese Vereinigung hatte für ihn etwas Erhebendes, schliff die rauhen Kanten seines Charakters ab, machte sein geistiges Leben gefühlsbetonter. Zuweilen ertappte er sich dabei, wie er dem Klang seiner eigenen Stimme lauschte. Er meinte, daß er in ihren Augen zu angelischer Statur aufsteigen würde; und als er das inbrünstige Wesen seiner Gefährtin immer dichter an sich band, hörte er, wie die sonderbare unpersönliche Stimme, die er als seine eigene erkannte, auf der unheilbaren Einsamkeit der Seele beharrte. Wir können uns nicht hingeben, sagte die Stimme: wir gehören uns. Das Ende dieser Gespräche war, daß Mrs. Sinico an einem Abend, an dem sie alle Anzeichen ungewöhnlicher Erregung gezeigt hatte, leidenschaftlich seine Hand ergriff und an ihre Wange drückte.

Mr. Duffy war höchlich überrascht. Ihre Deutung seiner Worte desillusionierte ihn. Er besuchte sie eine Woche lang nicht; dann bat er sie brieflich um eine Unterredung. Da er nicht wünschte, daß der Einfluß ihres entweihten Beichtstuhls ihre letzte Zusammenkunft störe, trafen sie sich in einem kleinen Kuchenladen in der Nähe des Parkgate. Es war kaltes Herbstwetter, aber trotz der Kälte gingen sie fast drei Stunden lang die Parkwege auf und ab. Sie kamen überein, ihren Verkehr abzubrechen: jede Bindung, sagte er, sei eine Bindung zum Leide. Als sie aus dem Park herauskamen, gingen sie schweigend zur Tram; doch hier begann sie so heftig zu zittern, daß er einen weiteren Zusammenbruch ihrerseits fürchtete, ihr rasch Lebewohl sagte und sie verließ. Ein paar Tage später erhielt er ein Paket mit seinen Büchern und Noten.

Vier Jahre vergingen. Mr. Duffy kehrte zu seinem gleichförmigen Leben zurück. Immer noch bezeugte sein Zimmer die Ordnung in seinem Denken. Einige neue Musikstücke belasteten das Notenbrett im unteren Zimmer, und auf seinen Bücherbrettern standen zwei Nietzsche-Bände: *Also sprach Zarathustra* und *Die fröhliche Wissenschaft*. Er schrieb selten etwas in das Papierbündel, das in seinem Pult lag. Einer seiner Sätze, zwei Monate nach seinem letzten Gespräch mit Mrs. Sinico niedergeschrieben, lautete: Liebe zwischen Mann und Mann ist unmöglich, weil es keinen Geschlechtsverkehr zwischen ihnen geben darf, und Freundschaft zwischen Mann und Frau ist unmöglich, weil es Geschlechtsverkehr zwischen ihnen geben muß. Er blieb allen Konzerten fern, um ihr nicht zu begegnen. Sein Vater starb; der Juniorpartner der Bank trat in den Ruhestand. Und nach wie vor fuhr er jeden Morgen mit der Tram in die Stadt und ging jeden Abend aus der Stadt zu Fuß nach Hause, nachdem er in der George's Street bescheiden gegessen und zum Nachtisch die Abendzeitung gelesen hatte.

Als er eines Abends gerade dabei war, sich einen Bissen Corned Beef und Kohl in den Mund zu stecken, stockte seine Hand. Seine Augen hefteten sich auf eine Notiz in der Abendzeitung, die er gegen eine Wasserkaraffe gelehnt hatte. Er legte den Bissen auf seinen Teller zurück und las die Notiz aufmerksam. Dann trank er ein Glas Wasser, schob seinen Teller beiseite, faltete die Zeitung vor sich zwischen den Ell-

bogen zusammen und las die Notiz wieder und wieder. Der Kohl fing an, kaltes weißes Fett auf seinem Teller abzulagern. Das Mädchen kam herüber, um zu fragen, ob sein Essen nicht in Ordnung sei. Er sagte, es sei sehr gut, und aß mühsam ein paar Bissen. Dann zahlte er seine Rechnung und ging.
Er ging schnell durch das Novemberzwielicht, regelmäßig tappte sein derber Haselstock auf den Boden, und der Rand der lederfarbenen *Mail* schaute aus der Seitentasche seines engen Matrosenmantels hervor. Auf der einsamen Straße, die vom Parkgate nach Chapelizod führt, verlangsamte er den Schritt. Sein Stock tappte weniger bestimmt auf den Boden, und sein unregelmäßig, mit einem fast seufzenden Geräusch entweichender Atem kondensierte in der winterlichen Luft. Zu Hause angekommen, ging er sofort in sein Schlafzimmer, nahm die Zeitung aus der Tasche und las die Notiz in dem schwindenden Fensterlicht noch einmal. Er las sie nicht laut, sondern bewegte die Lippen wie ein Priester, wenn er die Gebete *secreto* liest. Die Notiz lautete folgendermaßen:

Tod einer Frau in Sydney Parade
Ein betrüblicher Fall

Im Städtischen Krankenhaus von Dublin nahm heute der Stellvertretende Coroner (in Abwesenheit von Mr. Leverett) die Totenschau am Leichnam von Mrs. Emily Sinico vor, die gestern abend im Alter von dreiundvierzig Jahren auf dem Bahnhof Sydney Parade tödlich verunglückte. Die Untersuchung ergab, daß die Verstorbene bei dem Versuch, das Gleis zu überqueren, von der Lokomotive des Zehn-Uhr-Personenzuges aus Kingstown erfaßt wurde und dabei Verletzungen am Kopf und an der rechten Körperhälfte erlitt, die zu ihrem Tode führten.
James Lennon, der Lokomotivführer, gab an, daß er seit fünfzehn Jahren Angestellter der Eisenbahngesellschaft sei. Auf den Pfiff des Schaffners hin habe er den Zug in Bewegung ge-

setzt und ihn ein oder zwei Sekunden später auf laute Schreie hin zum Stillstand gebracht. Der Zug sei langsam gefahren.
P. Dunne, Gepäckträger, gab an, daß er beim Anfahren des Zuges eine Frau bemerkte, die im Begriff war, die Gleise zu überqueren. Er sei auf sie zugelaufen und habe ihr zugerufen, doch bevor er sie erreicht habe, sei sie von dem Puffer der Lokomotive erfaßt worden und zu Boden gestürzt.
Ein Geschworener – Sie sahen, wie die Frau stürzte?
Zeuge – Ja.
Polizeisergeant Croly gab zu Protokoll, daß er die Verstorbene bei seiner Ankunft offensichtlich tot auf dem Bahnsteig vorfand. Er habe den Körper bis zum Eintreffen des Krankenwagens in den Warteraum bringen lassen.
Konstabler 57 E bestätigte diese Aussage.
Dr. Halpin, Assistenzarzt an der chirurgischen Abteilung des Städtischen Krankenhauses von Dublin, gab an, daß die Verstorbene eine Fraktur zweier unterer Rippen und schwere Kontusionen an der rechten Schulter erlitten habe. Die rechte Kopfseite sei beim Sturz verletzt worden. Die Verletzungen seien nicht ausreichend gewesen, um bei einem normalen Menschen den Tod herbeizuführen. Seiner Meinung nach sei der Tod auf Schock und plötzliches Versagen der Herztätigkeit zurückzuführen.
Mr. H. B. Patterson Finlay drückte im Namen der Eisenbahngesellschaft sein tiefes Bedauern über den Unfall aus. Die Gesellschaft habe immer alle Vorsichtsmaßregeln getroffen, um das Überqueren der Gleisanlagen außer über die dafür vorgesehenen Brücken zu verhindern, und zwar sowohl durch das Anbringen von Schildern auf jedem Bahnhof als auch durch die Verwendung von Patentfederschranken an schienengleichen Übergängen. Die Verstorbene habe die Gewohnheit gehabt, die Gleise spät abends von Bahnsteig zu Bahnsteig zu überqueren, und in Anbetracht gewisser anderer Umstände des Falles glaube er nicht, daß die Eisenbahnangestellten irgendein Verschulden treffe.
Kapitän Sinico, wohnhaft in Leoville, Sydney Parade, der

Gatte der Verstorbenen, sagte ebenfalls aus. Er gab an, daß die Verstorbene seine Ehefrau gewesen sei. Er selber sei zur Zeit des Unfalls nicht in Dublin gewesen, da er erst an diesem Morgen aus Rotterdam zurückgekommen sei. Sie seien seit zweiundzwanzig Jahren verheiratet und miteinander glücklich gewesen, bis sich in den Gewohnheiten seiner Frau vor etwa zwei Jahren eine gewisse Unmäßigkeit abzuzeichnen begann.

Miss Mary Sinico sagte, daß ihre Mutter in letzter Zeit die Gewohnheit gehabt habe, abends wegzugehen, um geistige Getränke einzukaufen. Sie, die Zeugin, habe des öfteren versucht, ihrer Mutter vernünftig zuzureden, und habe sie bewogen, einem Temperenzverein beizutreten. Sie sei erst eine Stunde nach dem Unfall nach Hause gekommen.

Das von den Geschworenen gefällte Urteil befand sich in Übereinstimmung mit dem medizinischen Befund und sprach Lennon von jedem Verschulden frei.

Der Stellvertretende Coroner sagte, es handle sich um einen höchst betrüblichen Fall, und versicherte Kapitän Sinico und seine Tochter seines tiefen Mitgefühls. Er forderte die Eisenbahngesellschaft auf, alle Maßnahmen zu treffen, um die Möglichkeit ähnlicher Unfälle künftig auszuschließen. Ein Verschulden traf niemanden.

Mr. Duffy blickte von der Zeitung hoch und starrte aus dem Fenster auf die trostlose Abendlandschaft. Der Fluß lag ruhig neben der leeren Brennerei, und von Zeit zu Zeit erschien ein Licht in irgendeinem Haus auf der Lucan Road. Was für ein Ende! Der ganze Bericht von ihrem Tod widerte ihn an, und es widerte ihn an, daran zu denken, daß er mit ihr je über Dinge gesprochen hatte, die ihm heilig waren. Die abgenutzten Sätze, die albernen Mitgefühlsbeteuerungen, die vorsichtigen Formulierungen eines Reporters, den man dazu bewogen hatte, die Einzelheiten eines gewöhnlichen vulgären Todes zu verschweigen, schlugen ihm auf den Magen. Nicht allein sich selber hatte sie erniedrigt; erniedrigt hatte sie auch ihn. Vor sich sah er die unflätige Bahn ihres Lasters, elend und übelriechend. Gefährtin seiner Seele! Er dachte an elende, humpelnde Weiber, die er gesehen hatte, wie sie Kannen und Flaschen schleppten, um sie von Schankkellnern füllen zu lassen. Gerechter Gott, was für ein Ende! Offenbar war sie lebensuntauglich gewesen, bar jeder Zielbewußtheit, eine leichte Beute der Gewohnheiten, eins der Wracks, auf denen die Kultur errichtet worden ist. Aber daß sie so tief gesunken sein konnte! War es möglich, daß er sich so völlig in ihr getäuscht hatte? Er erinnerte sich an ihren Ausbruch in jener Nacht und deutete ihn härter, als er es je getan hatte. Es fiel ihm nicht mehr schwer, den Weg, den er eingeschlagen hatte, gutzuheißen.

Als das Licht schwand und seine Gedanken zu wandern begannen, glaubte er, ihre Hand hätte seine berührt. Der Schock, der ihm zunächst auf den Magen geschlagen war, schlug sich nunmehr auf seine Nerven. Er legte rasch Hut und Mantel an und ging hinaus. Die kalte Luft traf ihn auf der Schwelle; sie kroch in die Ärmel seines Mantels. Als er zu der Wirtschaft an der Chapelizod Bridge kam, ging er hinein und bestellte einen heißen Punsch.

Der Besitzer bediente ihn servil, wagte jedoch nicht, ihn anzusprechen. Es waren fünf oder sechs Arbeiter in dem Lokal, die den Wert eines Herrengutes im County Kildare erörterten. Hin und wieder tranken sie aus ihren riesigen Halbliterkrügen, rauchten, spuckten oft auf den Boden und scharrten manchmal mit ihren schweren Stiefeln das Sägmehl über ihren Speichel. Mr. Duffy saß auf seinem Hocker und starrte sie an, ohne sie zu sehen oder zu hören. Nach einiger Zeit gingen sie hinaus, und er bestellte noch einen Punsch. Er saß lange daran. Das Lokal war sehr still. Der Besitzer fläzte sich auf der Theke und las gähnend den *Herald*. Ab und zu hörte man eine Tram auf der einsamen Straße draußen vorbeisurren.

Während er so dasaß, sein Leben mit ihr rekapitulierte und abwechselnd die beiden Bilder heraufbeschwor, die seiner Vorstellung von ihr jetzt verblieben waren, wurde ihm klar, daß sie tot war, daß sie nicht mehr existierte, daß sie zu einer Erinnerung geworden war. Er begann sich beklommen zu fühlen. Er fragte sich, was er anderes hätte tun können. Er hätte keine Betrugskomödie mit ihr aufführen können; er hätte auch nicht offen mit ihr zusammen leben können. Er hatte getan, was ihm als das Beste erschien. Was wäre ihm für ein Vorwurf zu machen? Nun, da sie nicht mehr da war, begriff er, wie einsam ihr Leben gewesen sein mußte, wenn sie Abend für Abend allein in jenem Zimmer saß. Sein Leben würde gleichfalls einsam sein, bis auch er starb, nicht mehr existierte, zu einer Erinnerung wurde – wenn jemand sich seiner erinnerte.

Es war neun Uhr vorbei, als er das Lokal verließ. Die Nacht war kalt und finster. Er betrat den Park durch das erste Tor und ging unter den hageren Bäumen weiter. Er ging durch die kahlen Alleen, durch die sie vor vier Jahren zusammen gegangen waren. In der Dunkelheit schien sie ihm nahe zu sein. Zuweilen kam es ihm vor, als berühre ihre Stimme sein Ohr, als berühre ihre Hand die seine. Er blieb stehen, um zu lauschen. Warum hatte er ihr das Leben vorenthalten? Warum hatte er sie zum Tode verurteilt? Er fühlte, wie seine sittliche Natur zu Bruch ging.

Als er die Anhöhe des Magazine Hill erreicht hatte, blieb er stehen und blickte den Fluß entlang nach Dublin, dessen Lichter in der kahlen Nacht rötlich und einladend brannten. Er blickte den Hang hinab und sah unten im Schatten der Parkmauer irgendwelche menschliche Gestalten liegen. Diese feile und verstohlene Liebe füllte ihn mit Verzweiflung. Er zerbiß sich an der Rechtschaffenheit seines Lebens; er fühlte, daß er vom Fest des Lebens verbannt gewesen war. Ein Mensch hatte ihn anscheinend geliebt, und er hatte ihm Leben und Glück verweigert: er hatte ihn zur Schande, zu einem schmählichen Tod verurteilt. Er wußte, daß die unten an der Mauer auf die Erde hingestreckten Wesen ihn beobachteten und wegwünschten. Niemand wünschte ihn; er war verbannt vom Fest des Lebens. Er wandte seine Augen zu dem grauen glitzernden Fluß, der sich nach Dublin dahinwand. Jenseits des Flusses sah er einen Güterzug, der sich aus dem Bahnhof Kingsbridge herauswand, der sich wie ein Wurm mit einem feurigen Kopf durch die Dunkelheit wand, hartnäckig und mühselig. Langsam schwand er aus den Augen; doch immer noch klang ihm das mühselige Schnaufen der Lokomotive in den Ohren, das die Silben ihres Namens wiederholte.

Er ging den Weg zurück, den er gekommen war, der Rhythmus der Lokomotive hämmerte in seinen Ohren. Er begann die Wirklichkeit dessen zu bezweifeln, was die Erinnerung ihm sagte. Er blieb unter einem Baum stehen und ließ den Rhythmus ersterben. Er konnte sie in der Dunkelheit nicht nahe fühlen, noch erreichte ihre Stimme sein Ohr. Er wartete einige Minuten und lauschte. Er hörte nichts: die Nacht war vollkommen still. Er lauschte noch einmal: vollkommen still. Er fühlte, daß er allein war.

Efeutag im Sitzungszimmer

Old Jack scharrte die Aschenglut mit einem Stück Pappe zusammen und streute sie bedächtig auf die weiß werdende Kohlenkuppe. Als die Kuppe dünn bedeckt war, verschwand sein Gesicht im Dunkeln, doch als er sich daran machte, das Feuer erneut anzufachen, stieg sein kauernder Schatten an der gegenüberliegenden Wand empor, und langsam tauchte sein Gesicht wieder hoch ins Licht. Es war das Gesicht eines alten Mannes, sehr knochig und behaart. Die feuchten blauen Augen blinzelten ins Feuer, und der feuchte Mund ging bisweilen auf, und wenn er sich wieder schloß, schmatzte er ein paarmal mechanisch. Als die Aschenglut Feuer gefangen hatte, lehnte er das Stück Pappe an die Wand, seufzte und sagte:
– So ist das besser, Mr. O'Connor.
Mr. O'Connor, ein grauhaariger junger Mann, dessen Gesicht von vielen Flecken und Pickeln entstellt war, hatte den Tabak für eine Zigarette gerade zu einem formvollendeten Zylinder gerollt, aber als er angesprochen wurde, machte er sein Werk gedankenverloren wieder zunichte. Dann begann er den Tabak gedankenverloren von neuem zu rollen, und nach kurzer Besinnung entschloß er sich, das Papier anzulecken.
– Hat Mr. Tierney gesagt, wann er zurück ist? fragte er mit rauher Fistelstimme.
– Keinen Ton.
Mr. O'Connor steckte die Zigarette in den Mund und begann seine Taschen abzusuchen. Er holte einen Stapel dünner Pappkarten heraus.
– Ich hol Ihnen ein Streichholz, sagte der Alte.
– Nicht nötig, geht schon so, sagte Mr. O'Connor.
Er nahm eine der Karten und las den aufgedruckten Text:

STÄDTISCHE WAHLEN
BEZIRK ROYAL EXCHANGE

Mr. Richard J. Tierney, P. L. G., erbittet bei der kommenden

Wahl im Bezirk Royal Exchange höflichst die Gunst Ihrer Stimme und Ihrer Einflußnahme

Mr. O'Connor war von Mr. Tierneys Bevollmächtigtem engagiert worden, um in einem Teil des Bezirks Stimmen zu sammeln, aber da das Wetter ungünstig war und seine Stiefel Feuchtigkeit durchließen, saß er einen großen Teil des Tages im Sitzungszimmer in der Wicklow Street am Feuer zusammen mit Jack, dem alten Hausmeister. So hatten sie dagesessen, seit der kurze Tag wieder dunkel geworden war. Es war der sechste Oktober, und draußen war es trübe und kalt.
Mr. O'Connor riß einen Streifen von der Karte ab, hielt ihn ins Feuer und zündete damit seine Zigarette an. Dabei erleuchtete die Flamme ein dunkles glänzendes Efeublatt an seinem Rockrevers. Der Alte beobachtete ihn aufmerksam, nahm dann das Stück Pappe wieder zur Hand und fächelte langsam das Feuer, während sein Gefährte rauchte.
– Achja, sagte er und nahm damit den Faden wieder auf, man weiß eigentlich nicht, wie man die Kinder großziehen soll. Wer hätte auch gedacht, daß er mal so werden würde! Ich hab ihn zu den Christian Brothers geschickt, und überhaupt hab ich für ihn getan, was ich konnte, und dann säuft er so rum. Ich hab doch versucht, was Anständiges aus ihm zu machen.
Er stellte die Pappe resigniert zurück.
– Wenn ich nicht ein alter Mann wär, würd ich ihm schon Flötentöne beibringen. Ich würd den Stock nehmen und ihn verbläuen, solang ich mich auf den Beinen halten kann – wie ich das früher oft gemacht hab. Seine Mutter, wissen Sie, die setzt ihm allerhand Rosinen in den Kopf ...
– Das verdirbt die Kinder gerade, sagte Mr. O'Connor.
– Allerdings, sagte der Alte. Und Dank kriegt man dafür kaum, nur Unverschämtheit. Er tanzt mir auf der Nase rum, immer wenn er merkt, daß ich mir einen genehmigt hab. Wo soll denn das noch hinführen in der Welt, wenn die Söhne so mit ihren Vätern sprechen?
– Wie alt ist er? fragte Mr. O'Connor.

– Neunzehn, sagte der Alte.
– Warum stecken Sie ihn denn nicht wo hin?
– Aber ja doch, hab ich diesen versoffenen Lümmel nicht dazu kriegen wollen, seit er aus der Schule ist? *Ich kümmer mich nicht mehr um dich,* sag ich. *Du mußt dir ne Arbeit suchen.* Aber klar, wenn er ne Arbeit hat, ist's noch schlimmer; er vertrinkt alles.
Mr. O'Connor schüttelte mitfühlend den Kopf, und der Alte wurde still und starrte ins Feuer. Jemand öffnete die Tür des Zimmers und rief:
– Hallo! Ist das eine Freimaurerversammlung?
– Wer ist denn das? fragte der Alte.
– Was macht ihr da im Dunkeln? fragte eine Stimme.
– Sind das Sie, Hynes? fragte Mr. O'Connor.
– Ja. Was macht ihr da im Dunkeln? fragte Mr. Hynes und trat in den Lichtschein des Feuers.
Er war ein großer schlanker junger Mann mit einem hellbraunen Schnurrbart. Fallbereit hingen kleine Regentropfen an seiner Hutkrempe, und der Kragen seiner Joppe war hochgeschlagen.
– Na Mat, sagte er zu Mr. O'Connor, wie läuft's denn?
Mr. O'Connor schüttelte den Kopf. Der Alte entfernte sich vom Kamin, humpelte im Zimmer umher und kehrte mit zwei Kerzenständern zurück, die er einen nach dem andern ins Feuer stieß und zum Tisch trug. Ein kahles Zimmer wurde sichtbar, und das Feuer verlor all seine fröhliche Farbe. Die Wände waren bis auf den Druck einer Wahlrede kahl. In der Mitte des Zimmers war ein kleiner Tisch, auf den Papiere gehäuft waren.
Mr. Hynes lehnte sich an den Kaminsims und fragte:
– Hat er Sie schon bezahlt?
– Noch nicht, sagte Mr. O'Connor. Ich hoffe zu Gott, daß er uns heute abend nicht im Stich läßt.
Mr. Hynes lachte.
– Ach, er wird euch schon bezahlen. Keine Angst, sagte er.
– Ich hoffe, er macht ein bißchen dalli, wenn ihm die Sache ernst ist, sagte Mr. O'Connor.

– Was meinen denn Sie, Jack? fragte Mr. Hynes spöttisch den Alten.
Der Alte kehrte auf seinen Platz am Feuer zurück und sagte:
– Haben tut er's jedenfalls. Nicht wie der andere Kesselflicker.
– Was für ein andrer Kesselflicker? fragte Mr. Hynes.
– Colgan, sagte der Alte verächtlich.
– Sagen Sie das, weil Colgan ein Arbeiter ist? Was ist der Unterschied zwischen einem guten rechtschaffenen Maurer und einem Kneipier, hm? Hat der Arbeiter nicht genau so ein Recht wie jeder andere, im Stadtrat zu sitzen – und zwar ein größeres Recht als diese Britenpinkel, die vor jedem, der einen Aufhänger an seinem Namen hat, immerzu den Hut ziehen? Hab ich nicht recht, Mat? wandte sich Mr. Hynes an Mr. O'Connor.
– Ich glaub schon, sagte Mr. O'Connor.
– Der eine ist ein einfacher rechtschaffener Mann, und vom Sesselhocker hat er nichts. Er will die Arbeiterklasse vertreten. Dieser Kerl, für den ihr da arbeitet, der ist nur auf irgendein Pöstchen aus.
– Natürlich sollte die Arbeiterklasse vertreten sein, sagte der Alte.
– Der Arbeiter, sagte Mr. Hynes, bezieht die Schläge und sieht keinen roten Heller. Dabei – was produziert wird, produziert die Arbeiterschaft. Der Arbeiter sucht keine fetten Pöstchen für seine Söhne und Neffen und Vettern. Der Arbeiter wird die Ehre Dublins nicht einem deutschen Monarchen zuliebe in den Schmutz ziehen.
– Was soll das heißen? fragte der Alte.
– Wißt ihr denn nicht, daß sie Edward Rex mit einer Willkommensadresse begrüßen wollen, wenn er nächstes Jahr rüberkommt? Was sollen wir vor einem ausländischen König Kotau machen?
– Unser Mann stimmt nicht für die Adresse, sagte Mr. O'Connor. Er steht bei den Nationalisten.
– Achso? sagte Mr. Hynes. Wartet's mal ab, ob er's wirklich tut. Ich kenn den. Es ist doch Schlitzöhrchen Tierney?

– Weiß Gott! vielleicht hast du recht, Joe, sagte Mr. O'Connor. Jedenfalls wünschte ich, daß er mit dem Kies auftaucht.
Die drei Männer wurden still. Der Alte begann mehr Aschenglut zusammenzuscharren. Mr. Hynes nahm seinen Hut ab, schüttelte ihn und schlug dann den Joppenkragen nach unten, an dessen Revers ein Efeublatt sichtbar wurde.
– Wenn dieser Mann noch am Leben wäre, sagte er und zeigte auf das Blatt, dann wäre von keiner Willkommensadresse die Rede.
– Das ist wahr, sagte Mr. O'Connor.
– Menschenskinder, Gott hab diese Zeiten selig! sagte der Alte. Da war doch noch Leben in der Bude.
Das Zimmer war wieder still. Dann schob sich ein geschäftiger kleiner Mann mit schniefender Nase und sehr kalten Ohren durch die Tür. Er ging schnell zum Feuer hinüber und rieb sich die Hände, als wolle er aus ihnen Funken schlagen.
– Kein Geld, Kinder, sagte er.
– Setzen Sie sich hierher, Mr. Henchy, sagte der Alte und bot ihm seinen Stuhl an.
– Behalten Sie nur Platz, Jack, behalten Sie Platz, sagte Mr. Henchy.
Er nickte Mr. Hynes knapp zu und setzte sich auf den Stuhl, den der Alte freimachte.
– Haben Sie die Aungier Street fertig? fragte er Mr. O'Connor.
– Ja, sagte Mr. O'Connor und begann in seinen Taschen die Notizen zu suchen.
– Waren Sie bei Grimes?
– Ja.
– Na und? Wo steht er?
– Er wollte nichts versprechen. Er hat gesagt: *Ich verrate keinem, wie ich wähle.* Aber ich glaub, er geht schon in Ordnung.
– Wieso?
– Er hat mich gefragt, wer ihn alles aufgestellt hat; und ich hab's ihm gesagt. Ich habe Pater Burkes Namen genannt. Ich glaube schon, daß das in Ordnung geht.

Mr. Henchy begann zu schniefen und sich die Hände mit enormer Geschwindigkeit über dem Feuer zu reiben. Dann sagte er:
– Jack, um Gottes willen, holen Sie uns ein paar Kohlen. Es müssen noch welche da sein.
Der Alte verließ das Zimmer.
– Da ist nichts zu wollen, sagte Mr. Henchy und schüttelte den Kopf. Ich hab den kleinen Heini gefragt, aber er sagt: *Tjaja, Mr. Henchy, wenn ich sehe, daß die Arbeit ordentlich vorangeht, dann werde ich Sie nicht vergessen, da können Sie sicher sein.* So ein gemeiner kleiner Kesselflicker! Wie könnte er auch was andres sein?
– Was habe ich Ihnen gesagt, Mat? fragte Mr. Hynes. Schlitzöhrchen Tierney.
– Ja, schlitzohrig ist er wie nur was, sagte Mr. Henchy. Er hat nicht umsonst solche kleinen Schweinsaugen. Der Teufel hole seine Seele! Könnte er nicht bezahlen wie ein Mann, statt seinem: *Tjaja, Mr. Henchy, ich muß mit Mr. Fanning sprechen ... Ich habe eine Menge Geld ausgegeben?* So ein gemeiner kleiner Höllenheini! Wahrscheinlich hat er die Zeit vergessen, wo sein kleiner alter Vater dieses Versatzgeschäft in der Mary's Lane hatte.
– Tatsache? fragte Mr. O'Connor.
– Mein Gott, ja, sagte Mr. Henchy. Haben Sie nie davon gehört? Und die Männer sind sonntagsmorgens, eh die Kneipen auf waren, hingegangen und haben eine Weste oder eine Hose eingelöst – jawoll. Aber der kleine alte Vater von Schlitzohr hatte immer eine schlitzohrige kleine schwarze Flasche oben in einer Ecke. Kapieren Sie jetzt? So ist das gewesen. Da hat er das Licht der Welt erblickt.
Der Alte kam mit ein paar Stücken Kohle zurück, die er auf dem Feuer verteilte.
– Das ist eine schöne Bescherung, sagte Mr. O'Connor. Wieso erwartet er, daß wir für ihn arbeiten, wenn er nicht blecht?
– Ich kann's nicht ändern, sagte Mr. Henchy. Sicher stehen die Gerichtsvollzieher bei mir auf dem Flur, wenn ich nach Hause komme.

Mr. Hynes lachte, stieß sich mit den Schultern vom Kaminsims ab und schickte sich an zu gehen.
– Das wird alles bestens, wenn König Eddie kommt, sagte er. Na, Kinder, ich geh jetzt erst mal. Bis dann. Wiedersehn.
Er ging langsam aus dem Zimmer. Weder Mr. Henchy noch der Alte sagten etwas, doch als sich eben die Tür schloß, rief Mr. O'Connor, der verdrossen ins Feuer gestarrt hatte, plötzlich:
– Wiedersehn, Joe.
Mr. Henchy wartete einige Augenblicke und nickte dann in Richtung Tür.
– Nun sagen Sie mal, sagte er über das Feuer hinweg, was führt wohl unsern Freund hierher? Was will er?
– Ach, der arme Joe! sagte Mr. O'Connor und warf seinen Zigarettenstummel ins Feuer, es geht ihm dreckig wie uns allen.
Mr. Henchy schniefte kräftig und spuckte so reichlich aus, daß er fast das Feuer löschte, welches zischelnd protestierte.
– Wenn ich Ihnen mal offen meine persönliche Meinung sagen soll, sagte er, ich glaube, er ist einer aus dem andern Lager. Er spioniert für Colgan, wenn Sie mich fragen. *Gehn Sie doch mal hin und versuchen Sie rauszukriegen, wie die vorankommen. Die werden Sie nicht in Verdacht haben.* Kapiert?
– Ach, der arme Joe ist eine ehrliche Haut, sagte Mr. O'Connor.
– Sein Vater war ein ehrlicher respektabler Mann, gab Mr. Henchy zu: der arme alte Larry Hynes! Er hat zu seiner Zeit eine Menge Gutes getan! Aber ich habe große Angst, unser Freund ist nicht so ganz astrein. Verdammt, ich kann verstehen, daß es einem dreckig geht, aber was ich nicht verstehen kann, ist wenn einer nassauert. Könnte er sich nicht ein bißchen wie ein Mann benehmen?
– Ich zeig ihm die kalte Schulter, wenn er kommt, sagte der Alte. Soll er für seine eigene Seite arbeiten und nicht hier herumspionieren.
– Ich weiß nicht, sagte Mr. O'Connor zweifelnd, während er

Zigarettenpapier und Tabak herausnahm. Ich glaube, Joe Hynes ist ein anständiger Mensch. Er ist außerdem ein gescheiter Kerl, mit der Feder. Erinnert ihr euch noch an die Sache da, die er geschrieben hat ...?
– Einige von diesen Hillsiders und Feniern sind ein bißchen zu gescheit, wenn Sie mich fragen, sagte Mr. Henchy. Soll ich euch mal offen meine persönliche Meinung über diese kleinen Witzbolde sagen? Ich glaube, daß die Hälfte von ihnen im Sold des Castle steht.
– Das kann man nie wissen, sagte der Alte.
– Aber ich weiß es ganz genau, sagte Mr. Henchy. Das sind Lohnschreiber vom Castle ... Ich will nicht sagen, daß Hynes ... Nein, verdammt, ich glaube, da steht er doch eine Idee drüber ... Aber da gibt's so einen gewissen kleinen Adligen mit Silberblick – ihr wißt, welchen Patrioten ich im Sinn habe?
Mr. O'Connor nickte.
– Da habt ihr einen direkten Nachkommen von Major Sirr, wenn's gefällt! Ja, das Herzblut von einem Patrioten! Das ist ein Kerl, der würd sein Land für vier Pence verscheuern – jawohl – und auf die Knie gehn und dem Allmächtigen danken, daß er ein Land zu verscheuern hat.
Es klopfte an die Tür.
– Herein! sagte Mr. Henchy.
Ein Mann, der aussah wie ein armer Priester oder ein armer Schauspieler, erschien im Türrahmen. Die schwarze Kleidung war eng um seinen untersetzten Körper geknöpft, und man konnte nicht sagen, ob er einen Priester- oder einen Laienkragen trug, weil der Kragen seines schäbigen Gehrocks, in dessen bloßliegenden Knöpfen sich das Kerzenlicht spiegelte, um seinen Hals hochgeschlagen war. Er trug einen runden Hut aus hartem schwarzem Filz. Sein von Regentropfen glänzendes Gesicht sah aus wie feuchter gelber Käse, ausgenommen da, wo zwei rosige Flecken die Backenknochen andeuteten. Er öffnete plötzlich seinen sehr breiten Mund, um Enttäuschung auszudrücken, und gleichzeitig riß er seine sehr hellen blauen

Augen weit auf, um Freude und Überraschung auszudrücken.
– Ach Pater Keon! sagte Mr. Henchy und sprang von seinem Stuhl auf. Sind Sie's? Kommen Sie rein!
– Aber nein, nein, nein! sagte Pater Keon schnell und spitzte dabei seine Lippen, als spräche er mit einem Kind.
– Wollen Sie nicht hereinkommen und sich setzen?
– Nein, nein, nein! sagte Pater Keon mit taktvoller nachsichtiger samtener Stimme. Ich will Sie auf keinen Fall stören! Ich suche nur Mr. Fanning . . .
– Er ist um die Ecke im *Black Eagle*, sagte Mr. Henchy. Aber wollen Sie denn nicht hereinkommen und sich eine Minute setzen?
– Nein, nein, danke. Es war nur eine kleine geschäftliche Angelegenheit, sagte Pater Keon. Aber vielen vielen Dank.
Er zog sich aus dem Türrahmen zurück, und Mr. Henchy ergriff einen der Kerzenständer und ging zur Tür, um ihm hinabzuleuchten.
– Ach bitte, keine Umstände!
– Nein, aber die Treppe ist so dunkel.
– Nein, nein, ich kann schon sehen . . . Vielen vielen Dank.
– Geht es jetzt?
– Es geht, danke sehr . . . Danke sehr.
Mr. Henchy kehrte mit dem Kerzenständer zurück und stellte ihn auf den Tisch. Er setzte sich wieder ans Feuer. Eine kurze Weile war alles still.
– Sagen Sie mal, John, sagte Mr. O'Connor und zündete sich mit einer anderen Pappkarte seine Zigarette an.
– Hm?
– Was ist er eigentlich genau?
– Fragen Sie mich was Leichteres, sagte Mr. Henchy.
– Fanning und er scheinen dicke Freunde zu sein. Sie sind oft zusammen bei Kavanagh. Ist er überhaupt Priester?
– Mmmja, ich denke schon . . . Ich glaube, er ist, was man so ein schwarzes Schaf nennt. Wir haben gottseidank nicht viele von der Sorte! aber immerhin ein paar . . . Irgendwie ist er ein unglücklicher Mensch . . .

– Und wie kommt er über die Runden? fragte Mr. O'Connor.
– Das ist noch so ein Geheimnis.
– Ist er an irgendeiner Kapelle oder Kirche oder Institution oder –
– Nein, sagte Mr. Henchy. Ich glaube, er reist auf eigene Kosten ... Gott verzeih mir, fügte er hinzu, ich dachte, er wär das Dutzend Stout.
– Ob wohl noch Aussicht ist auf was Trinkbares? fragte Mr. O'Connor.
– Ich bin auch ganz ausgedörrt, sagte der Alte.
– Ich hab diesen kleinen Heini dreimal gefragt, sagte Mr. Henchy, ob er ein Dutzend Stout raufschicken würde. Ich hab ihn eben nochmal gefragt, aber er lehnte in Hemdsärmeln an der Theke und klöhnte mit Alderman Cowley.
– Warum haben Sie ihn denn nicht dran erinnert? fragte Mr. O'Connor.
– Na, ich konnte doch nicht dazwischenkommen, während er mit Alderman Cowley redete. Ich hab gewartet, bis er mich mal ansah, und gesagt: *Dieser bewußte Punkt da, über den ich mit Ihnen gesprochen habe ... Geht schon in Ordnung, Mr. H.*, sagt er. Bestimmt hat's dieser abgebrochene Riese völlig vergessen.
– Irgendwas tut sich in dieser Ecke da, sagte Mr. O'Connor nachdenklich. Ich hab gesehn, wie die drei sich gestern an der Ecke Suffolk Street den Mund fusslig geredet haben.
– Ich glaub, ich weiß, was die da treiben, sagte Mr. Henchy. Heutzutage muß man den City Fathers Geld schulden, wenn man Lord Mayor werden will. Dann machen sie dich zum Lord Mayor. Bei Gott! Ich denke ernsthaft daran, selber City Father zu werden. Was denken Sie? Wär ich nicht der Richtige für den Posten?
Mr. O'Connor lachte.
– Also was die Schulden angeht ...
– Aus dem Mansion House kutschieren, sagte Mr. Henchy, in meinem Würmelinpelz, und Jack hier steht hinter mir mit einer gepuderten Perücke – na?

– Und mich machen Sie zu Ihrem Privatsekretär, John.
– Ja. Und Pater Keon mach ich zu meinem Privatkaplan. Das wird ein Familienverein.
– Wahrhaftig, Mr. Henchy, sagte der Alte, Sie würden das mit mehr Stil machen als mancher von denen. Ich hab neulich mit dem alten Keegan gesprochen, dem Pförtner. *Und wie gefällt dir dein neuer Herr, Pat?* sag ich zu ihm. *Jetzt ist nicht mehr viel Betrieb bei dir*, sag ich. *Betrieb!* sagt er. *Der würd vom Geruch eines Öllappens leben.* Und wissen Sie, was er mir gesagt hat? Also Gott sei mein Zeuge, ich wollt's ihm nicht glauben.
– Was? fragten Mr. Henchy und Mr. O'Connor.
– Er hat mir gesagt: *Was hältst du von einem Lord Mayor von Dublin, der sich zum Essen ein Pfund Kotelett holen läßt? So lebt man in bessern Kreisen, was?* sagt er. *Wahr und wahrhaftig*, sag ich. *Ein Pfund Kotelett*, sagt er, *und das ins Mansion House. Wahrhaftig!* sag ich, *was für Leute sitzen eigentlich noch im Fett?*
An dieser Stelle klopfte es an die Tür, und ein Junge steckte den Kopf herein.
– Was gibt's? fragte der Alte.
– Vom *Black Eagle*, sagte der Junge, kam seitwärts herein und setzte einen Korb mit klirrenden Flaschen auf dem Boden ab.
Der Alte half dem Jungen, die Flaschen vom Korb auf den Tisch zu transferieren, und zählte sie nach. Als er fertig war, nahm der Junge seinen Korb über den Arm und fragte:
– Irgendwelche Flaschen?
– Was für Flaschen? fragte der Alte.
– Willst du sie uns nicht erst mal trinken lassen? fragte Mr. Henchy.
– Ich sollte nach Flaschen fragen.
– Komm morgen wieder vorbei, sagte der Alte.
– Hier, Junge! sagte Mr. Henchy, spring doch mal zu O'Farrell rüber und bitte ihn, uns einen Korkenzieher zu leihen – für Mr. Henchy, sagst du. Sag ihm, daß er ihn gleich wieder kriegt. Laß den Korb da.

Der Junge ging hinaus, und Mr. Henchy begann sich fröhlich die Hände zu reiben und sagte:
– Also so übel ist er doch nicht. Immerhin steht er zu seinem Wort.
– Sind keine Gläser da, sagte der Alte.
– Darüber machen Sie sich mal keine Sorgen, Jack, sagte Mr. Henchy. Schon mancher anständige Mann hat aus der Flasche getrunken.
– Auf jeden Fall ist es besser als nichts, sagte Mr. O'Connor.
– Er ist gar kein so schlechter Kerl, sagte Mr. Henchy, nur Fanning hat ihn so unter der Fuchtel. Auf seine lumpige Weise meint er's eigentlich gut.
Der Junge kam mit dem Korkenzieher zurück. Der Alte machte drei Flaschen auf und reichte den Korkenzieher gerade zurück, als Mr. Henchy den Jungen fragte:
– Willst du was trinken, Junge?
– Sehr gerne, sagte der Junge.
Der Alte machte mürrisch noch eine Flasche auf und reichte sie dem Jungen.
– Wie alt bist du? fragte er.
– Siebzehn, sagte der Junge.
Da der Alte nichts weiter sagte, nahm der Junge die Flasche, sagte: *Bin so frei, auf Ihr Spezielles, Sir*, zu Mr. Henchy, trank den Inhalt, stellte die Flasche auf den Tisch zurück und wischte den Mund mit dem Ärmel ab. Dann nahm er den Korkenzieher und ging, irgendeine Grußformel murmelnd, seitwärts aus dem Zimmer.
– So fängt das an, sagte der Alte.
– Wenn das erst mal einreißt, sagte Mr. Henchy.
Der Alte verteilte die drei Flaschen, die er aufgemacht hatte, und die Männer tranken zugleich. Als sie getrunken hatten, stellte jeder seine Flasche in Reichweite auf den Kamin und holte befriedigt tief Luft.
– Ja, ich hab heut auch allerhand was weggeschafft, sagte Mr. Henchy nach einer Pause.
– Wirklich, John?

– Aber ja. In der Dawson Street hab ich ihm ein oder zwei sichere Kandidaten aufgetan, Crofton und ich. Unter uns, Crofton (natürlich ist er ein anständiger Kerl), aber als Wahlhelfer taugt er gar nichts. Er kriegt kein Wort heraus. Er steht da und starrt die Leute an, während ich das Reden besorge.
Hier traten zwei Männer ins Zimmer. Einer von ihnen war ein sehr dicker Mann, dessen blaue Sergekleidung in Gefahr schien, von seiner abschüssigen Figur zu rutschen. Er hatte ein großes Gesicht, dessen Ausdruck dem eines jungen Ochsen ähnlich sah, blaue Glotzaugen und einen angegrauten Schnurrbart. Der andere, viel jünger und schmächtiger, hatte ein schmales glattrasiertes Gesicht. Er trug einen sehr hohen Doppelkragen und eine Melone mit breiter Krempe.
– Tag, Crofton! sagte Mr. Henchy zu dem Dicken. Wenn man vom Teufel spricht . . .
– Wo kommt denn der Saft her? fragte der junge Mann. Hat die Kuh gekalbt?
– Natürlich, Lyons erspäht zuerst die Flasche! sagte Mr. O'Connor lachend.
– Ist das die Art, wie ihr Wahlpropaganda macht, sagte Mr. Lyons, und Crofton und ich kümmern uns draußen in der Kälte und dem Regen um Stimmen?
– Ach gehn Sie zum Teufel, sagte Mr. Henchy, ich krieg in fünf Minuten mehr Stimmen zusammen als ihr zwei beide in einer Woche.
– Machen Sie zwei Flaschen Stout auf, Jack, sagte Mr. O'Connor.
– Wie denn? fragte der Alte, wenn kein Korkenzieher da ist?
– Paßt mal auf! sagte Mr. Henchy und stand schnell auf. Habt ihr schon mal diesen kleinen Trick gesehn?
Er nahm zwei Flaschen vom Tisch, trug sie zum Feuer und stellte sie auf den Kamineinsatz. Dann setzte er sich wieder ans Feuer und trank erneut aus seiner Flasche. Mr. Lyons setzte sich auf die Tischkante, schob den Hut in den Nacken und ließ seine Beine baumeln.
– Was ist meine Flasche? fragte er.

– Die Pulle da, sagte Mr. Henchy.
Mr. Crofton setzte sich auf eine Kiste und blickte unverwandt zu der anderen Flasche auf dem Kamineinsatz. Er schwieg aus zwei Gründen. Der erste, allein schon ausreichende Grund war, daß er nichts zu sagen hatte; der zweite, daß er seine Gefährten für unter seiner Würde hielt. Er war Wahlhelfer für Wilkins gewesen, den Konservativen, aber als die Konservativen ihren Mann zurückgezogen und, das kleinere von zwei Übeln wählend, dem nationalistischen Kandidaten ihre Unterstützung gegeben hatten, war er engagiert worden, um für Mr. Tierney zu arbeiten.
Nach ein paar Minuten hörte man ein apologetisches *Pok!*, als der Korken aus Mr. Lyons' Flasche flog. Mr. Lyons sprang vom Tisch, ging zum Feuer, nahm seine Flasche und trug sie zum Tisch zurück.
– Ich hatte ihnen gerade erzählt, Crofton, sagte Mr. Henchy, daß wir heute eine ganz schöne Menge Stimmen zusammengekriegt haben.
– Wen habt ihr gekriegt? fragte Mr. Lyons.
– Also erstens hab ich Parkes gekriegt, zweitens hab ich Atkinson gekriegt, und dann hab ich Ward in der Dawson Street gekriegt. Das ist ein feiner alter Kerl, ein richtiggehender alter Dandy, ein alter Konservativer! *Aber ist Ihr Kandidat nicht Nationalist?* fragt er. *Er ist ein ehrenwerter Mann*, sag ich. *Er ist für alles, was diesem Land nützt. Er ist ein großer Steuerzahler*, sag ich. *Er hat ausgedehnten Hausbesitz in der Stadt und drei Geschäftslokale, und ist es nicht sein eigener Vorteil, die Steuern niedrig zu halten? Er ist ein angesehener und geachteter Bürger*, sag ich, *und ein Poor Law Guardian, und er gehört keiner Partei an, ob gut, schlecht oder weder noch.* So muß man mit denen reden.
– Und was ist mit der Grußadresse an den König? fragte Mr. Lyons, nachdem er getrunken und mit den Lippen geschmatzt hatte.
– Nun hören Sie mal gut zu, sagte Mr. Henchy. Was wir in diesem Land brauchen, wie ich dem alten Ward gesagt habe, ist

Kapital. Daß der König herkommt, wird bedeuten, daß Geld in dieses Land fließt. Die Bürger von Dublin werden davon profitieren. Sehn Sie sich die ganzen Fabriken unten an den Quays an, nichts zu tun! Sehn Sie sich das ganze Geld an, das es im Land geben würde, wenn wir nur die alten Industrien alle in Gang bekämen, die Mühlen, die Werften und Fabriken. Kapital ist es, was wir brauchen.

– Aber nun schaun Sie mal, John, sagte Mr. O'Connor. Warum sollten wir den König von England willkommen heißen? Hat nicht Parnell selbst ...

– Parnell, sagte Mr. Henchy, ist tot. Also ich sehe die Sache so. Hier der Bursche, der kommt auf den Thron, nachdem seine alte Mutter ihn davon abgehalten hat, bis er grau war. Er ist ein Mann von Welt, und er meint's gut mit uns. Er ist ein netter anständiger Kerl, wenn ihr mich fragt, und hat keine Sputzen im Kopf. Er sagt sich einfach: *Die Alte hat diese wilden Iren nie besucht. Jesus, ich fahr selber und guck mir mal an, wie die so sind.* Und wir sollen den Mann beleidigen, wenn er zu einem freundschaftlichen Besuch hier rüberkommt? Na? Hab ich nicht recht, Crofton?

Mr. Crofton nickte.

– Aber schließlich, sagte Mr. Lyons streitbar, ist König Edwards Leben nun nicht eigentlich, Sie wissen ...

– Laßt die Vergangenheit ruhen, sagte Mr. Henchy. Persönlich bewundere ich den Mann. Er ist nur ein gewöhnlicher Allerweltskerl wie Sie und ich. Er trinkt gern sein Glas Grog und treibt's vielleicht ein bißchen wüst, und er ist ein guter Sportsmann. Verdammt nochmal, können wir Iren denn nicht fair sein?

– Das ist alles schön und gut, sagte Mr. Lyons. Aber nun nehmen Sie mal den Fall Parnell.

– Du lieber Himmel, sagte Mr. Henchy, wo ist denn da die Parallele in den beiden Fällen?

– Was ich meine, sagte Mr. Lyons, ist das: wir haben unsere Ideale. Warum also sollten wir so einen Mann willkommen heißen? Glauben Sie etwa, daß Parnell nach dem, was er getan hatte, der geeignete Führer für uns war? Und warum sollten wir es denn bei Edward dem Siebenten tun?

– Heute ist Parnells Todestag, sagte Mr. O'Connor, und wir wollen doch kein böses Blut aufkommen lassen. Wir alle achten ihn jetzt, wo er tot und von uns gegangen ist – sogar die Konservativen, fügte er zu Mr. Crofton gewandt hinzu.

Pok! Der säumige Korken flog aus Mr. Croftons Flasche. Mr. Crofton stand von seiner Kiste auf und ging zum Feuer. Als er mit seiner Beute zurückkehrte, sagte er mit tiefer Stimme:

– Unsere Seite des Hauses achtet ihn, weil er ein Gentleman war.

– Recht haben Sie, Crofton! sagte Mr. Henchy hitzig. Er war der einzige, der diesen Affenstall in Ordnung halten konnte. *Kuscht, ihr Hunde! Nieder, ihr Köter!* So sprang er mit denen um. Herein, Joe! Herein! rief er, als er Mr. Hynes in der Tür erblickte.

Mr. Hynes kam langsam herein.

– Machen Sie noch eine Flasche Stout auf, Jack, sagte Mr. Henchy. Achja, es ist kein Korkenzieher da! Hier, langen Sie mir eine rüber, und ich stell sie ans Feuer.

Der Alte reichte ihm noch eine Flasche, und er stellte sie auf den Kamineinsatz.

– Setzen Sie sich, Joe, sagte Mr. O'Connor, wir sprechen gerade vom Chief.

– So ist's, sagte Mr. Henchy.

Mr. Hynes setzte sich auf die Tischkante neben Mr. Lyons, sagte jedoch nichts.

– Da ist jedenfalls einer, sagte Mr. Henchy, der ihn nicht verleugnet hat. Bei Gott, das muß man Ihnen lassen, Joe! Nein, bei Gott, Sie haben zu ihm gehalten wie ein Mann!

– Ach Joe, sagte Mr. O'Connor plötzlich. Tragen Sie uns doch mal diese Sache vor, die Sie geschrieben haben – Sie wissen doch? Haben Sie's da?

– Ach ja! sagte Mr. Henchy. Tragen Sie uns das vor. Haben Sie das mal gehört, Crofton? Dann hören Sie sich's an: hervorragend.

– Na kommen Sie, sagte Mr. O'Connor. Schießen Sie los, Joe.
Mr. Hynes schien sich zunächst nicht zu erinnern, welches Stück sie meinten, aber nach einigem Nachdenken sagte er:
– Ach dieses Stück ... Aber das ist doch alt jetzt.
– Heraus damit, Mann! sagte Mr. O'Connor.
– Pst, pst, sagte Mr. Henchy. Also, Joe.
Mr. Hynes zögerte noch ein wenig. Dann nahm er in dem eingetretenen Schweigen den Hut ab, legte ihn auf den Tisch und stand auf. Er schien das Stück im Geist zu rekapitulieren. Nach einer ziemlich langen Pause verkündete er:

DER TOD PARNELLS
6. Oktober 1891

Er räusperte sich ein paarmal und begann zu rezitieren:

Tot. Unser ungekrönter König: tot.
O Erin, trauern mußt du nun und klagen,
Denn er ist tot, den eine Meuchelbande
Moderner Hypokriten hat erschlagen.

Ermordet liegt er von den feigen Hunden
Die er vom Sumpf zur Glorie erhob;
Der Scheiterhaufen seines Königs ist es,
Wo Erins Traum und Hoffnung jäh zerstob.

Ob im Palast, in Hütte oder Kate,
Es ist des Iren Herz an jedem Ort
Von Gram gebeugt – denn der sonst Erins Schicksal
Geschmiedet hätte, ach, er ist hinfort.

Sein Erin hätte er zu Ruhm geleitet,
Hätt seine grüne Fahne stolz geschwellt,
Staatsmänner, Barden, Krieger hoch erhöhet
Vor allen den Nationen dieser Welt.

Er träumte (aber ach, ein Traum war's nur),
Er träumte von der Freiheit: doch alsbald
Riß ihn Verrat, als er es fassen wollte,
Von dem Idol, dem seine Liebe galt.

O Schande über jene Schurkenhände,
Die ihren Herrn erschlugen oder die
Ihn küßten und verrieten an die Meute
Serviler Pfaffen – seine Freunde nie.

Es komme ewig Schande über Schande
Auf die, die seinen hohen hehren Namen
Mit Kot bewerfen und besudeln wollten.
Er hat sie stolz verachtet, die Infamen.

Er fiel, wie immer nur die Mächtgen fallen,
Edel und furchtlos bis zu allerletzt;
Mit Erins großen Helden frührer Zeiten
Hat ihn der Tod vereint, verbunden jetzt.

Kein Wort des Streites störe seinen Schlaf!
Er ruht in Frieden, und kein Menschenleid,
Kein hohes Streben treibt ihn mehr voran
Hin zu der Ruhmesgipfel Herrlichkeit.

Sie haben es geschafft: er ist erschlagen.
Doch Erin, höre zu, sein Geist, er mag
Sich wie der Phönix aus der Flamme heben
Im Morgengraun an jenem neuen Tag,

Dem Tag, der uns das Reich der Freiheit bringt.
Wenn Erin glücklich dann des Freudenquells
Labsal genießt, wird eine Bitterkeit
Im Becher sein – das Andenken Parnells.

Mr. Hynes setzte sich wieder auf den Tisch. Als er mit dem Rezitieren fertig war, war alles still, dann brach der Beifall los: sogar Mr. Lyons klatschte. Der Applaus hielt eine Weile an. Als er zu Ende war, tranken alle Zuhörer still aus ihren Flaschen.

Pok! Der Korken flog aus Mr. Hynes' Flasche, aber Mr. Hynes blieb gerötet und barhäuptig auf dem Tisch sitzen. Er schien die Einladung überhört zu haben.

– Bravo, Joe! sagte Mr. O'Connor und holte Zigarettenpapier und Tabakbeutel hervor, um besser zu verbergen, wie bewegt er war.

– Was halten Sie davon, Crofton? rief Mr. Henchy. Das ist schön? Was?

Mr. Crofton sagte, daß es sehr schön geschrieben sei.

Eine Mutter

Mr. Holohan, zweiter Sekretär der *Eire-Abu*-Gesellschaft, war fast einen Monat lang in Dublin hin- und hergelaufen, die Hände und Taschen voller schmuddeliger Papierfetzen, um die Konzertreihe zu organisieren. Er hatte ein lahmes Bein, um dessentwillen ihn seine Freunde Hoppy Holohan nannten. Pausenlos lief er hin und her, stand stundenlang debattierend an Straßenecken und machte sich Notizen; aber am Ende war es dann doch Mrs. Kearney, die alles organisierte.

Miss Devlin war aus Trotz Mrs. Kearney geworden. Sie war in einem hochvornehmen Kloster erzogen worden, wo sie Französisch und Musik gelernt hatte. Da sie von Natur aus blaß und in ihrem Gehaben unnachgiebig war, machte sie sich in der Schule wenig Freunde. Als sie ins heiratsfähige Alter kam, wurde sie in viele Häuser geschickt, wo ihr Spiel und ihr elfenbeinernes Gehaben große Bewunderung fanden. Sie saß im frostigen Zirkel ihrer Fertigkeiten und harrte darauf, daß ein Freier sich ihm mutig stellte und ihr ein glanzvolles Leben bot. Doch die jungen Männer, die sie kennenlernte, hatten nichts Ungewöhnliches, und sie ermutigte sie nicht und suchte ihren romantischen Sehnsüchten statt dessen Genüge zu tun, indem sie heimlich eine Menge Türkischen Honig aß. Als sie jedoch in die Jahre kam und ihre Bekannten anfingen, ihren Zungen freien Lauf zu lassen, brachte sie sie zum Schweigen, indem sie Mr. Kearney heiratete, der auf dem Ormond Quay eine Schuhmanufaktur hatte.

Er war viel älter als sie. Seine Konversation, die ernst war, fand in Abständen in seinem großen braunen Bart statt. Nach dem ersten Ehejahr begriff Mrs. Kearney, daß ein solcher Mann sich auf die Dauer besser machen würde als ein romantischer Mensch, aber ihre eigenen romantischen Ideen legte sie niemals ab. Er war nüchtern, sparsam und fromm; an jedem ersten Freitag trat er an den Altar, manchmal mit ihr, häufiger allein. Aber sie ließ in ihrem Glauben nie nach und war ihm eine gute Ehefrau. Wenn sie bei einer Gesellschaft in einem fremden Haus ihre Augenbrauen noch so leicht hochzog, stand er auf, um sich zu verabschieden, und wenn sein Husten ihm zu schaffen machte, breitete sie die Daunendecke über seine Füße und machte ihm einen starken Grog. Seinerseits war er ein mustergültiger Vater. Indem er bei einer Gesellschaft jede Woche einen kleinen Betrag einzahlte, sicherte er seinen beiden Töchtern eine Mitgift von je hundert Pfund, zahlbar, wenn sie vierundzwanzig Jahre alt würden. Er schickte die ältere Tochter, Kathleen, in ein gutes Kloster, wo sie Französisch und Musik lernte, und bezahlte danach ihre Gebühren an der Akademie. Jedes Jahr im Monat Juli fand Mrs. Kearney Gelegenheit, einer Bekannten mitzuteilen:

– Mein lieber Mann verfrachtet uns für einige Wochen nach Skerries.

Wenn es nicht Skerries war, war es Howth oder Greystones.

Als die Irische Renaissance reputierlich wurde, beschloß Mrs. Kearney, aus dem Namen ihrer Tochter Nutzen zu ziehen, und holte einen Irischlehrer ins Haus. Kathleen und ihre Schwester schickten irische Ansichtskarten an ihre Bekannten, und diese Bekannten schickten andere irische Ansichtskarten zurück. An besonderen Sonntagen, wenn Mr. Kearney mit der Familie in die Pro-Cathedral ging, versammelte sich jeweils nach der Messe eine kleine Gruppe an der Ecke Cathedral Street. Alle waren sie Freunde der Kearneys – Musik-Freunde oder Nationalisten-Freunde; und wenn sie sich jedes Quentchen Klatsch zugespielt hatten, reichten sie sich alle gleichzeitig die Hand, lachten darüber, daß sich so viele Hände kreuzten, und sagten einander auf irisch auf Wiedersehen. Bald wurde Miss Kathleen Kearneys Name häufig erwähnt. Die Leute sagten, sie habe in der Musik sehr viel los und sei ein sehr nettes Mädchen und überdies, sie glaube an die Sprachbewegung. Mrs. Kearney war damit sehr zufrieden. Darum war sie auch nicht überrascht, als Mr. Holohan sie eines Tages aufsuchte und vorschlug, ihre Tochter solle bei vier großen Konzerten, die seine Gesellschaft in den Antient Concert

Rooms veranstalten wollte, die Begleitung übernehmen. Sie führte ihn in den Salon, ließ ihn Platz nehmen und holte die Karaffe sowie die silberne Keksdose hervor. Mit Herz und Seele stieg sie in die Einzelheiten des Unternehmens ein, riet zu und riet ab; und schließlich wurde ein Vertrag aufgesetzt, dem zufolge Kathleen acht Guineen für ihre Dienste als Begleiterin bei den vier großen Konzerten erhalten sollte.

Da Mr. Holohan in so heiklen Angelegenheiten wie der Abfassung von Programmzetteln und der Abfolge der Programmnummern eine Neuling war, half ihm Mrs. Kearney. Sie hatte Taktgefühl. Sie wußte, welche *artistes* in Großbuchstaben erscheinen mußten und welche *artistes* in kleiner Schrift. Sie wußte, daß der erste Tenor nicht gerne nach Mr. Meades komischer Nummer auftreten würde. Um das Publikum dauernd bei Laune zu halten, schob sie die zweifelhaften Nummern zwischen die bewährten Lieblingsstücke. Mr. Holohan sprach Tag für Tag bei ihr vor, um in irgendeiner Angelegenheit ihren Rat einzuholen. Sie war gleichmäßig höflich und hilfsbereit – ja, geradezu freundschaftlich. Sie schob ihm die Karaffe hin und sagte:

– Bedienen Sie sich doch, Mr. Holohan!

Und während er sich bediente, sagte sie:

– Haben Sie keine Angst! Haben Sie doch keine Angst!

Es ließ sich alles gut an. Mrs. Kearney kaufte bei Brown Thomas reizende zartrosa Charmeuse, um sie vorne in Kathleens Kleid einzulassen. Sie kostete ein hübsches Stück Geld; doch gibt es Anlässe, bei denen gewisse Unkosten zu rechtfertigen sind. Sie kaufte ein Dutzend Zwei-Shilling-Karten für das Schlußkonzert und schickte sie an jene Bekannte, auf deren Kommen sonst kein Verlaß gewesen wäre. Sie vergaß nichts, und dank ihr wurde alles getan, was getan werden mußte.

Die Konzerte sollten am Mittwoch, Donnerstag, Freitag und Samstag stattfinden. Als Mrs. Kearney mit ihrer Tochter am Mittwochabend in den Antient Concert Rooms eintraf, wollte ihr die Sache gar nicht gefallen. Ein paar junge Männer mit hellblauen Abzeichen an ihren Röcken standen untätig im Ve-

stibül herum; keiner von ihnen trug einen Abendanzug. Sie ging mit ihrer Tochter vorbei, und ein schneller Blick durch die offene Saaltür verriet ihr den Grund für die Untätigkeit der Ordner. Zunächst fragte sie sich, ob sie sich in der Uhrzeit geirrt hätte. Nein, es war zwanzig Minuten vor acht.
In der Garderobe hinter der Bühne wurde sie dem Sekretär der Gesellschaft vorgestellt, Mr. Fitzpatrick. Sie lächelte und gab ihm die Hand. Er war ein kleiner Mann mit weißem ausdruckslosen Gesicht. Sie bemerkte, daß er seinen weichen braunen Hut salopperweise schief auf dem Kopf trug und eine ordinäre Dubliner Aussprache hatte. Er hielt ein Programm in der Hand, und während er mit ihr sprach, zerkaute er ein Ende desselben zu feuchtem Brei. Enttäuschungen schienen ihm wenig auszumachen. Mr. Holohan kam alle paar Minuten mit Berichten von der Kasse in die Garderobe. Die *artistes* sprachen nervös miteinander, blickten hin und wieder in den Spiegel und rollten ihre Noten zusammen und wieder auseinander. Als es fast halb neun war, begannen die wenigen Leute im Saal ihren Wunsch nach Unterhaltung kundzutun. Mr. Fitzpatrick kam herein, lächelte ausdruckslos in das Zimmer und sagte:
– Nun ja, meine Damen und Herren, dann eröffnen wir also mal den Ball.
Mrs. Kearney quittierte seine sehr ordinär klingende letzte Silbe mit einem raschen verachtungsvollen Blick und fragte ihre Tochter ermutigend:
– Bist du so weit, Liebling?
Als sich eine Gelegenheit bot, rief sie Mr. Holohan beiseite und bat ihn, ihr zu verraten, was das zu bedeuten habe. Mr. Holohan wußte nicht, was es zu bedeuten hatte. Er meinte, das Komitee habe einen Fehler gemacht, als es vier Konzerte organisierte: vier waren zu viel.
– Und die *artistes!* sagte Mrs. Kearney. Natürlich tun sie ihr Bestes, aber sie taugen wirklich nichts.
Mr. Holohan gab zu, daß die *artistes* nichts taugten, aber das Komitee, sagte er, habe beschlossen, die ersten drei Konzerte

egal wie laufen zu lassen und alle Asse für den Samstagabend aufzusparen. Mrs. Kearney sagte nichts, aber als auf der Bühne eine mittelmäßige Nummer auf die andere folgte und die wenigen Leute im Saal immer weniger wurden, begann es ihr leid zu tun, daß sie sich für ein solches Konzert in Unkosten gestürzt hatte. Etwas an der Sache wollte ihr gar nicht gefallen, und Mr. Fitzpatricks ausdrucksloses Lächeln irritierte sie sehr. Indessen sagte sie nichts und wartete ab, wie das alles ausgehen würde. Das Konzert hörte kurz vor zehn auf, und alle gingen schnell nach Hause.

Das Konzert am Donnerstag war besser besucht, aber Mrs. Kearney stellte sofort fest, daß der Saal voll war von Leuten mit Freikarten. Das Publikum benahm sich ungebührlich, als wäre das Konzert eine zwanglose Generalprobe. Mr. Fitzpatrick schien guter Dinge; er merkte nicht, daß Mrs. Kearney sein Benehmen erzürnt zur Kenntnis nahm. Er stand am Wandschirm und streckte hin und wieder den Kopf vor, um mit zwei Freunden an der Ecke des Ranges zu scherzen. Im Laufe des Abends erfuhr Mrs. Kearney, daß das Freitagskonzert ausfallen sollte und daß das Komitee Himmel und Erde in Bewegung setzen wollte, um am Samstagabend ein volles Haus zusammenzubekommen. Als sie das hörte, machte sie sich auf die Suche nach Mr. Holohan. Sie erwischte ihn, als er mit einem Glas Limonade für eine junge Dame schnell hinaushinkte, und fragte ihn, ob es stimme. Ja, es stimmte.

– Aber das ändert natürlich nichts am Vertrag, sagte sie. Der Vertrag lautete auf vier Konzerte.

Mr. Holohan schien es eilig zu haben; er riet ihr, sich an Mr. Fitzpatrick zu wenden. Jetzt wurde Mrs. Kearney allmählich unruhig. Sie rief Mr. Fitzpatrick von seinem Wandschirm weg und erklärte ihm, daß ihre Tochter für vier Konzerte unterschrieben und aufgrund der Vertragsbedingungen natürlich die ursprünglich vereinbarte Gage zu erhalten habe, ob die Gesellschaft nun die vier Konzerte gab oder nicht. Mr. Fitzpatrick, der nur langsam begriff, worum es eigentlich ging, schien außerstande, das Problem zu lösen, und sagte, er würde

die Sache dem Komitee vortragen. Mrs. Kearneys Wangen begannen vor Zorn zu zucken, und sie mußte sich sehr zusammennehmen, um nicht zu fragen:
– Und wer bitteschön ist das Koh-mih-teh?
Doch sie wußte, daß eine Dame so etwas nicht tat: also schwieg sie.
Früh am Freitagmorgen wurden kleine Jungen mit Stößen von Handzetteln auf die Hauptstraßen Dublins geschickt. Besondere Anreißer erschienen in allen Abendzeitungen, die das musikalische Publikum an den Genuß erinnerten, der seiner am folgenden Abend harrte. Mrs. Kearney war ein wenig beruhigt, doch hielt sie es für angezeigt, ihrem Mann einen Teil ihrer Befürchtungen mitzuteilen. Er hörte sorgfältig zu und sagte, daß es vielleicht besser wäre, wenn er sie am Samstagabend begleite. Sie fand das auch. Sie achtete ihren Mann wie etwa das General Post Office, als etwas Großes, Sicheres, Unverrückbares; und obwohl sie sich über die geringe Zahl seiner Fertigkeiten im klaren war, schätzte sie doch seinen abstrakten Wert als Mann. Sie war froh, daß er vorgeschlagen hatte, sie zu begleiten. Sie überdachte ihre Pläne.
Es kam der Abend des großen Konzerts. Mrs. Kearney traf mit Mann und Tochter eine Dreiviertelstunde vor Beginn in den Antient Concert Rooms ein. Unglücklicherweise war es ein regnerischer Abend. Mrs. Kearney übergab ihrem Mann Kleidung und Noten ihrer Tochter und suchte im ganzen Haus nach Mr. Holohan oder Mr. Fitzpatrick. Sie konnte keinen von beiden finden. Sie erkundigte sich bei den Ordnern, ob irgendein Mitglied des Komitees im Saal wäre, und mit erheblicher Mühe trieb ein Ordner eine kleine Frau namens Miss Beirne auf, der Mrs. Kearney auseinandersetzte, daß sie einen der Sekretäre zu sprechen wünsche. Miss Beirne rechnete jede Minute mit ihnen und fragte, ob sie etwas tun könne. Mrs. Kearney blickte forschend in das ältliche Gesicht, das zu einem Ausdruck der Zutraulichkeit und Begeisterung verzogen war, und antwortete:
– Nein, danke!

Die kleine Frau hoffte auf ein zahlreiches Publikum. Sie blickte in den Regen hinaus, bis die Melancholie der nassen Straße alle Zutraulichkeit und alle Begeisterung aus ihren verzogenen Zügen löschte. Dann seufzte sie leise und sagte:
– Ach ja! Wir haben weiß der liebe Himmel unser Bestes getan.
Mrs. Kearney mußte in die Garderobe zurück.
Die *artistes* trafen ein. Der Bassist und der zweite Tenor waren schon da. Der Bassist, Mr. Duggan, war ein schlanker junger Mann mit einem schütteren schwarzen Schnurrbart. Er war der Sohn eines Portiers in einem Büro in der Stadt und hatte als Junge im hallenden Vestibül lange ausgehaltene Baßtöne gesungen. Aus diesen bescheidenen Umständen hatte er sich zu einem erstklassigen *artiste* emporgearbeitet. Er war in der großen Oper aufgetreten. Als eines Abends ein Opern-*artiste* erkrankt war, hatte er die Rolle des Königs in der Oper *Maritana* im Queen's Theatre übernommen. Er sang seine Musik mit viel Gefühl und Volumen und wurde von der Galerie warm begrüßt; leider jedoch verpatzte er den guten Eindruck, als er sich aus Gedankenlosigkeit mit der behandschuhten Hand ein paarmal die Nase wischte. Er war bescheiden und sprach wenig. Er sagte *yous* statt *you* so leise, daß es niemandem auffiel, und seiner Stimme zuliebe trank er niemals etwas Schärferes als Milch. Mr. Bell, der zweite Tenor, war ein blondhaariger kleiner Mann, der jedes Jahr an den Wettbewerben der Feis Ceoil teilnahm. Beim vierten Versuch hatte er eine Bronzemedaille gewonnen. Er war äußerst nervös und äußerst eifersüchtig auf andere Tenöre, und er versteckte seine nervöse Eifersucht hinter überschäumender Freundlichkeit. Es verschaffte ihm Genugtuung, die Leute wissen zu lassen, welch eine Qual ein Konzert für ihn bedeutete. Als er Mr. Duggans ansichtig wurde, ging er darum zu ihm hinüber und fragte:
– Treten Sie hier auch auf?
– Ja, sagte Mr. Duggan.
Mr. Bell lachte seinem Leidensgenossen zu, streckte ihm die Hand entgegen und sagte:

– Reichen wir uns die Hand!
Mrs. Kearney ging an diesen beiden jungen Männern vorbei zum Rand des Wandschirms, um einen Blick in den Saal zu werfen. Die Plätze füllten sich schnell, und im Publikum rumorte es angenehm. Sie kehrte zurück und nahm ihren Mann beiseite. Ihr Gespräch drehte sich offenbar um Kathleen, denn beide blickten oft zu ihr hinüber, die sich mit einer ihrer nationalistischen Freundinnen unterhielt, Miss Healy, der Altistin. Eine unbekannte Frau mit bleichem Gesicht ging allein durch den Raum. Die Frauen verfolgten mit neugierigen Blicken das ausgeblichene blaue Kleid, das sich auf einem mageren Körper spannte. Jemand sagte, es sei Madam Glynn, die Sopranistin.
– Ich möchte wissen, wo sie die ausgegraben haben, sagte Kathleen zu Miss Healy. Ich habe bestimmt noch nie von ihr gehört.
Miss Healy mußte lächeln. Mr. Holohan hinkte in diesem Augenblick in die Garderobe, und die beiden jungen Damen fragten ihn, wer die unbekannte Frau sei. Mr. Holohan sagte, es sei Madam Glynn aus London. Madam Glynn postierte sich in einer Ecke des Raumes, hielt eine Notenrolle steif vor sich und änderte hin und wieder die Richtung ihres verschreckten Blicks. Der Schatten versteckte gnädig ihr ausgeblichenes Kleid, fiel jedoch rachsüchtig in die kleine Vertiefung hinter ihrem Schlüsselbein. Der Lärm im Saal wurde lauter. Der erste Tenor und der Bariton trafen zusammen ein. Sie waren beide gut angezogen, beleibt und selbstzufrieden und brachten einen Hauch von Wohlleben in die Gesellschaft.
Mrs. Kearney führte ihre Tochter zu ihnen hinüber und unterhielt sich liebenswürdig mit ihnen. Sie wollte auf gutem Fuß mit ihnen stehen, doch während sie sich höflich zu sein bemühte, folgten ihre Augen den hinkenden und gewundenen Wegen Mr. Holohans. Sobald sie konnte, entschuldigte sie sich und ging ihm nach.
– Mr. Holohan, ich möchte Sie einen Moment sprechen, sagte sie.
Sie gingen in eine abgelegene Ecke des Ganges. Mrs. Kearney

fragte ihn, wann ihre Tochter ihr Geld bekäme. Mr. Holohan sagte, daß Mr. Fitzpatrick dafür zuständig sei. Mrs. Kearney sagte, daß sie mit Mr. Fitzpatrick nichts zu schaffen habe. Ihre Tochter habe einen Vertrag über acht Guineen unterschrieben, und sie müßte ihr Geld bekommen. Mr. Holohan sagte, daß ihn das nichts anginge.

– Warum geht Sie das nichts an? fragte Mrs. Kearney. Haben Sie ihr nicht selber den Vertrag gebracht? Jedenfalls, wenn es Sie nichts angeht, mich geht es etwas an, und ich werde mich schon darum kümmern.

– Sie sprechen besser mit Mr. Fitzpatrick, sagte Mr. Holohan unnahbar.

– Ich habe mit Mr. Fitzpatrick nichts zu schaffen, wiederholte Mrs. Kearney. Ich habe meinen Vertrag, und ich gedenke dafür zu sorgen, daß er eingehalten wird.

Als sie in die Garderobe zurückkam, waren ihre Wangen leicht erhitzt. In dem Zimmer ging es lebhaft her. Zwei Männer im Straßenanzug hatten sich des Kamins bemächtigt und plauderten ungezwungen mit Miss Healy und dem Bariton. Es waren der Mann vom *Freeman* und Mr. O'Madden Burke. Der Mann vom *Freeman* hatte hereingeschaut, um zu sagen, daß er nicht auf das Konzert warten könne, da er über den Vortrag eines amerikanischen Priesters im Mansion House zu berichten habe. Er sagte, sie sollten den Bericht für ihn im Büro des *Freeman* abgeben, und er würde dafür sorgen, daß er mitkam. Er hatte graues Haar, eine einnehmende Stimme und sorgfältige Manieren. Er hielt eine erloschene Zigarre in der Hand, und in seinem Umkreis roch es nach Zigarren. Er hatte nicht vorgehabt, auch nur einen Augenblick zu bleiben, da Konzerte und *artistes* ihn erheblich langweilten, dennoch blieb er, an den Kaminsims gelehnt. Vor ihm stand Miss Healy, redete und lachte. Er war alt genug, einen Grund für ihre Höflichkeit zu erraten, aber im Geiste jung genug, um die Situation auszunutzen. Die Wärme, der Duft und die Farbe ihres Körpers schmeichelten seinen Sinnen. Es war für ihn ein angenehmes Bewußtsein, daß der Busen, den er unter sich

langsam auf- und abwogen sah, in diesem Augenblick für ihn auf- und abwogte, daß das Lachen und der Duft und die gezielten Blicke sein Tribut waren. Als er nicht länger bleiben konnte, verabschiedete er sich von ihr mit Bedauern.
– O'Madden Burke schreibt den Bericht, erklärte er Mr. Holohan, und ich werde sehen, daß er mitkommt.
– Haben Sie vielen Dank, Mr. Hendrick, sagte Mr. Holohan. Sie werden sehen, daß er mitkommt, ich weiß. Aber wollen Sie nicht ein Gläschen trinken, ehe Sie gehen?
– Ich hätte nichts dagegen, sagte Mr. Hendrick.
Die beiden Männer gingen ein paar gewundene Korridore entlang und eine dunkle Treppe hinauf und kamen in ein abgelegenes Zimmer, wo einer der Ordner für ein paar Herren Flaschen entkorkte. Einer dieser Herren war Mr. O'Madden Burke, den sein Instinkt in dieses Zimmer geführt hatte. Er war ein verbindlicher älterer Mann, der seinen imponierenden Körper, wenn in Ruhe, auf einen großen Seidenschirm gestützt im Gleichgewicht hielt. Sein bombastischer westlicher Name war der moralische Schirm, auf dem er das delikate Problem seiner Finanzen im Gleichgewicht hielt. Er wurde weithin geachtet.
Während Mr. Holohan den Mann vom *Freeman* bewirtete, sprach Mrs. Kearney so lebhaft mit ihrem Gatten, daß er sie bitten mußte, doch die Stimme zu senken. Die Gespräche der anderen in der Garderobe waren nicht mehr ungezwungen. Mr. Bell, die erste Nummer, stand mit seinen Noten bereit, aber die Begleiterin gab ihm kein Zeichen. Offenbar stimmte etwas nicht. Mr. Kearney blickte starr geradeaus und strich sich den Bart, während Mrs. Kearney mit gedämpftem Nachdruck in Kathleens Ohr sprach. Aus dem Saal kam aufmunternder Lärm, Klatschen und Fußgetrampel. Der erste Tenor und der Bariton und Miss Healy standen beisammen und warteten ruhig, doch Mr. Bells Nerven waren sehr gespannt, da er befürchtete, das Publikum würde meinen, er wäre zu spät gekommen.
Mr. Holohan und Mr. O'Madden Burke kamen herein. Sofort

bemerkte Mr. Holohan die eingetretene Stille. Er ging zu Mrs. Kearney hinüber und redete ernsthaft auf sie ein. Während sie miteinander sprachen, wurde der Lärm im Saal lauter. Mr. Holohan wurde sehr rot und aufgeregt. Er machte sehr viele Worte, doch Mrs. Kearney sagte nur hin und wieder knapp:
– Sie tritt nicht auf. Sie muß ihre acht Guineen kriegen.
Mr. Holohan deutete verzweifelt zum Saal, wo das Publikum klatschte und trampelte. Er appellierte an Mr. Kearney und Kathleen. Aber Mr. Kearney strich sich weiterhin den Bart, und Kathleen blickte nach unten und bewegte die Spitze ihres neuen Schuhs: ihre Schuld war es nicht. Mrs. Kearney wiederholte:
– Ohne ihr Geld tritt sie nicht auf.
Nach einem schnellen Wortgefecht humpelte Mr. Holohan eilig hinaus. Das Zimmer war still. Als die gespannte Stille ziemlich qualvoll geworden war, sagte Miss Healy zum Bariton:
– Haben Sie diese Woche Mrs. Pat Campbell gesehen?
Der Bariton hatte sie nicht gesehen, aber er hatte gehört, daß es ihr gut gehe. Das Gespräch war damit erschöpft. Der erste Tenor senkte den Kopf und begann die Glieder der Goldkette zu zählen, die sich über seinen Bauch spannte, lächelte und summte aufs Geratewohl Töne, um ihre Wirkung auf die Stirnhöhle zu beobachten. Von Zeit zu Zeit sahen sie alle zu Mrs. Kearney hinüber.
Der Lärm im Publikum war zum Tumult geworden, als Mr. Fitzpatrick ins Zimmer stürzte, gefolgt von Mr. Holohan, der keuchte. In das Geklatsche und Getrampel im Saal mischten sich vereinzelte Pfiffe. Mr. Fitzpatrick hielt ein paar Geldscheine in der Hand. Er zählte Mrs. Kearney vier in die Hand und sagte, sie würde die andere Hälfte in der Pause erhalten. Mrs. Kearney sagte:
– Das sind vier Shilling zu wenig.
Doch Kathleen raffte ihren Rock und sagte: *Auf denn, Mr. Bell* zu der ersten Nummer, die wie Espenlaub zitterte. Der Sänger und die Begleiterin gingen zusammen hinaus. Der

Lärm im Saal erstarb. Für ein paar Sekunden war alles still: und dann ließ sich das Klavier vernehmen.
Der erste Teil des Konzerts war ein großer Erfolg, abgesehen von Madam Glynns Nummer. Die gute Lady sang *Killarney* mit körperloser hauchiger Stimme, mit all jenen altmodischen Manierismen in Tonbildung und Aussprache, die ihrem Gesang ihrer Meinung nach Eleganz verliehen. Sie sah aus, als wäre sie aus einer alten Bühnengarderobe auferstanden, und die billigeren Plätze des Saales machten sich über ihre hohen wimmernden Töne lustig. Der erste Tenor und die Altistin jedoch ernteten stürmischen Applaus. Kathleen spielte eine Auswahl irischer Weisen, die freigebigen Beifall fand. Der erste Teil schloß mit einer aufwühlenden patriotischen Deklamation, vorgetragen von einer jungen Dame, die Laientheateraufführungen organisierte. Sie wurde gebührend beklatscht; und als das vorbei war, verließen die Männer für die Dauer der Pause zufrieden den Saal.
Während dieser ganzen Zeit herrschte in der Garderobe helle Aufregung. In einer Ecke standen Mr. Holohan, Mr. Fitzpatrick, Miss Beirne, zwei Ordner, der Bariton, der Bassist und Mr. O'Madden Burke. Mr. O'Madden Burke sagte, es sei der skandalöseste Auftritt, den er je erlebt habe. Miss Kathleen Kearneys musikalische Laufbahn sei in Dublin damit zu Ende, sagte er. Der Bariton wurde gefragt, was er von Mrs. Kearneys Benehmen halte. Er wollte gar nichts dazu sagen. Er hatte sein Geld bekommen und wünschte in Frieden mit den Menschen zu leben. Immerhin aber sagte er, daß Mrs. Kearney Rücksicht auf die *artistes* hätte nehmen können. Die Ordner und Sekretäre debattierten hitzig, was geschehen solle, wenn die Pause kam.
– Ich bin der gleichen Ansicht wie Miss Beirne, sagte Mr. O'Madden Burke. Zahlen Sie ihr nichts.
In einer anderen Ecke des Raumes standen Mrs. Kearney und ihr Mann, Mr. Bell, Miss Healy und die junge Dame, die das patriotische Gedicht deklamiert hatte. Mrs. Kearney sagte, das Komitee habe sie skandalös behandelt. Sie habe

weder Mühe noch Unkosten gescheut, und so zahle man es ihr zurück.
Man meinte wohl, man hätte es nur mit einem Mädchen zu tun und könnte darum derartig mit ihr umspringen. Aber sie würde ihnen zeigen, daß sie sich geirrt hatten. Sie hätten nicht gewagt, sie so zu behandeln, wenn sie ein Mann gewesen wäre. Aber sie würde schon dafür sorgen, daß ihre Tochter zu ihrem Recht kam: sie ließe sich nicht für dumm verkaufen. Wenn man sie nicht bis auf den letzten Heller bezahlte, würde sie's in ganz Dublin an die große Glocke hängen. Natürlich tue es ihr um der *artistes* willen leid. Aber was bleibe ihr sonst übrig? Sie appellierte an den zweiten Tenor, der sagte, er finde, man habe sie nicht gut behandelt. Dann appellierte sie an Miss Healy. Miss Healy hätte sich lieber der anderen Gruppe angeschlossen, mochte es aber nicht tun, weil sie mit Kathleen eng befreundet war und die Kearneys sie oft zu sich nach Hause eingeladen hatten.
Sobald der erste Teil zu Ende war, gingen Mr. Fitzpatrick und Mr. Holohan zu Mrs. Kearney hinüber und sagten ihr, daß die restlichen vier Guineen nach der Komiteesitzung am kommenden Dienstag ausgezahlt würden und daß das Komitee den Vertrag als gebrochen ansehen und gar nichts zahlen werde, falls ihre Tochter im zweiten Teil nicht spiele.
– Ich habe nichts von einem Komitee gesehen, sagte Mrs. Kearney zornig. Meine Tochter hat ihren Vertrag. Sie kriegt ihre vier Pfund acht auf die Hand, oder sie setzt Ihnen keinen Fuß aufs Podium.
– Ich muß mich über Sie wundern, Mrs. Kearney, sagte Mr. Holohan. Ich hätte nie gedacht, daß Sie uns so behandeln würden.
– Und wie haben Sie mich behandelt? fragte Mrs. Kearney.
Ihr Gesicht war von Zornesröte überzogen, und sie sah aus, als würde sie jemanden tätlich angreifen.
– Ich verlange mein Recht, sagte sie.
– Sie könnten ein bißchen Gefühl für Anstand haben, sagte Mr. Holohan.

– Könnte ich das, ja? ... Und wenn ich frage, wann meine Tochter ihr Geld kriegt, bekomme ich keine gebührliche Antwort.
Sie warf ihren Kopf zurück und sagte mit hochmütiger Stimme:
– Sie müssen mit dem Sekretär sprechen. Es geht mich nichts an. Ich bin ein doller Kerl, fidiralala.
– Ich hatte Sie für eine Dame gehalten, sagte Mr. Holohan und ging brüsk davon.
Danach wurde Mrs. Kearneys Verhalten allseits verurteilt: jedermann billigte das Vorgehen des Komitees. Sie stand außer sich vor Wut an der Tür und debattierte und gestikulierte mit ihrem Mann und ihrer Tochter. Sie wartete, bis es Zeit war für den Beginn des zweiten Teils, in der Hoffnung, daß die Sekretäre doch noch an sie herantreten würden. Doch Miss Healy hatte sich freundlicherweise bereit erklärt, ein paar Begleitungen zu übernehmen. Mrs. Kearney mußte beiseite treten, um den Bariton und seine Begleiterin aufs Podium hinaufzulassen. Sie stand einen Augenblick still wie ein zorniges steinernes Bild, und als die ersten Töne des Liedes ihr Ohr erreichten, griff sie das Cape ihrer Tochter und sagte zu ihrem Mann:
– Hol eine Droschke!
Er ging auf der Stelle hinaus. Mrs. Kearney legte ihrer Tochter das Cape um und folgte ihm. Als sie durch die Tür ging, blieb sie stehen und starrte Mr. Holohan ins Gesicht.
– Mit Ihnen bin ich noch nicht fertig, sagte sie.
– Aber ich mit Ihnen, sagte Mr. Holohan.
Kathleen folgte ihrer Mutter unterwürfig. Mr. Holohan begann im Zimmer hin und her zu gehen, um sich Kühlung zu verschaffen, denn er hatte das Gefühl, daß seine Haut in Flammen stand.
– Das ist eine nette Dame! sagte er. Na, die ist eine nette Dame!
– Sie haben das einzig Richtige gemacht, Holohan, sagte Mr. O'Madden Burke, zustimmend sein Gewicht auf seinem Schirm balancierend.

Gnade

Zwei Herren, die gerade in der Toilette waren, versuchten ihn aufzurichten: doch er war völlig hilflos. Er lag zusammengerollt unten an der Treppe, die er hinuntergestürzt war. Es gelang ihnen, ihn umzudrehen. Sein Hut war ein paar Meter weit gerollt, und seine Kleidung war besudelt von dem Dreck und der Schmiere des Fußbodens, auf dem er gelegen hatte, Gesicht nach unten. Seine Augen waren geschlossen, und sein Atem machte ein grunzendes Geräusch. Ein dünnes Blutrinnsal sickerte ihm aus dem Mundwinkel.

Diese beiden Herren und einer der ›Kuraten‹ trugen ihn die Treppe hinauf und legten ihn auf den Fußboden der Kneipe wieder hin. Nach zwei Minuten war er von einem Kreis von Männern umringt. Der Geschäftsführer der Kneipe fragte alle, wer er wäre und wer mit ihm zusammen sei. Keiner wußte, wer er war, aber einer der ›Kuraten‹ sagte, er habe dem Herrn einen kleinen Rum gebracht.

– War er allein? fragte der Geschäftsführer.

– Nein, Sir. Da waren zwei Herren bei ihm.

– Und wo sind sie?

Keiner wußte es; eine Stimme sagte:

– Er muß Luft kriegen. Er ist ohnmächtig.

Der Zuschauerkreis weitete sich und schloß sich dann elastisch wieder. Eine dunkle Blutmedaille hatte sich auf dem Mosaikboden neben dem Kopf des Mannes gebildet. Beunruhigt von der grauen Blässe des Gesichts, schickte der Geschäftsführer nach einem Polizisten.

Sein Kragen wurde geöffnet und seine Krawatte aufgebunden. Er öffnete einen Moment lang die Augen, seufzte und schloß sie wieder. Einer der Herren, die ihn nach oben getragen hatten, hielt einen verbeulten Zylinder in der Hand. Der Geschäftsführer fragte wiederholt, ob niemand wisse, wer der Verletzte sei oder wo seine Freunde abgeblieben wären. Die Tür der Kneipe ging auf, und ein riesiger Konstabler trat ein.

Eine Menge, die ihm die Gasse hinunter gefolgt war, sammelte sich vor der Tür und bemühte sich, durch die Glasscheiben hineinzuspähen.
Der Geschäftsführer berichtete sofort, was er wußte. Der Konstabler, ein junger Mann mit breiten unbeweglichen Gesichtszügen, hörte zu. Langsam bewegte er den Kopf nach rechts und nach links und vom Geschäftsführer zu der Person auf dem Boden, als fürchte er, Opfer einer Sinnestäuschung zu werden. Dann zog er seinen Handschuh aus, holte ein kleines Buch aus seiner Weste, leckte an der Mine seines Stiftes und schickte sich an, ein Protokoll aufzunehmen. In argwöhnischem Provinzdialekt fragte er:
– Wer ist der Mann? Wie heißt er und wo wohnt er?
Ein junger Mann im Radfahrerkostüm bahnte sich den Weg durch den Kreis der Umstehenden. Er kniete sofort bei dem Verletzten nieder und verlangte Wasser. Der Konstabler kniete ebenfalls nieder, um Hilfe zu leisten. Der junge Mann wusch das Blut vom Mund des Verletzten und verlangte dann Branntwein. Der Konstabler wiederholte die Aufforderung mit gebieterischer Stimme, bis ein ›Kurat‹ mit dem Glas herbeigelaufen kam. Der Branntwein wurde dem Mann gewaltsam eingeflößt. Nach ein paar Sekunden öffnete er die Augen und blickte um sich. Er erblickte den Kreis der Gesichter, begriff und bemühte sich aufzustehen.
– Geht's wieder einigermaßen? fragte der junge Mann im Radfahrerkostüm.
– Pah, ith' nichth wei'er, sagte der Verletzte und versuchte aufzustehen.
Man half ihm auf die Füße. Der Geschäftsführer sagte etwas von einem Krankenhaus, und einige der Umstehenden gaben Ratschläge. Der verbeulte Zylinder wurde dem Mann auf den Kopf gesetzt. Der Konstabler fragte:
– Wo wohnen Sie?
Ohne zu antworten, begann der Mann die Schnurrbartspitzen zu zwirbeln. Er verharmloste seinen Unfall. Es wäre nichts weiter, sagte er: nur ein kleiner Unfall. Er sprach mit dicker Zunge.

– Wo wohnen Sie? wiederholte der Konstabler.
Der Mann sagte, man solle ihm eine Droschke besorgen. Während die Sache debattiert wurde, kam ein großer lebhafter Herr von heller Hautfarbe und mit einem langen gelben Ulster aus dem entgegengesetzten Teil der Kneipe herüber. Beim Anblick der Szene rief er:
– He, Tom, Alter! Was fehlt Ihnen denn?
– Pah, nichth wei'er, sagte der Mann.
Der Neuankömmling musterte die jammervolle Gestalt vor sich, wandte sich dann an den Konstabler und sagte:
– Es ist schon gut, Konstabler. Ich bring ihn nach Hause.
Der Konstabler hob die Hand an den Helm und antwortete:
– In Ordnung, Mr. Power!
– Kommen Sie, Tom, sagte Mr. Power und faßte seinen Freund am Arm. Knochen alle heil. Was? Können Sie gehn?
Der junge Mann im Radfahrerkostüm faßte den Mann am anderen Arm, und die Menge teilte sich.
– Wie sind Sie denn bloß in diesen Schlamassel geraten? fragte Mr. Power.
– Der Herr ist die Treppe runtergefallen, sagte der junge Mann.
– Ich bin Ihn' thehr 'ankbar, Thir, sagte der Verletzte.
– Keine Ursache.
– Wolln wir nich 'n Gläthchen . . .?
– Jetzt nicht. Jetzt nicht.
Die drei Männer verließen die Kneipe, und die Menge rieselte durch die Türen auf die Gasse. Der Geschäftsführer ging mit dem Konstabler zur Treppe, um den Ort des Unfalls in Augenschein zu nehmen. Sie gelangten beide zu der Ansicht, daß der Herr den Halt verloren haben müsse. Die Kunden kehrten an den Tresen zurück, und ein ›Kurat‹ machte sich daran, die Blutspuren am Boden aufzuwischen.
Als sie in die Grafton Street hinauskamen, pfiff Mr. Power eine Pferdedroschke herbei. Der Verletzte sagte so gut es ging wieder:
– Ich bin Ihn' ther 'ankbar, Thir. Hoffen'lich thehn wir unth bal' wie'er. Mei' Name ith Kernan.

Der Schreck und die einsetzenden Schmerzen hatten ihn teilweise nüchtern gemacht.
– Nicht der Rede wert, sagte der junge Mann.
Sie reichten sich die Hand. Mr. Kernan wurde auf den Wagen gehievt, und während Mr. Power dem Droschkenkutscher Anweisungen gab, drückte er dem jungen Mann seinen Dank aus und bedauerte, daß sie nicht doch ein Gläschen zusammen trinken könnten.
– Ein andermal, sagte der junge Mann.
Der Wagen fuhr in Richtung Westmoreland Street davon. Als er am Ballast Office vorbeikam, zeigte die Uhr halb zehn. Ein scharfer Ostwind traf sie von der Flußmündung her. Mr. Kernan kauerte sich vor Kälte zusammen. Sein Freund bat ihn, zu erzählen, wie der Unfall passiert sei.
– Ich kann nich', Mensch, antwortete er, meine Thunge ith verletht.
– Zeigen Sie mal.
Der andere beugte sich von seinem Sitz herüber und guckte Mr. Kernan in den Mund, konnte jedoch nichts erkennen. Er entzündete ein Streichholz, hielt es geschützt in den hohlen Händen und guckte noch einmal in den Mund, den Mr. Kernan gehorsam aufmachte. Das Schwanken des Wagens brachte das Streichholz dem offenen Mund bald näher, bald ferner. Die unteren Zähne und das Zahnfleisch waren mit geronnenem Blut bedeckt, und ein winziges Stück der Zunge schien abgebissen zu sein. Das Streichholz wurde ausgeblasen.
– Sieht häßlich aus, sagte Mr. Power.
– Pah, nichth' wei'er, sagte Mr. Kernan, machte den Mund zu und zog sich den Kragen seines dreckigen Mantels über den Hals.
Mr. Kernan war ein Handlungsreisender der alten Schule, die an die Würde ihres Berufes glaubte. In der Stadt war er nie ohne Gamaschen und einen einigermaßen anständigen Zylinder gesehen worden. Mit diesen beiden Kleidungsstücken begnadet, sagte er, könne ein Mann immer bestehen. Er setzte die Tradition seines Napoleon fort, des großen Blackwhite,

dessen Erinnerung er bisweilen durch Legende und Mimikry heraufbeschwor. Moderne Geschäftsmethoden hatten ihn nur insoweit verschont, als sie ihm ein kleines Büro in der Crowe Street erlaubt hatten, auf dessen Fensterladen der Name seiner Firma nebst der Adresse stand – London, E. C. Auf dem Kaminsims dieses kleinen Büros war ein kleines Bleibüchsenbataillon aufgereiht, und auf dem Tisch vor dem Fenster standen vier oder fünf Porzellanschalen, die gewöhnlich halb voll waren von einer schwarzen Flüssigkeit. Aus diesen Schalen kostete Mr. Kernan Tee. Er nahm einen Mundvoll, zog ihn hoch, sättigte den Gaumen damit und spuckte ihn dann in den Kamin. Dann hielt er inne, um sein Urteil zu fällen.

Mr. Power, ein viel jüngerer Mann, war im Royal Irish Constabulary Office in Dublins Castle angestellt. Der Bogen seines gesellschaftlichen Aufstiegs schnitt den Bogen des Abstiegs seines Freundes, doch Mr. Kernans Abstieg wurde durch den Umstand gemildert, daß einige jener Freunde, die ihn im Zenit seines Erfolges gekannt hatten, ihn als Persönlichkeit immer noch schätzten. Mr. Power war einer dieser Freunde. Seine unerklärlichen Schulden waren in seinem Kreis sprichwörtlich; er war ein liebenswürdiger junger Mann.

Der Wagen hielt vor einem kleinen Haus in der Glasnevin Road, und man half Mr. Kernan hinein. Seine Frau brachte ihn ins Bett, während Mr. Power unten in der Küche saß und die Kinder fragte, wo sie zur Schule gingen und bei welchem Buch sie gerade wären. Die Kinder, zwei Mädchen und ein Junge, der Hilflosigkeit ihres Vaters und der Abwesenheit ihrer Mutter bewußt, begannen mit ihm herumzualbern. Ihr Betragen und ihre Aussprache überraschten ihn, und seine Stirn wurde nachdenklich. Nach einer Weile kam Mrs. Kernan in die Küche und rief:

– Was muß man erleben! Eines Tages bringt er sich noch um, Himmelherrgottnochmal. Er trinkt jetzt schon seit Freitag.

Mr. Power bemühte sich, ihr zu erklären, daß ihn keine Schuld treffe, daß er durch reinsten Zufall hinzugekommen sei. In Erinnerung an Mr. Powers gute Dienste während häuslicher

Streitigkeiten und viele kleine, aber gelegen kommende Darlehen sagte Mrs. Kernan:
– Ach, das brauchen Sie mir doch nicht zu sagen, Mr. Power. Ich weiß, Sie sind ein Freund von ihm, nicht so einer wie ein paar von den andern, mit denen er sich rumtreiben tut. Die sind ja in Ordnung, solang er Geld in der Tasche hat, um Frau und Familie zu Haus sitzen zu lassen. Schöne Freunde! Ich möchte mal wissen, mit wem er heut abend zusammen war.
Mr. Power schüttelte den Kopf, sagte jedoch nichts.
– Es tut mir leid, fuhr sie fort, daß ich nichts da hab, was ich Ihnen anbieten kann. Aber wenn Sie eine Minute warten, schick ich zu Fogarty um die Ecke.
Mr. Power erhob sich.
– Wir haben gewartet, daß er mit dem Geld nach Haus kommt. Es scheint ihm nie in den Kopf zu kommen, daß er überhaupt ein Zuhaus hat.
– Nun ja, Mrs. Kernan, sagte Mr. Power, wir werden dafür sorgen, daß er eine neue Seite aufschlägt. Ich spreche mit Martin. Er ist der Richtige dafür. Wir kommen abends einmal vorbei und bereden die Sache.
Sie brachte ihn zur Tür. Der Kutscher stampfte den Gehsteig auf und ab und schwang die Arme, um sich zu wärmen.
– Es war sehr nett von Ihnen, ihn nach Haus zu bringen, sagte sie.
– Gern geschehn, sagte Mr. Power.
Er kletterte auf den Wagen. Beim Anfahren grüßte er noch einmal, indem er fröhlich den Hut lüftete.
– Wir machen einen neuen Menschen aus ihm, sagte er. Gute Nacht, Mrs. Kernan.

. . . .

Mrs. Kernans verdutzte Augen folgten dem Wagen, bis er außer Sicht war. Dann wandte sie sie ab, ging in das Haus und leerte die Taschen ihres Mannes.
Sie war eine rührige, praktische Frau im mittleren Alter. Vor noch nicht langer Zeit hatte sie ihre Silberhochzeit gefeiert und

die Intimität mit ihrem Mann erneuert, indem sie mit ihm zu Mr. Powers Begleitung Walzer tanzte. In ihren Brauttagen war ihr Mr. Kernan als eine nicht ungalante Gestalt erschienen: und immer noch eilte sie an die Kirchentür, wenn sie von einer Hochzeit hörte, und erinnerte sich beim Anblick des Brautpaars mit lebhaftem Vergnügen, wie sie selber aus der Star of the Sea Church in Sandymount geschritten war, auf den Arm eines aufgeräumten gutgenährten Mannes gestützt, der einen schicken Frack und lavendelfarbene Hosen anhatte und auf dem anderen Arm elegant einen Zylinder balancierte. Nach drei Wochen hatte sie das Leben einer Ehefrau beschwerlich gefunden, und später, als sie es allmählich unerträglich fand, war sie Mutter geworden. Die Mutterrolle bereitete ihr keine unüberwindlichen Schwierigkeiten, und fünfundzwanzig Jahre lang hatte sie ihrem Mann mit Weiberlist den Haushalt geführt. Ihre beiden ältesten Söhne waren lanciert. Einer arbeitete in einer Textilhandlung in Glasgow, und der andere war Schreiber bei einem Teehändler in Belfast. Es waren gute Söhne, sie schrieben regelmäßig und schickten manchmal Geld nach Hause. Die anderen Kinder gingen noch zur Schule.

Mr. Kernan schickte am folgenden Tag einen Brief ins Büro und blieb im Bett. Sie machte ihm eine Bouillon und zankte ihn gründlich aus. Sie nahm seine häufigen Trinkereien hin, als wären sie ein Bestandteil des Wetters, brachte ihn pflichtschuldig wieder auf die Beine, wann immer er darniederlag, und versuchte ihn stets zu bewegen, sein Frühstück zu essen. Es gab schlimmere Ehemänner. Seit die Jungen erwachsen waren, hatte er nie wieder getobt und geschlagen, und sie wußte, er würde zu Fuß bis zum Ende der Thomas Street und wieder zurück gehen, um auch nur eine kleine Bestellung hereinzubringen.

Zwei Abende später besuchten ihn seine Freunde. Sie führte sie in sein Schlafzimmer hinauf, dessen Luft von einem persönlichen Geruch durchdrungen war, und ließ sie sich an den Kamin setzen. Mr. Kernans Zunge, deren gelegentlicher stechender Schmerz ihn den Tag über ein wenig reizbar gemacht hatte, wurde höflicher. Er saß, von Kissen gestützt, aufgerichtet im Bett, und die etwas erhöhte Farbe seiner angeschwollenen Wangen gab ihnen das Aussehen warmer Aschenglut. Er bat seine Gäste, die Unordnung in seinem Zimmer zu entschuldigen, blickte sie aber gleichzeitig ein wenig stolz an, mit dem Stolz eines Veteranen.

Es kam ihm nicht in den Sinn, daß er das Opfer eines Komplotts war, welches seine Freunde, Mr. Cunningham, Mr. M'Coy und Mr. Power, Mrs. Kernan im Wohnzimmer enthüllt hatten. Die Idee hatte Mr. Power gehabt, aber die Ausführung war Mr. Cunningham anvertraut worden. Mr. Kernan war protestantischer Abstammung, und obwohl er zur Zeit seiner Heirat zum katholischen Glauben konvertiert war, hatte er sich zwanzig Jahre lang dem Schoße der Kirche ferngehalten. Darüberhinaus stichelte er gerne gegen den Katholizismus.

Mr. Cunningham war für einen solchen Fall genau der Richtige. Er war ein älterer Kollege von Mr. Power. Sein eigenes häusliches Leben war nicht sehr glücklich. Die Leute hatten großes Mitleid mit ihm, denn es war bekannt, daß er eine nicht vorzeigbare Frau geheiratet hatte, die eine unheilbare Trinkerin war. Sechsmal hatte er ihr den Haushalt eingerichtet; und jedesmal hatte sie ihm die Möbel versetzt.

Alle hatten sie vor dem armen Martin Cunningham Respekt. Er war ein durch und durch vernünftiger Mann, einflußreich und intelligent. Seine schneidende Menschenkenntnis, ein natürlicher Scharfsinn, der durch langen Umgang mit Fällen in den Polizeigerichten noch spezifischer geworden war, war durch kurzes Eintauchen in die Wasser allgemeiner Philosophie gemildert worden. Er kannte sich aus. Seine Freunde beugten sich seinen Meinungen und waren der Ansicht, sein Gesicht gliche dem Shakespeares.

Als ihr das Komplott enthüllt worden war, hatte Mrs. Kernan gesagt:

– Ich lege es alles in Ihre Hände, Mr. Cunningham.

Nach einem Vierteljahrhundert Eheleben waren ihr sehr wenige Illusionen verblieben. Religion war für sie eine Gewohnheit, und sie vermutete, daß ein Mann im Alter ihres Gatten sich vor dem Tod nicht mehr beträchtlich ändern würde. Sie war versucht, seinen Unfall sonderbar passend zu finden, und nur, weil sie nicht blutrünstig erscheinen wollte, sagte sie den Herren nicht, daß es Mr. Kernans Zunge nicht schade, wenn sie ein Stück kürzer wäre. Jedoch war Mr. Cunningham ein tüchtiger Mann; und Religion war Religion. Der Plan könnte ja etwas nützen, und zumindest konnte er nicht schaden. Ihre Glaubensinhalte waren nicht extravagant. Sie glaubte fest ans Herz Jesu als an den am allgemeinsten nützlichen aller katholischen Andachtsgegenstände und billigte die Sakramente. Ihr Glaube wurde durch ihre Küche begrenzt, aber wenn man es von ihr verlangte, konnte sie auch an die irische Todesfee und an den Heiligen Geist glauben.

Die Herren begannen über den Unfall zu sprechen. Mr. Cunningham sagte, er habe einmal von einem ähnlichen Fall gehört. Ein Siebzigjähriger habe sich einmal während eines epileptischen Anfalls ein Stück seiner Zunge abgebissen, und das Stück sei wieder nachgewachsen, so daß niemand irgendeine Spur des Bisses wahrnehmen konnte.

– Na, ich bin nicht siebzig, sagte der Invalide.

– Gott behüte, sagte Mr. Cunningham.

– Es tut doch jetzt nicht mehr weh? fragte Mr. M'Coy.

Mr. M'Coy war einst ein Tenor von einigem Ansehen gewesen. Seine Frau, früher Sopranistin, gab immer noch kleinen Kindern Klavierstunden zu niedrigem Preis. Seine Lebenslinie hatte nicht eben die kürzeste Verbindung zwischen zwei Punkten gebildet, und zeitweise hatte er sich mit List und Tücke durchschlagen müssen. Er war Angestellter bei der Midland-Eisenbahn gewesen, Anzeigenacquisiteur für *The Irish Times* und *The Freeman's Journal*, Stadtreisender auf Kommissionsbasis für eine Kohlenfirma, Privatdetektiv, Schreiber im Büro des Sub-Sheriff, und unlängst war er Sekretär des City Coroner geworden. Seine neue Tätigkeit ließ ihn sich beruflich für Mr. Kernans Fall interessieren.

– Weh tun? Nicht sehr, antwortete Mr. Kernan. Aber mir ist so scheußlich. Ich fühle mich kotzelend.

– Das ist der Schnaps, sagte Mr. Cunningham fest.
– Nein, sagte Mr. Kernan. Ich glaube, ich hab mir auf dem Wagen eine Erkältung geholt. Irgend etwas kommt mir immer in die Kehle, Schleim oder –
– Mucus, sagte Mr. M'Coy.
– Es kommt immer wie von unten in meine Kehle; scheußlich.
– Ja, ja, sagte Mr. M'Coy, das ist der Thorax.
Er blickte Mr. Cunningham und Mr. Power gleichzeitig herausfordernd an. Mr. Cunningham nickte schnell mit dem Kopf, und Mr. Power sagte:
– Nun, Ende gut, alles gut.
– Ich bin Ihnen sehr verbunden, mein Alter, sagte der Invalide.
Mr. Power machte eine wegwerfende Handbewegung.
– Diese beiden anderen, mit denen ich zusammen war –
– Wer war es denn? fragte Mr. Cunningham.
– Ein Mann. Ich weiß nicht, wie er heißt. Verdammt, wie hieß er bloß? So ein Kleiner mit rotblonden Haaren ...
– Und wer noch?
– Harford.
– Hm, sagte Mr. Cunningham.
Wenn Mr. Cunningham diese Bemerkung machte, schwiegen die Leute. Es war bekannt, daß der Sprecher geheime Informationsquellen hatte. In diesem Fall verfolgte die eine Silbe einen moralischen Zweck. Mr. Harford gehörte manchmal einem kleinen Kommando an, das die Stadt sonntags kurz nach Mittag verließ, und zwar mit dem Ziel, baldmöglichst in einem Wirtshaus der Außenbezirke der Stadt anzukommen, wo sich seine Mitglieder ordnungsgemäß als *bona-fide*-Reisende auswiesen. Seine Reisegenossen indessen hatten sich nie bereitgefunden, seine Herkunft zu übersehen. Er hatte sein Leben als obskurer Financier begonnen, indem er Arbeitern kleine Beträge zu Wucherzinsen lieh. Später war er Partner eines sehr dicken kleinen Herrn geworden, Mr. Goldberg von der Liffey Loan Bank. Obwohl er niemals mehr als gerade dem jüdischen Moralkodex angehangen hatte, sprachen seine ka-

tholischen Glaubensbrüder von ihm bitter als einem irischen Juden und Analphabeten, wann immer sie durch ihn oder einen Beauftragten unter seinen Forderungen zu leiden hatten, und sahen die göttliche Mißbilligung des Wuchers in der Person seines schwachsinnigen Sohnes offenbart. Zu anderen Zeiten erinnerten sie sich seiner guten Seiten.
– Ich möchte wissen, wo er abgeblieben ist, sagte Mr. Kernan.
Er wünschte die Einzelheiten des Vorfalls im dunkeln zu lassen. Er wünschte seine Freunde in dem Glauben zu wiegen, es hätte irgendein Versehen gegeben, Mr. Harford und er hätten einander verfehlt. Seine Freunde, die sich in Mr. Harfords Trinkgewohnheiten durchaus auskannten, schwiegen. Mr. Power sagte noch einmal:
– Ende gut, alles gut.
Mr. Kernan wechselte sofort das Thema.
– Das war ein anständiger junger Mann, dieser Mediziner, sagte er. Wenn er nicht dazugekommen wäre –
– Tja, wenn er nicht dazugekommen wäre, sagte Mr. Power, wären leicht sieben Tage drin gewesen, und nicht etwa wahlweise Geldstrafe.
– Ja, ja, sagte Mr. Kernan und versuchte, sich zu erinnern. Ich erinnere mich jetzt, daß ein Polizist da war. Ein anständiger junger Kerl, schien mir. Wie ist das überhaupt passiert?
– Was passiert ist, ist, daß Sie stockblau waren, Tom, sagte Mr. Cunningham ernst.
– Ein wahres Wort, sagte Mr. Kernan ebenso ernst.
– Ich nehme an, Sie haben den Konstabler geschmiert, Jack, sagte Mr. M'Coy.
Mr. Power schätzte es nicht, mit dem Vornamen angeredet zu werden. Er war nicht zugeknöpft, aber er konnte nicht vergessen, daß Mr. M'Coy unlängst einen Kreuzzug unternommen hatte, um Reisetaschen und Koffer aufzutreiben, damit Mrs. M'Coy imaginären Engagements auf dem Lande nachkommen könne. Die Abgeschmacktheit des Spiels brachte ihn mehr auf als die Tatsache, daß er sein Opfer geworden war. Er beantwortete die Frage darum so, als hätte Mr. Kernan sie gestellt.

Der Bericht empörte Mr. Kernan. Er war sich seiner bürgerlichen Pflichten durchaus bewußt, wünschte mit seiner Stadt unter wechselseitig ehrbaren Bedingungen auszukommen, und jeder Affront durch jemand, den er Knollfink nannte, brachte ihn auf.
– Bezahlen wir dafür Steuern? fragte er. Damit diese Blödhammel etwas zu essen und anzuziehen haben ... und weiter sind sie doch nichts.
Mr. Cunningham lachte. Er war nur während der Dienststunden Beamter des Castle.
– Wie sollten sie auch etwas anderes sein, Tom? fragte er.
Er verfiel in breiten Provinzdialekt und sagte befehlend:
– 65, fang dein' Kohl!
Alle lachten. Mr. M'Coy, der durch egal welche Tür Eingang in das Gespräch finden wollte, tat, als hätte er die Geschichte noch nie gehört. Mr. Cunningham sagte:
– So soll es in dem Depot zugehen – jedenfalls heißt es so, nicht –, wo sie diese Riesenkerle vom Land drillen, diese Rindsviecher, nicht. Der Sergeant läßt sie sich in einer Reihe an der Wand aufpflanzen und die Teller hochhalten. Er illustrierte die Geschichte mit grotesken Gesten.
– Beim Essen, nicht. Dann hat er ein Mordsding von einer Schüssel mit Kohl vor sich auf dem Tisch und ein Mordsding von einer Kelle, wie eine Schaufel. Er nimmt eine Ladung Kohl auf die Kelle und pfeffert sie quer durch den Raum, und die armen Teufel müssen versuchen, sie auf ihren Tellern zu fangen: *65, fang dein' Kohl.*
Alle lachten von neuem: aber Mr. Kernan war immer noch etwas empört. Er redete davon, einen Brief an die Zeitungen zu schreiben.
– Diese Yahoos, die hierher kommen, sagte er, denken, sie können die Leute herumkommandieren. Ich brauche Ihnen nicht zu sagen, Martin, was das für Männer sind.
Mr. Cunningham ließ bedingtes Einverständnis erkennen.
– Es ist wie alles auf dieser Welt, sagte er. Es gibt Schlechte darunter, und es gibt auch Gute.

– O ja, es gibt auch Gute, das gebe ich zu, sagte Mr. Kernan befriedigt.
– Es ist besser, man hat nichts mit ihnen zu tun, sagte Mr. M'Coy. Meine ich!
Mrs. Kernan kam herein, stellte ein Tablett auf den Tisch und sagte:
– Bedienen Sie sich, meine Herren.
Mr. Power stand auf, um seines Amtes zu walten, und bot ihr seinen Stuhl an. Sie lehnte ab, da sie unten am Bügeln wäre, und nachdem sie Mr. Cunningham hinter Mr. Powers Rücken zugenickt hatte, wollte sie das Zimmer wieder verlassen. Ihr Mann rief ihr zu:
– Und für mich hast du nichts, Schatzi?
– Ach geh! du kannst eine hinter die Ohren kriegen! sagte Mrs. Kernan schnippisch.
Ihr Mann rief ihr nach:
– Nichts für den armen kleinen Olschen!
Er verstellte Gesicht und Stimme so komisch, daß die Verteilung der Stout-Flaschen unter allgemeiner Heiterkeit vor sich ging.
Die Herren tranken aus ihren Gläsern, stellten die Gläser zurück auf den Tisch und schwiegen. Dann wandte sich Mr. Cunningham an Mr. Power und sagte beiläufig:
– Also Donnerstag abend, haben Sie gesagt, Jack?
– Donnerstag, ja, sagte Mr. Power.
– In Ordnung! sagte Mr. Cunningham prompt.
– Wir können uns bei M'Auley treffen, sagte Mr. M'Coy. Das wird das Günstigste sein.
– Aber wir dürfen nicht zu spät kommen, sagte Mr. Power ernst, denn es wird bestimmt proppenvoll.
– Wir können uns um halb sieben treffen, sagte Mr. M'Coy.
– In Ordnung! sagte Mr. Cunningham.
– Also dann um halb sieben bei M'Auley!
Es trat ein kurzes Schweigen ein. Mr. Kernan wartete, ob er ins Vertrauen seiner Freunde gezogen werden würde. Dann erkundigte er sich:

– Was ist denn im Busch?
– Ach, nichts weiter, sagte Mr. Cunningham. Es ist nur eine kleine Angelegenheit, die wir für Donnerstag planen.
– Die Oper, was? fragte Mr. Kernan.
– Nein, nein, sagte Mr. Cunningham in ausweichendem Ton, es ist nur eine kleine . . . geistliche Angelegenheit.
– Achso, sagte Mr. Kernan.
Wieder trat ein Schweigen ein. Dann sagte Mr. Power unumwunden:
– Um Ihnen die Wahrheit zu sagen, Tom, wir wollen einen Bußgottesdienst mitmachen.
– Ja, so ist's, sagte Mr. Cunningham, Jack und ich und M'Coy hier – wir wollen mal richtig reinen Tisch machen.
Er brachte die Metapher mit einer gewissen schlichten Energie heraus und fuhr von seiner eigenen Stimme ermutigt fort:
– Nämlich, wir können ruhig zugeben, daß wir eine ganz schöne Bande von Lumpenhunden sind, einer wie der andere. Ich sage, einer wie der andere, fügte er mit barscher Barmherzigkeit hinzu und wandte sich an Mr. Power. Geben Sie's zu!
– Ich geb's zu, sagte Mr. Power.
– Ich geb's auch zu, sagte Mr. M'Coy.
– Also machen wir mal alle zusammen reinen Tisch, sagte Mr. Cunningham.
Auf einmal schien ihm ein Einfall zu kommen. Er wandte sich plötzlich an den Invaliden und sagte:
– Wissen Sie, was mir gerade durch den Kopf gegangen ist, Tom? Sie könnten mitmachen, und dann tanzen wir da zu viert an.
– Gute Idee, sagte Mr. Power. Wir vier zusammen.
Mr. Kernan schwieg. Er wußte mit dem Vorschlag sehr wenig anzufangen, aber da er begriff, daß irgendwelche geistlichen Instanzen im Begriff standen, sich seinetwegen zu bemühen, meinte er, er sei es seiner Würde schuldig, sich halsstarrig zu zeigen. Eine ganze Weile nahm er an der Unterhaltung nicht teil, sondern hörte mit einem Ausdruck ruhiger Feindseligkeit zu, wie seine Freunde über die Jesuiten diskutierten.

– Ich denke gar nicht so schlecht von den Jesuiten, sagte er, als er sich schließlich doch einmischte. Sie sind ein gebildeter Orden. Ich glaube, sie meinen es auch gut.
– Sie sind der glorreichste Orden der Kirche, Tom, sagte Mr. Cunningham begeistert. Der Jesuitengeneral kommt gleich nach dem Papst.
– Das steht absolut fest, sagte Mr. M'Coy, wenn man gute Arbeit verlangt und keine Scherereien, dann muß man zu einem Jesuiten gehen. Das sind die Jungs, die Einfluß haben. Ich will Ihnen mal einen Fall erzählen ...
– Die Jesuiten sind ein tadelloser Verein, sagte Mr. Power.
– Das ist eine seltsame Sache, sagte Mr. Cunningham, mit dem Jesuitenorden. Jeder andere Kirchenorden mußte irgendwann einmal erneuert werden, aber der Jesuitenorden wurde kein einziges Mal erneuert. Er ist niemals abtrünnig geworden.
– Wirklich? fragte Mr. M'Coy.
– Das stimmt, sagte Mr. Cunningham. Das ist historisch.
– Man braucht sich nur ihre Kirche anzusehen, sagte Mr. Power. Oder die Gemeinde, die sie haben.
– Die Jesuiten versorgen die Oberschicht, sagte Mr. M'Coy.
– Natürlich, sagte Mr. Power.
– Ja, sagte Mr. Kernan. Drum habe ich etwas für sie übrig. Manche von diesen Weltgeistlichen dagegen, diesen unwissenden, aufgeblasenen –
– Es sind alles rechtschaffene Männer, sagte Mr. Cunningham, jeder auf seine Weise. Die irische Priesterschaft wird in der ganzen Welt hoch geachtet.
– Allerdings, sagte Mr. Power.
– Nicht wie manche andere Priesterschaft auf dem Kontinent, sagte Mr. M'Coy, die den Namen nicht verdient.
– Vielleicht haben Sie recht, sagte Mr. Kernan einlenkend.
– Natürlich habe ich recht, sagte Mr. Cunningham. Ich bin doch nun lange genug auf der Welt und habe mich überall umgesehen, um Menschen beurteilen zu können.
Die Herren gaben einander das Beispiel und tranken von neuem. Mr. Kernan schien im Geiste abzuwägen. Er war be-

eindruckt. Er hatte eine hohe Meinung von Mr. Cunninghams Fähigkeit, Menschen zu beurteilen und in Gesichtern zu lesen. Er bat um Einzelheiten.

– Ach, es ist einfach ein Bußgottesdienst, nicht, sagte Mr. Cunningham. Pater Purdon veranstaltet ihn. Er ist für Geschäftsleute gedacht, nicht.

– Er wird uns schon nicht zu hart rannehmen, Tom, sagte Mr. Power gewinnend.

– Pater Purdon? Pater Purdon? fragte der Invalide.

– Den müssen Sie doch kennen, Tom, sagte Mr. Cunningham mannhaft. Ein wirklich feiner Kerl! Er ist ein Mann dieser Welt genau wie wir.

– Ach ... ja. Ich glaube, ich kenne ihn. Ziemlich rotes Gesicht; groß.

– Genau.

– Und sagen Sie, Martin ... Ist er ein guter Prediger?

– Hm, nein ... Das ist eigentlich gar keine Predigt, nicht. Es ist nur eine Art freundliche Ansprache, nicht, richtig vernünftig.

Mr. Kernan überlegte. Mr. M'Coy sagte:

– Pater Tom Burke, das war einer!

– Tja, Pater Tom Burke, sagte Mr. Cunningham, das war ein geborener Redner. Haben Sie den je gehört, Tom?

– Ob ich den je gehört habe! sagte der Invalide gereizt. Allerdings! Gehört habe ich ihn ...

– Und doch heißt es, daß er kein großer Theologe war, sagte Mr. Cunningham.

– Wirklich? fragte Mr. M'Coy.

– Na, es war natürlich nichts verkehrt, nicht. Nur manchmal soll er gepredigt haben, was nicht ganz orthodox war.

– Ach! ... er war schon ein großartiger Bursche, sagte Mr. M'Coy.

– Gehört habe ich ihn einmal, fuhr Mr. Kernan fort. Ich weiß nicht mehr, was das Thema seines Vortrags war. Crofton und ich waren hinten im ... Parkett, nicht ... im –

– Im Schiff, sagte Mr. Cunningham.

– Ja, hinten bei der Tür. Ich weiß nicht mehr, was ... Achja, es war über den Papst, den verstorbenen Papst. Ich kann mich noch gut erinnern. Ehrenwort, es war großartig, der Stil der Ansprache. Und seine Stimme! Mein Gott! hatte der eine Stimme! *Den Gefangenen des Vatikans* nannte er ihn. Ich weiß noch, daß Crofton zu mir sagte, als wir hinauskamen –

– Aber Crofton, der ist doch Orangist, oder? fragte Mr. Power.

– Klar, sagte Mr. Kernan, und zwar ein verdammt anständiger Orangist. Wir gingen zu Butler in der Moore Street – ich war ehrlich ergriffen, bei Gott, das ist die Wahrheit – und ich erinnere mich genau an seine Worte. *Kernan,* sagte er, *wir beten an verschiedenen Altären,* sagte er, *aber unser Glaube ist der gleiche.* Ich fand das sehr schön gesagt.

– Da ist eine Menge dran, sagte Mr. Power. Wenn Pater Tom predigte, hat es immer haufenweise Protestanten in der Kirche gegeben.

– So groß ist der Unterschied zwischen uns nicht, sagte Mr. M'Coy. Wir glauben alle an –

Er zögerte einen Augenblick.

– . . . an den Erlöser. Nur daß die nicht an den Papst und an die Muttergottes glauben.

– Aber natürlich, sagte Mr. Cunningham ruhig und wirkungsvoll, ist unsere Religion *die* Religion, der alte, ursprüngliche Glaube.

– Ohne jeden Zweifel, sagte Mr. Kernan warm.

Mrs. Kernan kam an die Schlafzimmertür und verkündete:

– Hier kommt noch ein Besuch für dich!

– Wer denn?

– Mr. Fogarty.

– Herein! Immer herein!

Ein bleiches ovales Gesicht kam ans Licht. Der Bogen seines blonden herabhängenden Schnurrbarts wiederholte sich in den blonden Augenbrauen, die sich über angenehm verwunderten Augen wölbten. Mr. Fogarty war ein bescheidener Krämer. Er war mit einem konzessionierten Lokal in der Stadt geschäftlich gescheitert, weil seine Finanzlage ihn genötigt hatte, sich an zweitklassige Brenner und Brauer zu binden. Er hatte dann einen kleinen Laden auf der Glasnevin Road aufgemacht, wo, wie er sich schmeichelte, seine Umgangsformen ihm die Gunst der Hausfrauen der Umgegend gewinnen würden. Er legte eine gewisse Anmut an den Tag, beschenkte kleine Kinder und artikulierte sorgfältig. Er war nicht ungebildet.

Mr. Fogarty brachte ein Geschenk mit, einen halben Liter Special Whisky. Er erkundigte sich höflich nach Mr. Kernans Befinden, stellte sein Geschenk auf den Tisch und setzte sich als Gleichberechtigter zu der Gesellschaft. Mr. Kernan wußte das Geschenk um so mehr zu würdigen, als ihm bewußt war, daß von Mr. Fogarty noch eine kleine Lebensmittelrechnung offen stand. Er sagte:

– Ich wußte doch, auf Sie ist Verlaß, Alter. Machen Sie die bitte auf, Jack?

Wieder waltete Mr. Power seines Amtes. Gläser wurden ausgespült und fünf kleine Whiskys ausgeschenkt. Dieser neue Einfluß belebte die Unterhaltung. Mr. Fogarty, der nur einen kleinen Teil der Sitzfläche seines Stuhls in Anspruch nahm, war besonders interessiert.

– Papst Leo XIII., sagte Mr. Cunningham, war eine der Leuchten seiner Zeit. Sein großer Gedanke war die Vereinigung der römischen und der griechischen Kirche, nicht. Das war sein Lebensziel.

– Ich habe oft gehört, daß er einer der intelligentesten Männer Europas war, sagte Mr. Power. Ich meine, außer daß er Papst war.

– Das war er auch, sagte Mr. Cunningham, wenn nicht sogar *der* intelligenteste. Sein Wahlspruch, nicht, als Papst, war *Lux auf Lux – Licht auf Licht.*

– Nein, nein, sagte Mr. Fogarty eifrig. Ich glaube, da irren Sie sich. Es war *Lux in Tenebris,* glaube ich – *Licht in der Finsternis.*

– Ah ja, sagte Mr. M'Coy, *Tenebrae.*

– Gestatten Sie, sagte Mr. Cunningham bestimmt, es war *Lux auf Lux.* Und der Wahlspruch von seinem Vorgänger, Pius IX.,

war *Crux auf Crux* – das heißt *Kreuz auf Kreuz* – um den Unterschied zwischen ihren Pontifikaten deutlich zu machen.
Der Folgerung wurde stattgegeben. Mr. Cunningham fuhr fort.
– Papst Leo war ein großer Gelehrter und Dichter, nicht.
– Er hatte ein markantes Gesicht, sagte Mr. Kernan.
– Ja, sagte Mr. Cunningham. Er hat lateinische Gedichte geschrieben.
– Wirklich? fragte Mr. Fogarty.
Mr. M'Coy kostete zufrieden von seinem Whisky, schüttelte in doppelter Absicht den Kopf und sagte:
– Das ist kein Witz, sage ich Ihnen.
– Das haben wir auf der Penny-Schule nicht gelernt, Tom, sagte Mr. Power und folgte Mr. M'Coys Beispiel.
– Schon so mancher ehrliche Mann ist mit einem Stück Torf unterm Rock in die Penny-Schule gegangen, sagte Mr. Kernan sententiös. Das alte System war doch das beste: einfache ehrliche Erziehung. Nichts von diesem modernen Sums ...
– Ganz richtig, sagte Mr. Power.
– Keine Entbehrlichkeiten, sagte Mr. Fogarty.
Er artikulierte das Wort sorgfältig und trank dann ernst.
– Ich erinnere mich, gelesen zu haben, sagte Mr. Cunningham, daß eins der Gedichte von Papst Leo über die Erfindung der Photographie ging – auf lateinisch natürlich.
– Über die Photographie! rief Mr. Kernan.
– Ja, sagte Mr. Cunningham.
Auch er trank aus seinem Glas.
– Nun, sagte Mr. M'Coy, ist die Photographie nicht etwas Wunderbares, wenn man es einmal genau bedenkt?
– Aber natürlich, sagte Mr. Power, große Geister erkennen manches.
– Wie der Dichter sagt: *Große Geister sind dem Wahnsinn nahe,* sagte Mr. Fogarty.
Mr. Kernan schien im Geiste beunruhigt. Er gab sich Mühe, sich einige heikle Punkte der protestantischen Theologie ins Gedächtnis zu rufen, und wandte sich schließlich an Mr. Cunningham.

– Nun sagen Sie mal, Martin, sagte er. Waren nicht einige von den Päpsten – natürlich nicht unser heutiger oder sein Vorgänger, aber einige von den alten Päpsten – nicht so ganz ... Sie wissen schon ... so ganz astrein?
Es trat ein Schweigen ein. Mr. Cunningham sagte:
– Na klar, es gab einige üble Figuren ... Aber das Erstaunliche ist dies. Kein einziger von ihnen, nicht der größte Säufer, nicht der größte ... Erzhalunke, kein einziger von ihnen hat je mit einem Wort *ex cathedra* eine falsche Lehre verkündet. Also wenn das nicht erstaunlich ist.
– Allerdings, sagte Mr. Kernan.
– Ja, weil wenn der Papst *ex cathedra* spricht, erklärte Mr. Fogarty, dann ist er unfehlbar.
– Ja, sagte Mr. Cunningham.
– Oh, ich weiß Bescheid über die Unfehlbarkeit des Papstes. Ich erinnere mich, daß ich damals jünger war ... Oder war vielmehr –?
Mr. Fogarty unterbrach. Er nahm die Flasche und schenkte den anderen ein wenig nach. Mr. M'Coy, der sah, daß es für die ganze Runde nicht mehr reichte, machte geltend, daß er sein erstes Glas noch nicht ausgetrunken habe. Die anderen erklärten sich unter Protest einverstanden. Die leichte Musik des in die Gläser fallenden Whiskys bildete ein angenehmes Zwischenspiel.
– Wobei waren Sie gerade gewesen, Tom? fragte Mr. M'Coy.
– Bei der päpstlichen Unfehlbarkeit, sagte Mr. Cunningham, das war die großartigste Szene in der ganzen Geschichte der Kirche.
– Wieso das, Martin? fragte Mr. Power.
Mr. Cunningham hob zwei dicke Finger hoch.
– In der heiligen Kongregation der Kardinäle und Erzbischöfe und Bischöfe, nicht, waren zwei, die dagegen stimmten, während alle anderen dafür waren. Das ganze Konklave bis auf diese zwei war einmütig. Nein! Sie wollten nichts davon wissen!
– Ha! sagte Mr. M'Coy.

– Und das war ein deutscher Kardinal namens Dolling ... oder Dowling ... oder –
– Dowling war kein Deutscher, das steht mal fest, sagte Mr. Power lachend.
– Na also dieser große deutsche Kardinal, egal wie er hieß, war der eine; und der andere war John MacHale.
– Was? rief Mr. Kernan. Sie meinen John von Tuam?
– Sind Sie da ganz sicher? fragte Mr. Fogarty zweifelnd. Ich dachte, es war irgendein Italiener oder Amerikaner.
– John von Tuam, wiederholte Mr. Cunningham, war derjenige welcher.
Er trank, und die anderen Herren folgten seinem Beispiel. Dann fuhr er fort:
– Da waren sie zugange, alle die Kardinäle und Bischöfe und Erzbischöfe von allen Ecken und Enden der Erde, und diese beiden kämpften auf teufelkommraus, bis schließlich der Papst selber aufstand und die Unfehlbarkeit *ex cathedra* zu einem Dogma der Kirche erklärte. In genau diesem Augenblick stand John MacHale auf, der endlos dagegen an argumentiert hatte, und brüllte mit Löwenstimme: *Credo!*
– *Ich glaube!* sagte Mr. Fogarty.
– *Credo!* sagte Mr. Cunningham. Das zeigte, was für einen Glauben er hatte. In dem Augenblick, wo der Papst sprach, hat er sich unterworfen.
– Und was war mit Dowling? fragte Mr. M'Coy.
– Der deutsche Kardinal wollte sich nicht unterwerfen. Er ist aus der Kirche ausgetreten.
Mr. Cunninghams Worte hatten im Geist seiner Zuhörer das unermeßliche Bild der Kirche aufgebaut. Seine tiefe heisere Stimme hatte sie erschauern lassen, als sie das Wort des Glaubens und der Unterwerfung sprach. Als Mrs. Kernan hereinkam, ihre Hände trocknend, kam sie in eine feierliche Gesellschaft. Sie störte die Stille nicht, sondern lehnte sich über die Stange am Fußende des Bettes.
– Ich habe John MacHale einmal gesehen, sagte Mr. Kernan, und ich werde es zeitlebens nicht vergessen.

Er wandte sich Bestätigung heischend an seine Frau.
– Ich habe dir's doch oft erzählt?
Mrs. Kernan nickte.
– Es war bei der Enthüllung des Denkmals von Sir John Gray. Edmund Dwyer Gray sprach, quasselte so drauflos, und da war dieser alte Bursche, dieser griesgrämig aussehende alte Kerl, und sah ihn unter seinen buschigen Augenbrauen an.
Mr. Kernan legte die Stirn in Falten, senkte den Kopf wie ein gereizter Stier und starrte seine Frau an.
– Mein Gott! rief er und machte wieder sein natürliches Gesicht, ich habe nie so einen Blick bei jemand gesehen. Es war, als sollte es heißen: *Ich weiß schon, was mit dir los ist, mein Freundchen.* Er hatte einen Blick wie ein Falke.
– Keiner von den Grays hat was getaugt, sagte Mr. Power.
Wieder trat Schweigen ein. Mr. Power wandte sich an Mrs. Kernan und sagte mit jäher Vertraulichkeit:
– Na, Mrs. Kernan, wir machen aus Ihrem Mann hier noch einen guten heiligen frommen und gottesfürchtigen rechtgläubigen Katholiken.
Er schwenkte seinen Arm allumfassend über die ganze Gesellschaft.
– Wir gehen zusammen zum Bußgottesdienst und beichten unsere Sünden – und weiß Gott, wir haben es dringend nötig.
– Ich habe nichts dagegen, sagte Mr. Kernan und lächelte leicht nervös.
Mrs. Kernan hielt es für klüger, ihre Genugtuung zu verbergen. So sagte sie nur:
– Mir tut der arme Priester leid, der sich deine Geschichte anhören muß.
Mr. Kernans Gesichtsausdruck wechselte.
– Wenn sie ihm nicht paßt, sagte er barsch, kann er ... sonstwas machen. Ich erzähl ihm einfach meine kleine Jammergeschichte. So ein schlechter Kerl bin ich nicht –
Mr. Cunningham griff prompt ein.
– Wir widersagen dem Teufel, sagte er, gemeinsam, und all seinen Werken und all seinem Gepränge.

– Weiche von mir, Satan! sagte Mr. Fogarty lachend und sah die anderen an.
Mr. Power sagte nichts. Er fühlte sich total übertrumpft. Aber ein zufriedener Ausdruck huschte über sein Gesicht.
– Wir haben nichts weiter zu tun, sagte Mr. Cunningham, als mit brennenden Kerzen in der Hand aufzustehen und unser Taufgelöbnis zu erneuern.
– Ach ja, vergessen Sie die Kerze nicht, Tom, sagte Mr. M'Coy, was immer Sie auch tun.
– Was? sagte Mr. Kernan. Ich muß eine Kerze haben?
– Aber ja doch, sagte Mr. Cunningham.
– Nein, verdammt noch mal, sagte Mr. Kernan klaren Sinnes, da hört's bei mir auf. Das andere erledige ich schon. Ich erledige den Bußgottesdienst und die Beichte und ... das ganze Geschäft. Aber ... keine Kerzen! Nein, verdammt nochmal, Kerzen sind bei mir nicht drin!
Er schüttelte mit komischem Ernst den Kopf.
– Hör sich das einer an! sagte seine Frau.
– Kerzen sind bei mir nicht drin, sagte Mr. Kernan, der sich bewußt war, Eindruck auf seine Zuhörerschaft gemacht zu haben, und schüttelte den Kopf weiter hin und her. Dieses Laterna-magica-Geschäft ist bei mir nicht drin.
Alle lachten herzhaft.
– Da haben Sie einen schönen Katholiken! sagte seine Frau.
– Keine Kerzen! wiederholte Mr. Kernan hartnäckig. Das kommt nicht in die Tüte!

. . . .

Das Querschiff der Jesuitenkirche in der Gardiner Street war nahezu voll; und immer noch kamen in einem fort Herren zur Seitentür herein und gingen, vom Laienbruder eingewiesen, auf Zehenspitzen die Gänge entlang, bis sie eine Sitzgelegenheit fanden. Die Herren waren alle gut gekleidet und korrekt. Das Licht der Kirchenlampen fiel auf eine Versammlung schwarzer Anzüge und weißer Kragen, hier und da von Tweedsachen aufgelockert, auf dunkle gesprenkelte Säulen

aus grünem Marmor und auf trauervolle Ölgemälde. Die Herren saßen auf Bänken, hatten die Hosen leicht über das Knie hochgezogen und ihre Hüte in Sicherheit gelegt. Sie lehnten zurück und starrten steif auf den fernen Flecken des roten Lichts, das vor dem Hochaltar aufgehängt war.
Auf einer der Bänke nahe der Kanzel saßen Mr. Cunningham und Mr. Kernan. Auf der Bank dahinter saß Mr. M'Coy alleine: und auf der Bank hinter ihm saßen Mr. Power und Mr. Fogarty. Mr. M'Coy hatte vergeblich versucht, auf einer Bank zusammen mit den anderen Platz zu finden, und als sich die Gesellschaft in Quincunxstellung niedergelassen hatte, hatte er vergeblich versucht, komische Bemerkungen zu machen. Da diese nicht günstig aufgenommen worden waren, hatte er davon abgelassen. Selbst er war empfänglich für die feierliche Atmosphäre, und selbst er begann auf den religiösen Stimulus zu respondieren. Flüsternd machte Mr. Cunningham Mr. Kernan auf Mr. Harford aufmerksam, den Geldverleiher, der in einiger Entfernung saß, und auf Mr. Fanning, den Wahlregisterbeamten und Bürgermeistermacher der Stadt, der unmittelbar unter der Kanzel neben einem der neugewählten Councillors des Bezirks saß. Zur Rechten saß der alte Michael Grimes, Besitzer dreier Leihhäuser, und Dan Hogans Neffe, der für die Stellung im Büro des Town Clerk vorgesehen war. Weiter vorne saßen Mr. Hendrick, der Chefreporter des *Freeman's Journal,* und der arme O'Carroll, ein alter Bekannter von Mr. Kernan, der seinerzeit eine bedeutende Gestalt im Geschäftsleben gewesen war. Allmählich, als er vertraute Gesichter erkannte, begann Mr. Kernan sich heimischer zu fühlen. Sein Hut, den seine Frau wieder instandgesetzt hatte, ruhte auf seinen Knien. Ein paarmal zog er mit einer Hand die Manschetten herunter, während er mit der anderen leicht, aber fest die Hutkrempe hielt.
Man sah eine mächtige Gestalt, deren oberer Teil von einem weißen Rochett umhüllt war, sich in die Kanzel hinaufkämpfen. Zur gleichen Zeit kam die Gemeinde in Bewegung, zog Taschentücher hervor und kniete sorgsam auf ihnen nieder.

Mr. Kernan folgte dem allgemeinen Beispiel. Die Gestalt des Priesters stand jetzt aufrecht in der Kanzel, und zwei Drittel ihrer Masse, von einem wuchtigen roten Gesicht gekrönt, ragten über die Brüstung.
Pater Purdon kniete nieder, wandte sich dem roten Lichtfleck zu und betete, mit den Händen sein Gesicht bedeckend. Nach einer Pause deckte er sein Gesicht wieder auf und erhob sich. Die Gemeinde erhob sich gleichfalls und ließ sich wieder auf ihren Bänken nieder. Mr. Kernan brachte seinen Hut wieder in die Ausgangslage auf dem Knie und bot dem Prediger ein aufmerksames Gesicht dar. Der Prediger schob mit kunstvoller großer Gebärde jeden der beiden weiten Ärmel seines Rochetts zurück und musterte langsam die ausgerichteten Reihen der Gesichter. Dann sagte er:

Denn die Kinder dieser Welt sind gegenüber ihresgleichen klüger als die Kinder des Lichtes. Auch ich sage euch: Machet euch Freunde mit dem ungerechten Mammon, damit sie euch, wenn es zu Ende geht, in die ewigen Wohnungen aufnehmen.

Pater Purdon entwirrte den Text mit dröhnender Selbstsicherheit. Kaum ein anderer Text in der ganzen Heiligen Schrift, sagte er, sei so schwer richtig auszulegen. Es sei ein Text, der für den oberflächlichen Beobachter im Gegensatz zu der erhabenen Moral zu stehen scheine, die Jesus Christus andernorts gepredigt habe. Jedoch scheine ihm der Text, so erklärte er seinen Zuhörern, in besonderem Maße als Richtschnur für jene geeignet, deren Los es war, in der Welt zu leben, und die dennoch nicht nur für die Welt leben wollten. Es sei ein Text für Geschäftsleute und Berufstätige. In Seinem göttlichen Verständnis für jeden Winkel unserer menschlichen Natur habe Jesus Christus begriffen, daß nicht alle Menschen zum religiösen Leben berufen seien, daß die bei weitem überwiegende Mehrzahl gezwungen sei, in der Welt und, in gewissem Grade, für die Welt zu leben: und mit diesem Satz habe Er ihnen ein Wort des Zuspruchs geben wollen, indem Er ihnen als Vorbilder für das religiöse Leben eben jene Mammonanbeter vor

Augen stellte, die von allen Menschen die säumigsten in Dingen der Religion waren.
Er erklärte seinen Zuhörern, daß er an diesem Abend nicht da wäre, um ihnen Furcht einzuflößen oder sonst einen verstiegenen Zweck zu verfolgen; sondern um als Mann dieser Welt zu seinen Mitmenschen zu sprechen. Er sei da, um zu Geschäftsleuten zu sprechen, und er würde es auf geschäftsmäßige Art und Weise tun. Wenn er sich das Bild erlauben dürfe, sagte er, so sei er ihr geistlicher Buchhalter; und er wünsche, daß jeder einzelne seiner Zuhörer seine Bücher öffne, die Bücher seines geistlichen Lebens, um festzustellen, ob sie auf den Heller mit dem Gewissen übereinstimmten.
Jesus Christus sei kein strenger Dienstherr. Er habe Verständnis für unsere kleinen Fehler, Verständnis für die Schwachheit unserer armen gefallenen Natur, Verständnis für die Versuchungen dieses Lebens. Wir kämen vielleicht, wir alle kämen gewiß, von Zeit zu Zeit in Versuchung; wir hätten vielleicht, wir alle hätten gewiß, unsere Fehler. Aber ein einziges, sagte er, verlange er von seinen Zuhörern. Und das sei: aufrecht und mannhaft zu Gott zu sein. Wenn ihre Konten in jedem Punkt stimmten, zu sprechen:
– Jawohl, ich habe meine Konten überprüft. Ich finde alles einwandfrei.
Wenn es aber, was wohl vorkommen könnte, Unstimmigkeiten gab, die Wahrheit zuzugeben, freimütig zu sein und wie ein Mann zu sprechen:
– Jawohl, ich habe meine Konten überprüft. Ich finde dies unrichtig und jenes unrichtig. Aber mit Gottes Gnade werde ich dieses und jenes richtigstellen. Ich werde meine Konten in Ordnung bringen.

Die Toten

Lily, die Tochter des Verwalters, mußte sich buchstäblich die Beine ablaufen. Kaum hatte sie einen Herrn in die kleine Vorratskammer hinter dem Büro im Erdgeschoß geführt und ihm aus dem Mantel geholfen, als die asthmatische Türglocke schon wieder ertönte und sie den kahlen Korridor hinunterhetzen mußte, um den nächsten Gast einzulassen. Sie konnte von Glück sagen, daß sie nicht auch noch den Damen aufwarten mußte. Aber Miss Kate und Miss Julia hatten das bedacht und das Badezimmer oben in eine Damengarderobe verwandelt. Dort waren Miss Kate und Miss Julia, plauderten und lachten und machten sich quirlig zu schaffen, liefen eine nach der anderen zum oberen Treppenabsatz, spähten über das Geländer und riefen nach Lily, um sie zu fragen, wer gekommen sei.

Er war immer ein großer Anlaß, der jährliche Ball der Jungfern Morkan. Alle, die sie kannten, kamen, Familienangehörige, alte Freunde der Familie, die Mitglieder von Julias Chor, alle Schüler von Kate, die erwachsen genug waren, und selbst einige von Mary Janes Schülern. Kein einziges Mal war er verunglückt. Soweit man nur zurückdenken konnte, hatte er Jahr um Jahr in großem Stil stattgefunden; seit der Zeit, als Kate und Julia, nach dem Tod ihres Bruders Pat, aus dem Haus in Stoney Batter ausgezogen waren und Mary Jane, ihre einzige Nichte, zu sich in das dunkle hagere Haus am Usher's Island genommen hatten, dessen oberen Teil sie von Mr. Fulham, dem Getreidehändler im Erdgeschoß, gemietet hatten. Das war reichlich seine dreißig Jahre her. Mary Jane, damals noch ein kleines Mädchen in kurzen Kleidern, war nun die Hauptstütze des Haushalts, denn sie war Organistin in der Haddington Road. Sie hatte die Akademie absolviert und gab jedes Jahr im oberen Saal der Antient Concert Rooms ein Schülerkonzert. Viele ihrer Schüler kamen aus begüterten Familien auf der Strecke nach Kingstown und Dalkey. So alt sie waren, taten auch die Tanten noch ihr Teil. Julia, obwohl schon ganz ergraut, war immer noch die erste Sopranistin in der Kirche Adam and Eve, und Kate, die zu schwach war, um noch viel auf den Beinen zu sein, gab Anfängern Musikstunden auf dem alten Klavier im Hinterzimmer. Lily, die Tochter des Verwalters, machte ihnen die Hausmädchenarbeit. Obwohl ihr Lebensstil bescheiden war, hielten sie viel vom guten Essen; das Allerbeste nur: Diamond-bone Sirloinstücke, Tee zu drei Shilling und das beste Flaschen-Stout. Aber Lily vertat sich nur selten bei ihren Bestellungen, so daß sie mit ihren drei Herrinnen gut zurechtkam. Sie wären quirlig, das war alles. Aber das einzige, was sie nicht vertragen konnten, war Widerrede.

Natürlich hatten sie guten Grund, an einem solchen Abend quirlig zu sein. Und dann war es auch schon lange zehn Uhr vorbei, und immer noch gab es kein Zeichen von Gabriel und seiner Frau. Außerdem hatten sie schreckliche Angst, daß Freddy Malins beschwipst aufkreuzen würde. Um nichts in der Welt wünschten sie, daß einer von Mary Janes Schülern ihn betrunken sähe; und wenn er in diesem Zustand war, war es manchmal sehr schwierig, mit ihm fertig zu werden. Freddy Malins kam immer zu spät, aber sie fragten sich, warum Gabriel wohl ausblieb: und eben deshalb liefen sie alle paar Minuten an das Geländer, um Lily zu fragen, ob denn Gabriel oder Freddy gekommen sei.

– Ach, Mr. Conroy, sagte Lily zu Gabriel, als sie ihm die Tür öffnete, Miss Kate und Miss Julia dachten schon, Sie würden niemals kommen. Guten Abend, Mrs. Conroy.

– Das glaube ich gerne, sagte Gabriel, aber sie vergessen, daß meine Frau hier drei qualvolle Stunden braucht, um sich zurechtzumachen.

Er stand auf der Fußmatte und streifte den Schnee von seinen Galoschen, während Lily seine Frau zum Fuß der Treppe führte und rief:

– Miss Kate, hier ist Mrs. Conroy.

Kate und Julia kamen sofort die dunkle Treppe herunter-

gewackelt. Beide küßten sie Gabriels Frau, sagten, sie müsse ja bei lebendigem Leibe erfroren sein, und fragten, ob Gabriel mitgekommen wäre.
– Hier bin ich doch, sicher wie die Post, Tante Kate! Geht nur schon hinauf. Ich komme gleich nach, rief Gabriel aus dem Dunkel.
Er streifte weiter kräftig seine Füße ab, während die drei Frauen lachend zur Damengarderobe hinaufgingen. Eine leichte Schneefranse lag wie ein Cape auf den Schultern seines Mantels und wie eine Schuhkappe auf den Spitzen seiner Galoschen; und als die Knöpfe seines Mantels quietschend durch den vom Schnee steifen Fries glitten, entströmte den Spalten und Falten kalte duftende Luft von draußen.
– Schneit es wieder, Mr. Conroy? fragte Lily.
Sie war ihm in die Vorratskammer vorausgegangen, um ihm aus dem Mantel zu helfen. Gabriel lächelte über die drei Silben, die sie seinem Nachnamen gegeben hatte, und sah sie an. Sie war ein schmales, noch nicht erwachsenes Mädchen mit bleicher Haut und heufarbenem Haar. Das Gaslicht in der Vorratskammer ließ sie noch bleicher wirken. Gabriel kannte sie seit ihren Kindertagen, als sie noch auf der untersten Treppenstufe saß und mit einer Stoffpuppe spielte.
– Ja, Lily, antwortete er, und ich glaube, es wird die Nacht über wohl anhalten.
Er blickte zur Decke der Kammer empor, die die stampfenden und schlurrenden Füße auf der Etage darüber erzittern ließen, lauschte einen Augenblick dem Flügel und sah dann das Mädchen an, das seinen Mantel am Ende eines Regals sorgsam zusammenfaltete.
– Wie ist es, Lily, sagte er in freundlichem Ton, gehst du noch zur Schule?
– Nein, Sir, antwortete sie. Die Schule, mit der bin ich schon seit über einem Jahr fertig.
– Aha, sagte Gabriel fröhlich, dann werden wir jetzt also eines schönen Tages mit deinem Bräutigam zu deiner Hochzeit gehen, was?

Das Mädchen sah ihn über die Schulter an und sagte mit großer Bitterkeit:
– Die Männer heute haben nur Palavern im Kopf und wozu sie einen rumkriegen.
Gabriel wurde rot, als fühle er, daß er einen Fehler gemacht hatte, und ohne sie anzusehen, schleuderte er die Galoschen von den Füßen und schnickte energisch mit dem Schal über seine Lackschuhe.
Er war ein kräftiger, ziemlich großer junger Mann. Die erhöhte Farbe seiner Wangen drang bis zu seiner Stirn hinauf, wo sie sich in einigen formlosen blaßroten Flecken verteilte; und auf seinem haarlosen Gesicht funkelten rastlos die geschliffenen Linsen und die schimmernde Goldfassung der Brille, die seine empfindlichen und rastlosen Augen schirmte. Sein glänzendes schwarzes Haar war in der Mitte gescheitelt und in einer langen Welle hinter die Ohren gebürstet, wo es sich unter der Vertiefung, die der Hut eingedrückt hatte, leicht kräuselte.
Als er Glanz auf seine Schuhe geschnickt hatte, stand er auf und zog seine Weste strammer über seinen rundlichen Körper herunter. Dann nahm er rasch eine Münze aus der Tasche.
– So, Lily, sagte er und drückte sie ihr in die Hand, es ist Weihnachtszeit, nicht wahr? Nur ... hier ist ein kleines ...
Rasch ging er zur Tür.
– Aber nicht doch, Sir! rief das Mädchen und folgte ihm. Wirklich, Sir, das nehme ich nicht an.
– Weihnachtszeit! Weihnachtszeit! sagte Gabriel, rannte fast zur Treppe und winkte ihr beschwörend zu.
Da das Mädchen sah, daß er die Treppe erreicht hatte, rief es ihm nach:
– Also dankeschön, Sir.
Er wartete vor der Tür des Salons, daß der Walzer zu Ende ginge, lauschte auf die Röcke, die sie streiften, und auf das Schlurren der Füße. Er war noch verstört von der bitteren und unvermittelten Antwort des Mädchens. Sie hatte einen Schatten über ihn geworfen, den er zu vertreiben suchte, indem er seine Manschetten und die Schleifen seiner Krawatte zurecht-

rückte. Dann nahm er einen kleinen Zettel aus der Westentasche und schaute auf die Stichworte, die er sich für seine Rede notiert hatte. Was die Verse von Robert Browning anging, war er unentschlossen, denn er fürchtete, sie wären zu hoch gegriffen für seine Zuhörer. Irgendein Zitat aus Shakespeare oder Moores »Melodies«, das sie erkennen würden, wäre wohl eher angebracht. Das unfeine Geräusch der knallenden Männerabsätze und das Schlurren ihrer Sohlen erinnerte ihn daran, daß ihr Bildungsgrad von dem seinen verschieden war. Er würde sich nur lächerlich machen, wenn er ihnen Dichtung vortrug, die sie nicht verstehen konnten. Sie würden meinen, er wolle seine überlegene Bildung zur Schau stellen. Er würde bei ihnen ebenso falsch ankommen wie bei dem Mädchen in der Kammer. Er hatte nicht den richtigen Ton gefunden. Seine ganze Rede war von Anfang bis Ende ein Irrtum, ein völliger Fehlschlag.

In diesem Augenblick kamen seine Tanten und seine Frau aus der Damengarderobe. Seine Tanten waren zwei kleine, einfach gekleidete alte Frauen. Tante Julia war zwei oder drei Zentimeter größer. Ihre Haare, die über den oberen Ohrenrand hinabgezogen waren, waren grau; und grau, mit dunkleren Schatten, war ihr großes schlaffes Gesicht. Obwohl sie kräftig gebaut war und sich gerade hielt, verliehen ihre langsamen Blikke und leicht geöffneten Lippen ihr das Aussehen einer Frau, die nicht wußte, wo sie war und wohin sie ging. Tante Kate war lebhafter. Ihr Gesicht, gesünder als das ihrer Schwester, bestand, einem verschrumpelten roten Apfel gleich, ganz aus Falten und Runzeln, und ihr in der gleichen altmodischen Art geflochtenes Haar hatte seine volle Nußfarbe nicht verloren.

Beide küßten sie Gabriel ungeniert. Er war ihr Lieblingsneffe, der Sohn ihrer toten älteren Schwester Ellen, die T. J. Conroy von der Hafenbehörde geheiratet hatte.

– Gretta hat mir erzählt, daß ihr heute nacht nicht mit der Droschke nach Monkstown zurück wollt, Gabriel, sagte Tante Kate.

– Nein, sagte Gabriel und drehte sich zu seiner Frau um, im

letzten Jahr das hat uns gereicht, oder? Weißt du noch, wie sich Gretta dabei erkältet hat, Tante Kate? Die Droschkenfenster haben den ganzen Weg geklappert, und hinter Merrion dann der Ostwind, der hereinblies. Es war wirklich ein Vergnügen. Gretta hat sich eine fürchterliche Erkältung geholt.

Tante Kate runzelte streng die Stirn und nickte bei jedem Wort mit dem Kopf.

– Ganz recht, Gabriel, ganz recht, sagte sie. Du kannst nicht vorsichtig genug sein.

– Wenn es nach Gretta ginge, sagte Gabriel, die würde in dem Schnee bis nach Hause laufen, wenn man sie ließe.

Mrs. Conroy lachte.

– Hör nicht auf ihn, Tante Kate, sagte sie. Er nimmt es wirklich schrecklich genau; Tom muß nachts unbedingt einen grünen Augenschirm haben und mit Hanteln üben, und Eva zwingt er, ihren Brei zu essen. Das arme Kind! Und sie findet schon den Anblick scheußlich! . . . Ach, ihr kommt nie darauf, was er mich jetzt tragen läßt!

Sie brach in helles Gelächter aus und sah ihren Mann an, dessen bewundernde und glückliche Augen von ihrem Kleid zu ihrem Gesicht und Haar gewandert waren. Auch die beiden Tanten lachten herzhaft, denn Gabriels übertriebene Fürsorglichkeit war ein alter Scherz bei ihnen.

– Galoschen! sagte Mrs. Conroy. Der letzte Schrei. Immer wenn der Boden naß ist, muß ich meine Galoschen anziehen. Sogar heute abend sollte ich sie anziehen, aber ich wollte nicht. Als nächstes wird er mir noch einen Taucheranzug kaufen.

Gabriel lachte nervös und strich sich beruhigend über die Krawatte, während sich Tante Kate fast vor Lachen bog, so gut gefiel ihr der Scherz. Das Lächeln schwand bald aus Tante Julias Gesicht, und ihre freudlosen Augen waren auf das Gesicht ihres Neffen gerichtet. Nach einer Pause fragte sie:

– Und was bitte sind Galoschen, Gabriel?

– Galoschen, Julia! rief ihre Schwester. Meine Güte, weißt du nicht, was Galoschen sind? Man trägt sie über den . . . über den Stiefeln, nicht wahr, Gretta?

– Ja, sagte Mrs. Conroy. Guttaperchazeug. Jeder von uns hat jetzt ein Paar. Gabriel sagt, auf dem Kontinent tragen sie alle.
– Achso, auf dem Kontinent, murmelte Tante Julia und nickte langsam mit dem Kopf.
Gabriel zog die Stirn in Falten und sagte, als wäre er leicht verärgert:
– Es ist gar nichts so Wunderbares, aber Gretta kommen sie sehr komisch vor, weil das Wort sie an die Christy Minstrels erinnert, sagt sie.
– Aber wie ist das, Gabriel, sagte Tante Kate mit geistesgegenwärtigem Taktgefühl. Du hast dich natürlich um ein Zimmer gekümmert. Gretta sagte ...
– Ach, mit dem Zimmer das ist in Ordnung, erwiderte Gabriel. Ich habe eins im Gresham genommen.
– Natürlich, sagte Tante Kate, das ist bei weitem am besten so. Und die Kinder, Gretta, machst du dir auch keine Sorgen um sie?
– Ach, für eine Nacht, sagte Mrs. Conroy. Außerdem paßt Bessie auf sie auf.
– Natürlich, sagte Tante Kate noch einmal. Das ist wirklich eine Beruhigung, solch ein Mädchen zu haben, eins, auf das Verlaß ist! Die Lily da, ich weiß wirklich nicht, was in letzter Zeit in sie gefahren ist. Sie ist gar nicht mehr das Mädchen, das sie war.
Gabriel wollte ihr dazu gerade einige Fragen stellen, doch sie brach plötzlich ab, um ihrer Schwester nachzusehen, die die Treppe hinabgestiegen war und ihren Hals über das Geländer reckte.
– Was ist denn los, sagte sie fast gereizt, wo geht Julia bloß hin? Julia! Julia! Wo gehst du hin?
Julia, die eine halbe Treppe hinunter gegangen war, kam zurück und verkündete mild:
– Freddy ist da.
Im gleichen Augenblick zeigten Händeklatschen und ein Abschlußschnörkel des Pianisten an, daß der Walzer zu Ende war. Die Salontür wurde von innen geöffnet, und einige Paare

kamen heraus. Tante Kate zog Gabriel eilig beiseite und flüsterte ihm ins Ohr:
– Geh mal leise runter, Gabriel, sei so gut, und sieh nach, ob er in Ordnung ist, und laß ihn nicht rauf, wenn er beschwipst ist. Ich bin sicher, er ist beschwipst. Ich bin sicher.
Gabriel ging zur Treppe und lauschte über das Geländer. Er konnte zwei Personen in der Kammer reden hören. Dann erkannte er Freddy Malins' Lachen. Er ging geräuschvoll die Treppe hinab.
– Es ist so eine Beruhigung, sagte Tante Kate zu Mrs. Conroy, daß Gabriel da ist. Ich fühle mich immer viel unbeschwerter, wenn er da ist ... Julia, Miss Daly und Miss Power möchten sicher gern eine Erfrischung. Vielen Dank für Ihren wunderschönen Walzer, Miss Daly. Er war sehr gut im Takt.
Ein großer Mann mit welkem Gesicht, einem steifen angegrauten Schnurrbart und dunkler Haut, der mit seiner Partnerin herauskam, sagte:
– Ob wir auch eine Erfrischung haben könnten, Miss Morkan?
– Julia, sagte Tante Kate summarisch, hier sind noch Mr. Browne und Miss Furlong. Führ sie hinein, Julia, mit Miss Daly und Miss Power.
– Ich bin der Mann für die Damen, sagte Mr. Browne, spitzte die Lippen, bis sich sein Schnurrbart sträubte, und lächelte mit allen seinen Runzeln. Sie müssen wissen, Miss Morkan, der Grund, daß sie mich so gern mögen, ist –
Er brachte den Satz nicht zu Ende, sondern führte, als er merkte, daß Tante Kate außer Hörweite war, die drei jungen Damen unverzüglich ins Hinterzimmer. Die Mitte des Zimmers nahmen zwei viereckige Tische ein, deren Enden aneinandergestellt waren, und Tante Julia und der Verwalter waren dabei, eine große Tischdecke darauf gerade und glatt zu ziehen. Auf dem Büfett waren Schüsseln und Teller aufgereiht und Gläser und bündelweise Messer und Gabeln und Löffel. Auch der Deckel des geschlossenen Klaviers diente als Büfett für Delikateßhäppchen und Süßigkeiten. An einem kleineren Büfett in einer Ecke standen zwei jüngere Männer und tranken Hopfenbitter.

Mr. Browne führte seine Schützlinge dorthin und lud sie alle im Scherz zu Damenpunsch ein, heiß, stark und süß. Da sie sagten, daß sie niemals starke Sachen tränken, machte er für sie drei Flaschen Limonade auf. Dann bat er einen der jungen Männer, etwas zur Seite zu treten, griff sich die Karaffe und schenkte sich selber ein reichliches Maß Whisky ein. Die jungen Männer beobachteten ihn respektvoll, während er einen Probeschluck nahm.
– Gott helfe mir, sagte er lächelnd, der Arzt hat mir's verordnet.
Sein welkes Gesicht verzog sich zu einem breiteren Lächeln, und die drei jungen Damen lachten in melodischem Echo auf seinen Scherz und wiegten unter nervösem Schulterzucken ihre Körper hin und her. Die Kühnste sagte:
– Aber was, Mr. Browne, ich bin sicher, der Arzt hat nie dergleichen verordnet.
Mr. Browne nahm noch einen Schluck Whisky und sagte schauspielernd über die Achsel:
– Sehn Sie, mir geht's wie der berühmten Mrs. Cassidy, die gesagt haben soll: *Also, Mary Grimes, wenn ich das nicht schlukke, dann zwingen Sie mich dazu, denn ich habe das Gefühl, ich brauch's.*
Sein heißes Gesicht hatte sich ein wenig zu vertraulich vorgeneigt, und er war in einen sehr ordinären Dubliner Akzent verfallen, so daß die jungen Damen, alle dem gleichen Instinkt folgend, seine Worte mit Stillschweigen aufnahmen. Miss Furlong, eine von Mary Janes Schülerinnen, fragte Miss Daly, wie der hübsche Walzer heiße, den sie gespielt hatte; und als Mr. Browne feststellte, daß er ignoriert wurde, wandte er sich sogleich an die beiden jungen Männer, die empfänglicher waren.
Eine rotgesichtige junge Frau in einem stiefmütterchenfarbenen Kleid kam herein, klatschte aufgeregt in die Hände und rief:
– Quadrille! Quadrille!
Ihr dicht auf den Fersen folgte Tante Kate und rief:

– Zwei Herren und drei Damen, Mary Jane!
– Na, hier wären Mr. Bergin und Mr. Kerrigan, sagte Mary Jane. Mr. Kerrigan, nehmen Sie Miss Power? Miss Furlong, darf ich Ihnen einen Partner zuteilen, Mr. Bergin? Das reicht dann wohl.
– Drei Damen, Mary Jane, sagte Tante Kate.
Die beiden jungen Herren fragten die Damen, ob sie das Vergnügen haben dürften, und Mary Jane wandte sich an Miss Daly.
– Ach Miss Daly, Sie sind wirklich schrecklich nett, nachdem Sie schon die letzten beiden Tänze gespielt haben, aber es fehlt uns heute abend wirklich so an Damen.
– Ich habe gar nichts dagegen, Miss Morkan.
– Aber ich habe einen netten Partner für Sie, Mr. Bartell D'Arcy, den Tenor. Später werde ich ihn bitten, daß er singt. Ganz Dublin schwärmt von ihm.
– Wunderbare Stimme, wunderbare Stimme! sagte Tante Kate.
Da der Flügel schon zweimal das Vorspiel zur ersten Tour begonnen hatte, führte Mary Jane ihre Rekruten eilends aus dem Zimmer. Sie waren kaum gegangen, als Tante Julia langsam hereinkam, den Blick nach hinten auf etwas gerichtet.
– Was ist los, Julia? fragte Tante Kate besorgt. Wer ist es?
Julia, die einen Stapel Servietten in der Hand hielt, drehte sich zu ihrer Schwester um und sagte einfach, als hätte die Frage sie überrascht:
– Es ist nur Freddy, Kate, und Gabriel ist bei ihm.
Tatsächlich konnte man sehen, wie Gabriel gleich hinter ihr Freddy Malins über den Treppenabsatz lotste. Dieser, ein jüngerer Mann von etwa vierzig Jahren, hatte Gabriels Größe und Statur und sehr runde Schultern. Sein Gesicht war fleischig und blaß, nur die dicken hängenden Ohrläppchen und die breiten Nasenflügel hatten eine Spur Farbe. Er hatte grobe Gesichtszüge, eine stumpfe Nase, eine gewölbte und fliehende Stirn, wulstige und vorgestülpte Lippen. Seine schwerlidrigen Augen und die Unordnung seines schütteren Haars

ließen ihn verschlafen wirken. Er lachte herzhaft mit hoher Stimme über eine Geschichte, die er Gabriel auf der Treppe erzählt hatte, und rieb gleichzeitig mit den Knöcheln seiner linken Faust vorwärts und rückwärts über das linke Auge.
– Guten Abend, Freddy, sagte Tante Julia.
Freddy Malins wünschte den Jungfern Morkan auf eine Art, die beiläufig schien, guten Abend, da seine Rede von Natur aus nur stockend vonstatten ging, und dann, als er sah, daß Mr. Browne ihn vom Büfett her angrinste, ging er auf ziemlich zittrigen Beinen quer durchs Zimmer und begann mit gedämpfter Stimme die Geschichte zu wiederholen, die er Gabriel gerade erzählt hatte.
– Es steht nicht so schlimm mit ihm, oder? fragte Tante Kate Gabriel.
Gabriels Brauen waren finster, aber er hob sie schnell und sagte:
– Nein, nein, man merkt es kaum.
– Ist es nicht ein furchtbarer Mensch! sagte sie. Dabei hat ihn seine arme Mutter erst Silvester Enthaltsamkeit geloben lassen. Aber komm mit in den Salon, Gabriel.
Bevor sie mit Gabriel das Zimmer verließ, machte sie Mr. Browne ein Zeichen, indem sie die Stirn runzelte und ihren Zeigefinger warnend hin- und herbewegte. Mr. Browne nickte zur Antwort und sagte zu Freddy Malins, als sie gegangen war:
– Also Teddy, ich geb Ihnen jetzt mal ein anständiges Glas Limonade, um Sie aufzumöbeln.
Freddy Malins, der sich dem Höhepunkt seiner Geschichte näherte, schob das Angebot ungeduldig beiseite, doch Mr. Browne, nachdem er Freddy Malins zunächst darauf aufmerksam gemacht hatte, daß sein Anzug unordentlich war, goß ein Glas Limonade ein und reichte es ihm. Freddy Malins' linke Hand nahm das Glas mechanisch entgegen, während seine Rechte ebenso mechanisch damit beschäftigt war, seinen Anzug in Ordnung zu bringen. Mr. Browne, dessen Gesicht sich von neuem vor Freude in Falten legte, goß sich selber ein Glas

Whisky ein, während Freddy Malins, ehe er noch den Höhepunkt seiner Geschichte erreicht hatte, in hohes bronchitisches Lachen ausbrach, sein ungekostetes und überfließendes Glas absetzte, mit den Knöcheln seiner linken Faust vorwärts und rückwärts über das linke Auge zu reiben begann und die Worte seines letzten Satzes wiederholte, soweit ihm sein Lachkrampf das erlaubte.

. . . .

Gabriel mochte nicht zuhören, als Mary Jane dem verstummten Salon ihr Akademiestück, voller Läufe und schwieriger Stellen, vorspielte. Er machte sich durchaus etwas aus Musik, aber das Stück, das sie spielte, klang ihm unmelodisch, und er bezweifelte, daß es für die anderen Zuhörer melodisch klang, obwohl sie Mary Jane gebeten hatten, etwas vorzuspielen. Vier junge Männer, die beim Klang des Flügels aus dem Erfrischungsraum gekommen und an der Tür stehengeblieben waren, waren paarweise nach ein paar Minuten unauffällig wieder gegangen. Die einzigen, die der Musik zu folgen schienen, waren Mary Jane selber, deren Hände über die Tasten jagten oder in den Pausen wie jene einer Verwünschungen herabbeschwörenden Priesterin momentan gehoben waren, und Tante Kate, die neben ihr stand, um die Seiten zu wenden.
Gabriels Augen, vom Fußboden irritiert, der unter dem schweren Kronleuchter von Bienenwachs glänzte, wanderten zu der Wand über dem Flügel. Es hing dort ein Bild der Balkonszene in *Romeo und Julia,* und daneben war ein Bild der beiden ermordeten Prinzen im Tower, das Tante Julia einst als Mädchen aus roter, blauer und brauner Wolle gestickt hatte. Wahrscheinlich war in der Schule, die sie als Mädchen besucht hatten, diese Art Handarbeit unterrichtet worden, denn einmal hatte seine Mutter als Geburtstagsgeschenk für ihn eine Weste aus purpurrotem Tabinet mit kleinen Fuchsköpfen darauf, einem Futter aus braunem Satin und runden Maulbeerknöpfen geschneidert. Es war seltsam, daß seine Mutter musikalisch gar nicht begabt gewesen war, obwohl Tante Kate

sie immer den hellsten Kopf der Familie Morkan genannt hatte. Sie wie Julia schienen immer ein wenig stolz auf ihre ernste und gesetzte Schwester gewesen zu sein. Ihre Photographie stand vor dem Wandspiegel. Sie hielt ein aufgeschlagenes Buch auf den Knien und zeigte darin Constantine etwas, der ihr in einem Matrosenanzug zu Füßen lag. Sie war es gewesen, die die Namen für ihre Söhne ausgesucht hatte, denn sie hatte sehr auf die Würde des Familienlebens gehalten. Dank ihr war Constantine jetzt Vikar in Balbriggan, und dank ihr hatte Gabriel selber an der Royal University sein Examen abgelegt. Ein Schatten strich über sein Gesicht, als er sich an ihren störrischen Widerstand gegen seine Heirat erinnerte. Einige ihrer abschätzigen Sätze schwärten noch immer in seinem Gedächtnis; einmal hatte sie Gretta eine Plietsche vom Land genannt, und das traf auf Gretta ganz und gar nicht zu. Gretta war es gewesen, die sie während ihrer letzten langen Krankheit in ihrem Haus in Monkstown die ganze Zeit gepflegt hatte.

Er wußte, daß Mary Jane mit ihrem Stück bald zu Ende sein mußte, denn sie wiederholte die Anfangsmelodie mit Tonleiterläufen nach jedem Takt, und während er auf das Ende wartete, erstarb der Groll in seinem Herzen. Das Stück endete mit einem Oktaventremolo im Diskant und einer tiefen Schlußoktave im Baß. Starker Beifall dankte Mary Jane, als sie errötend und nervös ihre Noten zusammenrollend aus dem Zimmer flüchtete. Das nachhaltigste Klatschen kam von den vier jungen Männern an der Tür, die bei Beginn des Stückes in den Erfrischungsraum gegangen, jedoch zurückgekommen waren, als der Flügel zu spielen aufgehört hatte.

Man stellte sich zur Quadrille lanciers auf. Gabriel sah sich Miss Ivors als Partnerin gegenüber. Sie war eine freimütige gesprächige junge Dame mit sommersprossigem Gesicht und vorstehenden braunen Augen. Sie trug kein tief ausgeschnittenes Mieder, und auf der großen Brosche, die vorne an ihrem Kragen steckte, war eine irische Devise zu lesen.

Als sie Aufstellung genommen hatten, sagte sie plötzlich:

– Ich habe ein Hühnchen mit Ihnen zu rupfen.

– Mit mir? fragte Gabriel.
Sie nickte ernst mit dem Kopf.
–Was gibt's denn? fragte Gabriel und lächelte über ihr feierliches Gebaren.
– Wer ist G. C.? antwortete Miss Ivors und heftete ihre Augen auf ihn.
Gabriel wurde rot und wollte gerade die Stirn furchen, so als verstehe er nicht, als sie unverblümt sagte:
– Ach, Sie Unschuldslamm! Ich habe herausbekommen, daß Sie für den *Daily Express* schreiben. Schämen Sie sich denn gar nicht?
– Warum sollte ich mich denn schämen? fragte Gabriel, blinzelte und versuchte zu lächeln.
– Also, ich schäme mich für Sie, sagte Miss Ivors rundheraus. Daß Sie für ein derartiges Blatt schreiben! Ich hatte Sie nicht für einen Westbriten gehalten.
Ein Ausdruck der Verwirrtheit erschien auf Gabriels Gesicht. Es stimmte, jeden Mittwoch schrieb er eine literarische Spalte für den *Daily Express*, für die er fünfzehn Shilling erhielt. Aber das machte ihn doch gewiß noch nicht zu einem Westbriten. Die Besprechungsexemplare, die er erhielt, waren ihm fast noch willkommener als der armselige Scheck. Wie gerne befühlte er die Einbände und blätterte die Seiten von Büchern, die frisch von der Presse kamen. Nahezu jeden Tag, wenn sein Unterricht im College zu Ende war, ging er die Quays hinab zu den Antiquariaten, zu Hickey am Bachelor's Walk, zu Webb oder Massey am Aston Quay oder zu O'Clohissey in der Seitenstraße. Er wußte nicht, wie er ihrer Anschuldigung begegnen sollte. Er wollte sagen, daß die Literatur über der Politik stünde. Aber sie waren seit langen Jahren befreundet, und ihr Werdegang war parallel verlaufen, erst an der Universität und dann als Lehrer: eine hochtrabende Phrase konnte er sich ihr gegenüber nicht herausnehmen. Er blinzelte weiter und versuchte zu lächeln und murmelte lahm, daß er im Abfassen von Buchbesprechungen nichts Politisches sehe.
Als sie hinüberwechseln mußten, war er immer noch verwirrt

und unaufmerksam. Miss Ivors nahm prompt seine Hand, drückte sie warm und sagte sanft und freundlich:
– Ich habe natürlich nur Spaß gemacht. Kommen Sie, wir müssen jetzt hinüberwechseln.
Als sie wieder beieinander waren, sprach sie von der Universitätsfrage, und Gabriel fühlte sich wieder ruhiger. Eine Freundin von ihr habe ihr seine Besprechung der Gedichte von Browning gezeigt. So sei sie hinter das Geheimnis gekommen: aber die Besprechung habe ihr außerordentlich gefallen. Dann sagte sie plötzlich:
– Mr. Conroy, wollen Sie nicht diesen Sommer mit zu einer Exkursion auf die Aran-Inseln kommen? Wir bleiben einen ganzen Monat dort. Es wird herrlich sein da draußen im Atlantik. Sie sollten mitkommen. Mr. Clancy kommt und Mr. Kilkelly und Kathleen Kearney. Auch für Gretta wäre es herrlich, wenn sie mitkäme. Sie stammt doch aus Connacht, nicht wahr?
– Ihre Familie, ja, sagte Gabriel knapp.
– Aber Sie kommen doch mit, nicht wahr? fragte Miss Ivors und legte eifrig ihre warme Hand auf seinen Arm.
– Ich muß gestehen, sagte Gabriel, ich habe schon alles vorbereitet für eine Reise nach –
– Wohin? fragte Miss Ivors.
– Nun ja, jedes Jahr, wissen Sie, mache ich mit ein paar Freunden eine Radtour –
– Aber wohin? fragte Miss Ivors.
– Nun, gewöhnlich fahren wir nach Frankreich oder Belgien oder vielleicht Deutschland, sagte Gabriel verlegen.
– Und warum fahren Sie nach Frankreich und Belgien, sagte Miss Ivors, statt ihre Heimat kennenzulernen?
– Nun, sagte Gabriel, teils um mit den Sprachen in Berührung zu bleiben und teils wegen der Abwechslung.
– Und haben Sie nicht Ihre eigene Sprache, mit der Sie in Berührung bleiben sollten – Irisch? fragte Miss Ivors.
– Nun, sagte Gabriel, wenn Sie darauf hinauswollen, wissen Sie, Irisch ist nicht meine Sprache.

Ihre Nachbarn hatten sich nach ihnen umgedreht, um dem Kreuzverhör zu lauschen. Gabriel blickte nervös nach links und rechts und versuchte, trotz der peinlichen Prüfung, der er unterzogen wurde und die ihm die Röte auf die Stirn trieb, gute Laune zu bewahren.
– Und sollten Sie nicht besser Ihre Heimat kennenlernen, fuhr Miss Ivors fort, von der Sie nichts wissen, Ihr eigenes Volk und Ihr eigenes Land?
– Ach was, wenn Sie die Wahrheit hören wollen, erwiderte Gabriel plötzlich, ich habe mein eigenes Land satt, satt hab ich's!
– Warum? fragte Miss Ivors.
Gabriel antwortete nicht, denn seine Erwiderung hatte ihn erhitzt.
– Warum? wiederholte Miss Ivors.
Sie mußten zusammen den Besuch tanzen, und da er ihr nicht geantwortet hatte, sagte Miss Ivors hitzig:
– Natürlich wissen Sie darauf nichts zu antworten.
Gabriel suchte seine Erregung zu verbergen, indem er sich mit großem Eifer dem Tanz widmete. Er mied ihre Augen, denn er hatte einen bitteren Ausdruck auf ihrem Gesicht bemerkt. Doch als sie sich bei der Großen Kette trafen, wurde seine Hand zu seiner Überraschung fest gedrückt. Sie sah ihn unter den Brauen her einen Augenblick lang spöttisch prüfend an, bis er lächelte. Dann, kurz bevor die Kette weiterging, reckte sie sich auf die Zehenspitzen und flüsterte ihm ins Ohr:
– Westbrite!
Als die Quadrille vorbei war, ging Gabriel in eine ferne Ecke des Zimmers hinüber, wo die Mutter von Freddy Malins saß. Sie war eine rundliche schwache alte Frau mit weißem Haar. Ihre Rede ging nur stockend vonstatten wie die ihres Sohns, und sie stotterte leicht. Man hatte ihr gesagt, daß Freddy eingetroffen und beinahe in Ordnung sei. Gabriel fragte sie, ob sie eine gute Überfahrt gehabt habe. Sie lebte bei ihrer verheirateten Tochter in Glasgow und kam einmal im Jahr auf Besuch nach Dublin. Sie antwortete milde, daß sie eine wunder-

volle Überfahrt gehabt habe und daß der Kapitän höchst aufmerksam zu ihr gewesen sei. Sie sprach auch davon, wie wundervoll ihre Tochter in Glasgow wohnte, und von all den netten Bekannten, die sie dort hätten. Während ihre Zunge weiterplapperte, versuchte Gabriel, alle Erinnerung an den unangenehmen Vorfall mit Miss Ivors aus seinem Gedächtnis zu verbannen. Natürlich, das Mädchen oder die Frau, oder was immer sie war, war für ihre Sache begeistert, aber ein jegliches zu seiner Zeit. Vielleicht hätte er ihr nicht so antworten sollen. Aber sie hatte kein Recht, ihn vor anderen einen Westbriten zu nennen, auch im Scherz nicht. Sie hatte versucht, ihn vor anderen lächerlich zu machen, sie hatte gehechelt und ihn mit ihren Kaninchenaugen angestarrt.

Er sah, wie seine Frau zwischen den Walzer tanzenden Paaren sich den Weg zu ihm bahnte. Als sie bei ihm war, sagte sie ihm ins Ohr:

– Gabriel, Tante Kate möchte wissen, ob du nicht wie immer die Gans schneidest. Miss Daly schneidet den Schinken, und ich mach den Pudding.

– Ja gut, sagte Gabriel.

– Wenn dieser Walzer zu Ende ist, schickt sie zuerst die Jüngeren hinein, so daß wir dann den Tisch für uns haben.

– Hast du getanzt? fragte Gabriel.

– Natürlich. Hast du mich nicht gesehen? Worüber hast du dich mit Molly Ivors gestritten?

– Nicht gestritten. Wieso? Hat sie das gesagt?

– So was ähnliches. Ich versuche, diesen Mr. D'Arcy zum Singen zu kriegen. Er ist sehr eingebildet, glaub ich.

– Wir haben nicht gestritten, sagte Gabriel verdrossen, sie wollte nur, daß ich eine Reise nach Westirland mache, und ich habe ihr gesagt, ich will nicht.

Seine Frau preßte aufgeregt die Hände zusammen und schnellte ein wenig hoch.

– Ach, fahr doch, Gabriel, rief sie. Ich würde Galway liebend gern wiedersehn.

– Du kannst ja fahren, wenn du willst, sagte Gabriel kühl.

Sie sah ihn einen Augenblick an, wandte sich dann an Mrs. Malins und sagte:
– Das nenne ich mir einen netten Mann, Mrs. Malins.
Während sie sich durch das Zimmer zurückschlängelte, erzählte Mrs. Malins, ohne der Unterbrechung zu achten, Gabriel weiter, was für wundervolle Orte es in Schottland gab und was für wundervolle Landschaften. Ihr Schwiegersohn nehme sie jedes Jahr mit zu den Seen, und sie gingen immer angeln. Ihr Schwiegersohn sei ein hervorragender Angler. Eines Tages habe er einen Fisch gefangen, einen wundervollen großen großen Fisch, und der Mann im Hotel habe ihn ihnen zum Abendessen gekocht.
Gabriel hörte kaum zu. Jetzt, da das Essen nahe rückte, dachte er wieder über seine Rede nach und über das Zitat. Als er Freddy Malins quer durch das Zimmer auf seine Mutter zukommen sah, machte er ihm seinen Platz frei und zog sich in die Fensternische zurück. Das Zimmer hatte sich bereits geleert, und aus dem Hinterzimmer kam das Klappern von Tellern und Messern. Die noch im Salon geblieben waren, schienen das Tanzen leid zu sein und unterhielten sich ruhig in kleinen Gruppen. Gabriels warme zitternde Finger pochten gegen die kalte Fensterscheibe. Wie kühl mußte es draußen sein! Wie angenehm wäre es, allein hinauszugehen, erst den Fluß entlang und dann durch den Park! Schnee läge auf den Zweigen und bildete eine helle Kappe oben auf dem Wellington-Denkmal. Wieviel angenehmer wäre es dort als an der Abendtafel!
Er überflog die Stichworte seiner Rede: irische Gastfreundschaft, traurige Erinnerungen, die Drei Grazien, Paris, das Browning-Zitat. Er wiederholte sich einen Satz, den er in seiner Rezension geschrieben hatte: *Man hat das Gefühl, gedankenzerquälter Musik zu lauschen.* Miss Ivors hatte die Rezension gelobt. War sie aufrichtig? Hatte sie wirklich ein eigenes Leben hinter all ihrem Propagandagetue? Bis zu diesem Abend hatte es zwischen ihnen niemals eine Verstimmung gegeben. Es machte ihn nervös, daran zu denken, daß sie an der Abend-

tafel sitzen und, während er sprach, mit ihren kritischen spöttisch prüfenden Augen zu ihm hochsehen würde. Vielleicht täte es ihr nicht leid, wenn seine Rede sich als Fehlschlag erwiese. Ein Gedanke kam ihm und gab ihm Mut. Er würde sagen, in Anspielung auf Tante Kate und Tante Julia: *Meine Damen und Herren, die jetzt dahinscheidende Generation in unserer Mitte mag ihre Fehler gehabt haben, doch ich für mein Teil bin der Meinung, daß sie gewisse Qualitäten der Gastfreundschaft, des Humors, der Menschlichkeit hatte, die mir der neuen und sehr ernsthaften und übergebildeten Generation, die um uns herum aufwächst, abzugehen scheinen.* Sehr gut: das war auf Miss Ivors gemünzt. Was kümmerte es ihn, daß seine Tanten nur zwei ungebildete alte Frauen waren?
Ein Gemurmel im Zimmer lenkte seine Aufmerksamkeit auf sich. Mr. Browne kam aus der Tür und eskortierte galant Tante Julia, die sich auf seinen Arm stützte, lächelte und den Kopf hängen ließ. Auch ein ungleichmäßiges Applaus-Musketenfeuer eskortierte sie bis zum Flügel und verstummte dann allmählich, als Mary Jane sich auf den Hocker niederließ und Tante Julia, die nun nicht mehr lächelte, sich halb umwandte, um ihre Stimme voll in das Zimmer zu richten. Gabriel erkannte das Vorspiel. Es gehörte zu einem von Tante Julias alten Liedern – *Bräutlich geschmückt.* Ihre kräftige und klare Stimme ging die Läufe, die das Lied verzieren, mit großem Elan an, und obwohl sie sehr schnell sang, ließ sie auch nicht die kleinste Verzierungsnote aus. Der Stimme zu folgen, ohne der Sängerin ins Gesicht zu sehen, war, als empfände und teile man die Erregung raschen und sicheren Flugs. Gabriel klatschte wie alle anderen nach Schluß des Liedes laut, und lauter Beifall drang auch von der unsichtbaren Abendtafel her herein. Er klang dermaßen echt, daß Tante Julia eine leichte Röte auf ihrem Gesicht nicht unterdrücken konnte, als sie sich vorbeugte, um das alte, in Leder gebundene Liederbuch, das ihre Initialen auf dem Einband trug, in das Notengestell zurückzulegen. Freddy Malins, der mit schiefem Kopf gelauscht hatte, um sie besser zu hören, klatschte immer noch, als alle ande-

ren aufgehört hatten, und sprach lebhaft auf seine Mutter ein, die zum Zeichen der Zustimmung ernst und langsam mit dem Kopfe nickte. Als er schließlich nicht mehr klatschen konnte, stand er plötzlich auf und eilte durchs Zimmer zu Tante Julia, ergriff ihre Hand, hielt sie in seinen beiden und schüttelte sie, da ihm die Worte ausgingen oder das Stocken in seiner Rede übermächtig wurde.

– Ich habe gerade zu meiner Mutter gesagt, sagte er, daß ich Sie nie so gut singen gehört habe, nie. Nein, noch nie war Ihre Stimme so schön wie heute abend, finde ich. Tja, nehmen Sie mir das ab? Es ist die Wahrheit. Auf Ehr und Gewissen, das ist die Wahrheit. Ich habe Ihre Stimme nie so frisch und so ... so klar und frisch gehört, nie.

Tante Julia lächelte breit und murmelte etwas von Komplimenten, als sie ihre Hand aus seinem Griff befreite. Mr. Browne streckte ihr seine offene Hand entgegen und sagte zu den Umstehenden in der Art eines Conferenciers, der seinem Publikum ein Wunderkind präsentiert:

– Miss Julia Morkan, meine neueste Entdeckung!

Er lachte selber sehr herzhaft darüber, als sich Freddy Malins nach ihm umdrehte und sagte:

– Also Browne, falls Sie's ernst meinen, Sie könnten schlechtere Entdeckungen machen. Ich kann nur sagen, ich habe sie nie halb so gut singen hören, solang ich hierherkomme. Das ist die lautere Wahrheit.

– Ich auch nicht, sagte Mr. Browne. Ich finde, ihre Stimme hat sich bedeutend entwickelt.

Tante Julia zuckte die Achseln und sagte mit sanftmütigem Stolz:

– Vor dreißig Jahren hatte ich im Vergleich gar keine so üble Stimme.

– Ich habe Julia oft gesagt, sagte Tante Kate mit Nachdruck, daß sie in diesem Chor einfach vergeudet worden ist. Aber sie wollte sich das von mir nie sagen lassen.

Sie sah sich um, als wolle sie die Vernunft der anderen gegen ein eigensinniges Kind zu Hilfe rufen, während Tante Julia

vor sich hinblickte und ein unbestimmtes Lächeln der Erinnerung auf ihrem Gesicht spielte.
– Nein, fuhr Tante Kate fort, sie wollte sich das von niemand sagen lassen und auf niemand hören und hat sich in diesem Chor Tag und Nacht abgerackert, Tag und Nacht. Um sechs Uhr früh am Weihnachtsmorgen! Und wofür das alles?
– Nun, doch wohl zur Ehre Gottes, nicht wahr, Tante Kate? fragte Mary Jane, die sich auf dem Klavierhocker umdrehte und lächelte.
Tante Kate drehte sich zornig nach ihrer Nichte um und sagte:
– Über die Ehre Gottes weiß ich genug, Mary Jane, aber ich finde, es ist alles andere als ehrenhaft vom Papst, die Frauen aus den Chören hinauszusetzen, die sich da ihr ganzes Leben lang abgerackert haben, und ihnen kleine Knirpse vor die Nase zu setzen. Wahrscheinlich ist es zum Besten der Kirche, wenn der Papst das macht. Aber es ist nicht gerecht, Mary Jane, und es ist nicht richtig.
Sie hatte sich in Hitze geredet und wäre in der Verteidigung ihrer Schwester fortgefahren, denn es war ein wunder Punkt für sie, aber Mary Jane, die sah, daß alle Tänzer zurückgekommen waren, unterbrach beschwichtigend:
– Also, Tante Kate, du bringst uns in Mißkredit bei Mr. Browne, der zur anderen Konfession gehört.
Tante Kate wandte sich an Mr. Browne, der über diese Anspielung auf seine Konfession grinste, und sagte eilig:
– Oh, ich zweifle gar nicht daran, daß der Papst im Recht ist. Ich bin nur eine dumme alte Frau und würde mich nicht unterstehen. Aber es gibt doch so etwas wie gewöhnliche alltägliche Höflichkeit und Dankbarkeit. Und wenn ich an Julias Stelle wäre, ich würde das Pater Healy geradewegs ins Gesicht sagen ...
– Und außerdem, Tante Kate, sagte Mary Jane, sind wir wirklich alle hungrig, und wenn wir hungrig sind, sind wir alle sehr streitsüchtig.
– Und wenn wir durstig sind, sind wir auch streitsüchtig, setzte Mr. Browne hinzu.

– So daß wir jetzt besser zum Abendessen gehen, sagte Mary Jane, und die Diskussion nachher zu Ende bringen.
Auf dem Treppenabsatz vor dem Salon fand Gabriel seine Frau und Mary Jane dabei, Miss Ivors zuzureden, daß sie doch zum Abendessen bliebe. Aber Miss Ivors, die den Hut aufgesetzt hatte und gerade ihren Mantel zuknöpfte, wollte nicht bleiben. Sie habe überhaupt keinen Hunger und sei bereits zu lange geblieben.
– Nur für zehn Minuten, Molly, sagte Mrs. Conroy. Das hält Sie doch nicht auf.
– Nur auf einen Happen, sagte Mary Jane, nachdem Sie soviel getanzt haben.
– Ich kann wirklich nicht, sagte Miss Ivors.
– Ich fürchte, es hat Ihnen gar nicht gefallen, sagte Mary Jane hoffnungslos.
– Aber wie, ich schwör's, sagte Miss Ivors, doch jetzt müssen Sie mich wirklich gehen lassen.
– Aber wie kommen Sie nach Hause? fragte Mrs. Conroy.
– Es ist doch nur ein paar Schritte den Quay hinauf.
Gabriel zögerte einen Augenblick und sagte:
– Erlauben Sie mir doch, Sie nach Hause zu bringen, wenn Sie unbedingt gehen müssen.
Aber Miss Ivors machte sich von ihnen los.
– Das kommt gar nicht in Frage, rief sie. Um Himmels willen, geht zu eurem Essen und kümmert euch nicht um mich. Ich komme durchaus alleine zurecht.
– Na, Sie sind mir ein komisches Mädchen, Molly, sagte Mrs. Conroy geradeheraus.
– *Beannacht libh,* rief Miss Ivors lachend, während sie die Treppe hinunterrannte.
Mary Jane sah ihr mit verdrossener fragender Miene nach, während sich Mrs. Conroy über das Geländer lehnte, um die Haustür zu hören. Gabriel fragte sich, ob er die Ursache ihres jähen Aufbruchs sei. Schlechter Laune schien sie jedoch nicht gewesen zu sein: sie war lachend davongegangen. Er starrte ratlos die Treppe hinunter.

In diesem Augenblick kam Tante Kate aus dem Eßzimmer gewatschelt und rang vor Verzweiflung fast die Hände.
– Wo ist Gabriel? rief sie. Wo ist Gabriel bloß? Alle warten sie drinnen, die Bühne ist frei, und keiner, der die Gans schneidet!
– Hier bin ich, Tante Kate! rief Gabriel, plötzlich ganz munter, und wenn nötig, schneide ich eine ganze Herde Gänse.
Eine fette braune Gans lag am einen Ende des Tisches, und am anderen Ende lag auf einer Lagerstatt aus geknittertem, mit Petersilienzweigen übersätem Papier ein mit Brotkrumen bestreuter großer Schinken, dessen Außenhaut entfernt und um dessen Knochen eine gefällige Papierkrause gewickelt war, um die herum gewürztes Rindfleisch lag. Zwischen diesen rivalisierenden Tischenden verliefen parallele Reihen von Nebengerichten: zwei kleine Dome aus Gelee, rot und gelb; eine flache Schale mit Blancmanger-Würfeln und roter Konfitüre, eine große grüne blattförmige Schale mit stengelförmigem Griff, auf der rote Weintrauben und geschälte Mandeln lagen, eine dazu passende Schale, auf der ein kompaktes Rechteck aus Smyrnafeigen lag, eine Schale mit Custard und geriebener Muskatnuß obendrauf, eine kleine Schüssel mit Pralinen und anderen Süßigkeiten in goldenem und silbernem Papier sowie eine Glasvase, in der einige lange Selleriestengel staken. In der Mitte des Tisches standen, als Wachtposten vor einer Obstschale, die eine Pyramide aus Apfelsinen und amerikanischen Äpfeln aufrecht hielt, zwei gedrungene altmodische Kristallkaraffen, von denen eine Portwein und die andere dunklen Sherry enthielt. Auf dem geschlossenen Klavier stand in einer riesigen gelben Schüssel ein Pudding in Hab-acht-Stellung, und dahinter befanden sich drei Trupp Stout- und Ale- und Mineralwasserflaschen, zusammengestellt nach den Farben ihrer Uniformen, die ersten beiden schwarz, mit braunen und roten Etiketten, der dritte und kleinste Trupp weiß, mit schrägen grünen Schärpen.
Gabriel nahm kühn am Kopfende des Tisches seinen Platz ein, prüfte die Klinge des Tranchiermessers und steckte seine Gabel

fest in die Gans. Er war jetzt ganz entspannt, denn er verstand sich aufs Schneiden und genoß nichts so sehr, wie am Kopfende eines reich gedeckten Tisches zu sitzen.
– Miss Furlong, was darf ich Ihnen expedieren? fragte er. Flügel oder eine Scheibe Brust?
– Nur eine kleine Scheibe Brust.
– Miss Higgins, was möchten Sie?
– Mir ist es gleich, Mr. Conroy.
Während Gabriel und Miss Daly Teller mit Gans und Teller mit Schinken und gewürztem Rindfleisch weiterreichten, ging Lily von Gast zu Gast mit einer Schüssel heißer mehliger Kartoffeln, die in eine weiße Serviette gewickelt waren. Das war Mary Janes Einfall gewesen, und sie hatte auch Apfelmus zu der Gans vorgeschlagen, doch Tante Kate hatte gesagt, daß einfacher Gänsebraten ohne Apfelmus immer gut genug für sie gewesen sei und sie hoffe, nie Schlechteres essen zu müssen. Mary Jane bediente ihre Schüler und achtete darauf, daß sie die besten Scheiben bekamen, und Tante Kate und Tante Julia öffneten Stout- und Ale-Flaschen für die Herren und Mineralwasserflaschen für die Damen und brachten sie vom Klavier herüber. Es herrschte reichlich Verwirrung und Gelächter und Lärm, der Lärm von Bestellungen und Umbestellungen, von Messern und Gabeln, von Korken und Glasstöpseln. Sobald er mit der ersten Runde fertig war, begann Gabriel zweite Portionen zu schneiden, ohne sich selber etwas zu nehmen. Alle widersprachen laut, so daß er als Kompromiß einen langen Zug Stout nahm, denn bei der Arbeit des Schneidens war ihm heiß geworden. Mary Jane setzte sich still zum Essen nieder, aber Tante Kate und Tante Julia watschelten immer noch um den Tisch, traten einander auf die Fersen, kamen sich in die Quere und gaben einander unbeachtete Anweisungen. Mr. Browne bat sie, sich zu setzen und selber zu essen, und Gabriel tat desgleichen, aber sie sagten, dafür bleibe noch Zeit genug, so daß Freddy Malins schließlich aufstand, Tante Kate griff und unter allgemeinem Gelächter auf ihren Stuhl plumpsen ließ.

Als alle reichlich bedacht waren, sagte Gabriel lächelnd:
– Wenn noch jemand etwas Füllung wünscht, wie das gemeine Volk das nennt, so soll er oder sie es sagen.
Ein Chor von Stimmen forderte ihn auf, nun selber mit dem Essen zu beginnen, und Lily kam herbei mit drei Kartoffeln, die sie für ihn aufgehoben hatte.
– Also gut, sagte Gabriel liebenswürdig, während er einen weiteren vorbereitenden Schluck nahm, dann vergessen Sie bitte ein paar Minuten lang meine Existenz, meine Damen und Herren.
Er machte sich an sein Essen und nahm nicht an der Unterhaltung teil, mit der die Tafel übertönte, wie Lily das Geschirr abräumte. Thema der Unterhaltung war die Operntruppe, die gerade im Theatre Royal gastierte. Mr. Bartell D'Arcy, der Tenor, ein junger Mann mit dunkler Haut und einem forschen Schnurrbart, rühmte in hohen Tönen die erste Altistin der Truppe, aber Miss Furlong meinte, ihr Gesangstil sei ziemlich vulgär. Freddy Malins sagte, im zweiten Teil der Pantomime im Gaiety singe ein Negerhäuptling mit einer der besten Tenorstimmen, die er je gehört habe.
– Haben Sie ihn gehört? fragte er Mr. Bartell D'Arcy über den Tisch hinweg.
– Nein, antwortete Mr. Bartell D'Arcy unaufmerksam.
– Weil es mich nämlich, erklärte Freddy Malins, interessieren würde, Ihre Meinung über ihn zu hören. Ich finde, er hat eine großartige Stimme.
– Es braucht Teddy, daß man erfährt, was wirklich etwas taugt, sagte Mr. Browne ungezwungen zu der Tafel.
– Und wieso kann er denn nicht eine gute Stimme haben? fragte Freddy Malins scharf. Etwa weil er nur ein Schwarzer ist?
Niemand antwortete auf diese Frage, und Mary Jane brachte das Gespräch zurück auf die richtige Oper. Eine ihrer Schülerinnen habe ihr eine Freikarte für *Mignon* gegeben. Es sei natürlich sehr schön gewesen, sagte sie, aber es habe sie an die arme Georgina Burns erinnert. Mr. Browne konnte noch weiter zurückdenken, an die alten italienischen Truppen, die frü-

her immer nach Dublin gekommen waren – Tietjens, Ilma de Murzka, Campanini, die große Trebelli, Giuglini, Ravelli, Aramburo. Das waren Zeiten, sagte er, wo man in Dublin noch richtigen Gesang hören konnte. Er erzählte auch, daß der Olymp des alten Royal Abend für Abend brechend voll gewesen war, daß ein italienischer Tenor eines Abends *Laßt mich fallen als Soldat* fünfmal wiederholt und dabei jedesmal das hohe C geschafft hatte und daß die Jungs auf dem Olymp manchmal in ihrer Begeisterung die Pferde von der Kutsche einer großen Primadonna abspannten und sie eigenhändig durch die Straßen zu ihrem Hotel zogen. Warum gaben sie die großen alten Opern heutzutage nicht mehr, fragte er, *Dinorah, Lucrezia Borgia?* Weil sie keine Stimmen mehr dafür zusammenbekämen: das sei der Grund.

– Ach was, sagte Mr. Bartell D'Arcy, ich glaube, daß es heute genauso viele gute Sänger gibt wie damals.

– Wo sind sie denn? fragte Mr. Browne herausfordernd.

– In London, Paris, Mailand, sagte Mr. Bartell D'Arcy hitzig. Ich vermute, daß Caruso zum Beispiel genauso gut, wenn nicht besser ist als all die Sänger, die Sie erwähnt haben.

– Kann schon sein, sagte Mr. Browne. Aber ich darf Ihnen sagen, ich habe da meine Zweifel.

– Ach, was gäbe ich nicht darum, wenn ich Caruso hören könnte, sagte Mary Jane.

– Für mich, sagte Tante Kate, die an einem Knochen geknabbert hatte, gab es nur einen Tenor. Der mir gefiel, meine ich. Aber wahrscheinlich hat niemand hier je von ihm gehört.

– Wer war das, Miss Morkan? fragte Mr. Bartell D'Arcy höflich.

– Er hieß, sagte Tante Kate, Parkinson. Ich habe ihn gehört, als er auf dem Höhepunkt war, und ich glaube, er hatte damals den reinsten Tenor, der je der Kehle eines Mannes gegeben war.

– Sonderbar, sagte Mr. Bartell D'Arcy. Ich habe noch nicht einmal von ihm gehört.

– Ja, ja, Miss Morkan hat recht, sagte Mr. Browne. Ich er-

innere mich, von dem alten Parkinson gehört zu haben, aber er liegt viel zu weit zurück für mich.
– Ein schöner reiner lieblicher voller englischer Tenor, sagte Tante Kate mit Begeisterung.
Da Gabriel fertig war, wurde der gewaltige Pudding auf den Tisch transferiert. Das Geklapper der Gabeln und Löffel begann von neuem. Gabriels Frau tat Puddingportionen auf die Teller und reichte diese den Tisch hinunter. Auf halbem Wege wurden sie von Mary Jane aufgehalten, die sie mit Himbeer- oder Orangengelee oder mit Blancmanger und Konfitüre auffüllte. Der Pudding war Tante Julias Werk, und sie wurde seinetwegen allseits gelobt. Sie selber sagte, er sei nicht braun genug.
– Na, ich hoffe, Miss Morkan, sagte Mr. Browne, ich bin Ihnen braun genug, denn ich bin ja, nicht wahr, ganz und gar braun.
Alle Herren außer Gabriel aßen aus Höflichkeit Tante Julia gegenüber etwas Pudding. Da Gabriel niemals süße Speisen aß, war der Sellerie für ihn aufgehoben worden. Auch Freddy Malins nahm einen Selleriestengel und aß ihn zu seinem Pudding. Er hatte gehört, daß Sellerie hervorragend fürs Blut wäre, und er befand sich gerade in ärztlicher Behandlung. Mrs. Malins, die während des ganzen Essens geschwiegen hatte, sagte, ihr Sohn fahre in etwa einer Woche nach Mount Melleray. Daraufhin redete die Tafel über Mount Melleray, wie kräftigend die Luft dort unten wäre, wie gastfreundlich die Mönche wären und wie sie nie einen Penny von ihren Gästen verlangten.
– Und Sie wollen wirklich sagen, fragte Mr. Browne ungläubig, man kann da einfach hinfahren und sich einquartieren wie in einem Hotel und herrlich und in Freuden leben, und das kostet einen am Ende keinen Heller?
– Naja, die meisten spenden etwas für das Kloster, wenn sie abreisen, sagte Mary Jane.
– Ich wünschte, wir hätten so eine Einrichtung in unserer Kirche, sagte Mr. Browne ungeniert.
Er war erstaunt, als er hörte, daß die Mönche niemals spra-

chen, um zwei Uhr morgens aufstanden und in ihren Särgen schliefen. Er fragte, wozu sie das machten.
– Das ist die Ordensregel, sagte Tante Kate fest.
– Naja, aber warum? fragte Mr. Browne.
Tante Kate wiederholte, das sei eben die Regel, das sei alles. Mr. Browne schien immer noch nicht zu verstehen. Freddy Malins erklärte ihm, so gut er konnte, daß die Mönche für die Sünden Buße zu leisten suchten, die all die Sünder in der Welt draußen begangen hätten. Die Erklärung war nicht gerade sehr einleuchtend, denn Mr. Browne grinste und sagte:
– Ich finde die Idee ja sehr schön, aber täte nicht ein bequemes Bett mit Sprungfedern dieselben Dienste wie ein Sarg?
– Der Sarg, sagte Mary Jane, soll sie an ihre letzte Stunde gemahnen.
Da das Thema so makaber geworden war, wurde es im Schweigen der Tafel begraben, während dessen man Mrs. Malins undeutlich und gedämpft zu ihrem Nachbarn sagen hören konnte:
– Es sind sehr gute Menschen, die Mönche, sehr fromme Menschen.
Nun wurden die Weintrauben und Mandeln und Feigen und Äpfel und Apfelsinen und Pralinen und Süßigkeiten herumgereicht, und Tante Julia bat alle Gäste, entweder Portwein oder Sherry zu nehmen. Anfangs lehnte Mr. Bartell D'Arcy beides ab, aber einer seiner Nachbarn stieß ihn leicht an und flüsterte ihm etwas ins Ohr, woraufhin er sich sein Glas vollschenken ließ. Als die letzten Gläser vollgeschenkt wurden, verstummte die Unterhaltung langsam. Ein Schweigen trat ein, das nur von dem Geräusch des Weines und dem Rücken der Stühle gestört wurde. Die Jungfern Morkan blickten alle drei auf die Tischdecke hinunter. Jemand hüstelte ein paarmal, und dann klopften einige Herren zum Zeichen, daß nunmehr um Ruhe gebeten wurde, leicht auf den Tisch. Es wurde ruhig, und Gabriel schob seinen Stuhl zurück und stand auf.
Das Klopfen wurde sogleich lauter, zur Ermunterung, und hörte dann ganz auf. Gabriel stützte seine zehn zitternden

Finger auf die Tischdecke und lächelte nervös in die Gesellschaft hinein. Da ihm eine Reihe aufwärts gewandter Gesichter begegnete, hob er die Augen zum Kronleuchter. Der Flügel spielte einen Walzer, und er konnte hören, wie die Röcke die Tür zum Salon streiften. Vielleicht standen jetzt draußen im Schnee auf dem Quay Menschen, spähten zu den erleuchteten Fenstern hinauf und lauschten der Walzermusik. Die Luft dort war rein. In der Ferne lag der Park, wo Schnee auf den Bäumen lastete. Das Wellington-Denkmal trug eine glitzernde Schneekappe, die gen Westen über das weiße Feld von Fifteen Acres funkelte.

Er begann:

– Meine Damen und Herren.

– Es ist mir heute abend, wie in vergangenen Jahren, eine sehr schmeichelhafte Pflicht zugefallen, eine Pflicht indes, der meine mäßige Rednergabe wohl leider allzuwenig gewachsen ist.

– Nein, nein! sagte Mr. Browne.

– Doch wie dem auch sein mag, ich kann Sie heute abend nur bitten, den Willen für die Tat zu nehmen und mir für einige Augenblicke Ihre Aufmerksamkeit zu leihen, während ich mich bemühe, Ihnen in Worten auszudrücken, was ich bei diesem Anlaß empfinde.

– Meine Damen und Herren. Es ist dies nicht das erste Mal, daß wir uns unter diesem gastlichen Dach, um diese gastliche Tafel zusammengefunden haben. Es ist dies nicht das erste Mal, daß wir die Nutznießer – oder vielleicht sollte ich besser sagen: die Opfer – der Gastfreundschaft gewisser vortrefflicher Damen geworden sind.

Er beschrieb mit dem Arm einen Kreis in der Luft und hielt ein. Alle lachten oder lächelten Tante Kate und Tante Julia und Mary Jane zu, die vor Freude tief erröteten. Gabriel fuhr kühner fort:

– Mit jedem neuen Jahr empfinde ich lebhafter, daß unser Land keine Tradition hat, die ihm so zur Ehre gereicht und die es so eifersüchtig hüten sollte wie die seiner Gastfreundlichkeit. Es ist eine Tradition, die unter den heutigen Völkern einmalig dasteht, soweit meine Erfahrung reicht (und ich bin an nicht wenigen Orten im Ausland gewesen). Vielleicht würde der eine oder andere sagen, daß sie bei uns eher eine Schwäche ist als etwas, dessen wir uns brüsten könnten. Doch selbst, wenn wir das einräumen, ist es meiner Meinung nach eine fürstliche Schwäche und eine, die unter uns hoffentlich noch recht lange gehegt und gepflegt wird. In einem Punkt zumindest bin ich sicher. Solange dieses eine Dach die oberwähnten vortrefflichen Damen beherbergt – und ich wünsche von Herzen, daß es das noch viele lange Jahre tun wird –, solange ist auch die Tradition der echten warmherzigen höflichen irischen Gastfreundlichkeit, die unsere Vorväter uns überliefert haben und die wir unsererseits unseren Nachkommen überliefern müssen, noch lebendig bei uns.

Ein herzhaftes Gemurmel der Zustimmung lief um den Tisch. Es schoß Gabriel durch den Kopf, daß Miss Ivors nicht da war und daß sie unhöflicherweise gegangen war: und er sagte mit Selbstvertrauen:

– Meine Damen und Herren.

– Eine neue Generation wächst in unserer Mitte heran, eine Generation, die von neuen Gedanken und neuen Prinzipien geleitet wird. Sie nimmt diese neuen Gedanken ernst und begeistert sich für sie, und ihre Begeisterung ist, wie ich glaube, selbst wo sie irregeleitet ist, im großen und ganzen aufrichtig. Doch wir leben in einer skeptischen und, wenn ich das Wort gebrauchen darf, einer gedankenzerquälten Zeit: und zuweilen habe ich die Befürchtung, daß dieser neuen Generation, gebildet oder übergebildet, wie sie ist, diese Qualitäten der Menschlichkeit, der Gastfreundschaft, des liebenswürdigen Humors, die einer älteren Epoche angehörten, abgehen werden. Als ich heute abend die Namen all jener großen Sänger der Vergangenheit hörte, da kam es mir vor, muß ich gestehen, als lebten wir in einer weniger weiträumigen Zeit. Jene Epoche könnte, ohne Übertreibung, eine weiträumige Epoche genannt werden: und wenn sie auch unwiderruflich dahin gegangen ist, so wollen wir doch wenigstens hoffen, daß wir bei einem Beisammensein wie diesem von ihr auch weiterhin mit Stolz und Liebe sprechen, daß wir im Herzen weiterhin das Gedächtnis an jene toten und von uns gegangenen Großen bewahren, deren Ruhm die Welt freiwillig nicht wird vergehen lassen.

– Bravo! sagte Mr. Browne laut.

– Dennoch, fuhr Gabriel fort und milderte den Ton seiner Stimme, kommen uns immer bei einem Beisammensein wie diesem traurigere Gedanken in den Sinn: Gedanken an die Vergangenheit, an die Jugend, an Veränderungen, an abwesende Gesichter, die wir heute abend hier vermissen. Unser Lebensweg ist mit vielen solchen traurigen Erinnerungen übersät: und grübelten wir ständig über sie nach, so fänden wir das Herz nicht, unerschrocken unter den Lebenden weiter zu wirken. Alle haben wir lebendige Pflichten und lebendige Neigungen, die unsere eifrigen Anstrengungen beanspruchen, und zwar zu Recht beanspruchen.

– Darum will ich nicht bei der Vergangenheit verweilen. Ich will nicht, daß düsteres Moralisieren sich uns hier heute abend aufdrängt. Hier sind wir für eine kurze Weile beisammen, fern von dem Gewühl und der Hetze unseres Alltags. Wir sind als Freunde hier zusammengekommen, im Geiste der Geselligkeit, in gewissem Maße auch als Kollegen, im echten Geist der *camaraderie*, und als Gäste der – wie soll ich sie nennen? – der Drei Grazien der musikalischen Welt von Dublin.

Die Tafel brach bei diesem Geistesblitz in Beifall und Lachen aus. Tante Julia bat in vergeblichem Bemühen der Reihe nach jeden ihrer Nachbarn, ihr zu verraten, was Gabriel gesagt habe.

– Er sagt, wir sind die Drei Grazien, Tante Julia, sagte Mary Jane.

Tante Julia begriff nicht, sah jedoch lächelnd zu Gabriel auf, der in der gleichen Art fortfuhr:

– Meine Damen und Herren.

– Ich will gar nicht erst den Versuch machen, heute abend die Rolle zu spielen, die Paris bei anderer Gelegenheit gespielt hat. Ich will gar nicht erst den Versuch machen, eine Wahl

zwischen ihnen zu treffen. Es wäre ein anmaßendes Unterfangen, und es läge jenseits meiner bescheidenen Kräfte. Denn wenn ich sie mir so der Reihe nach ansehe, unsere Hauptgastgeberin selber, deren gutes Herz, deren allzu gutes Herz unter allen, die sie kennen, sprichwörtlich geworden ist, oder ihre Schwester, die mit ewiger Jugend gesegnet zu sein scheint und deren Gesang heute abend für uns alle eine Überraschung und eine Offenbarung gewesen sein muß, oder, *last but not least,* wenn ich unsere jüngste Gastgeberin bedenke, begabt, heiter, hart arbeitend und die beste Nichte, die man sich nur vorstellen kann, dann, meine Damen und Herren, muß ich gestehen, daß ich nicht wüßte, welcher von ihnen ich den Preis zuerkennen sollte.
Gabriel blickte zu seinen Tanten hinunter, und als er das breite Lächeln auf Tante Julias Gesicht bemerkte und die Tränen, die Tante Kate in die Augen gestiegen waren, beeilte er sich, zum Ende zu kommen. Galant hob er sein Glas Portwein, während alle übrigen Gäste erwartungsvoll an ihren Gläsern fingerten, und sagte laut:
– Trinken wir also auf alle drei zusammen. Trinken wir auf ihre Gesundheit, ihr Gedeihen, ein langes Leben, Glück und Wohlergehen, und daß sie lange die stolze Stellung bewahren, die sie sich in ihrem Berufe selbst errungen haben, und die Ehre und Liebe, die ihnen in unseren Herzen gehören.
Alle Gäste erhoben sich mit dem Glas in der Hand, wandten sich den drei Damen zu, die sitzengeblieben waren, und sangen einstimmig, unter der Leitung von Mr. Browne:

For they are jolly gay fellows,
For they are jolly gay fellows,
For they are jolly gay fellows,
Which nobody can deny.

Tante Kate machte freimütigen Gebrauch von ihrem Taschentuch, und selbst Tante Julia schien bewegt. Freddy Malins schlug mit seiner Puddinggabel den Takt, und die Sänger wandten sich wie in einer melodischen Konferenz einander zu, während sie mit Nachdruck sangen:

Unless he tells a lie,
Unless he tells a lie.

Dann wandten sie sich erneut zu ihren Gastgeberinnen und sangen:

For they are jolly gay fellows,
For they are jolly gay fellows,
For they are jolly gay fellows,
Which nobody can deny.

Der folgende Beifall wurde jenseits der Eßzimmertür von vielen der anderen Gäste aufgenommen und hob immer wieder von neuem an, während Freddy Malins mit seiner hochgereckten Gabel als Obmann amtierte.

. . . .

Die stechende Morgenluft drang in den Flur, wo sie standen, so daß Tante Kate sagte:
– Mach doch jemand die Tür zu. Mrs. Malins holt sich noch den Tod von der Kälte.
– Browne ist draußen, Tante Kate, sagte Mary Jane.
– Browne ist überall, sagte Tante Kate mit gesenkter Stimme.
Mary Jane lachte über ihren Ton.
– Aber er ist doch sehr aufmerksam, sagte sie schalkhaft.
– Er kommt einem ins Haus wie das Gas, sagte Tante Kate im gleichen Ton, die ganze Weihnachtszeit über.
Diesmal lachte sie selber gutmütig und fügte dann schnell hinzu:
– Aber sag ihm, er soll hereinkommen, Mary Jane, und mach die Tür zu. O Gott, hoffentlich hat er mich nicht gehört.
In diesem Augenblick wurde die Haustür weit geöffnet, Mr. Browne kam von der Vordertreppe herein und wollte sich kaputtlachen. Er hatte einen langen grünen Mantel mit Manschetten und Kragen aus einer Astrachan-Imitation an und eine ovale Pelzmütze auf dem Kopf. Er zeigte den verschneiten Quay hinunter, von wo der Klang schrillen anhaltenden Pfeifens hereingetragen wurde.

– Teddy bringt noch alle Dubliner Droschken in Trab, sagte er.
Gabriel trat aus der kleinen Vorratskammer hinter dem Büro, kämpfte sich in seinen Mantel, sah sich im Flur um und sagte:
– Ist Gretta noch nicht unten?
– Sie zieht sich gerade an, Gabriel, sagte Tante Kate.
– Wer spielt denn da oben? fragte Gabriel.
– Niemand. Sie sind alle weg.
– Nein, Tante Kate, sagte Mary Jane. Bartell D'Arcy und Miss O'Callaghan sind noch nicht weg.
– Jedenfalls klimpert jemand auf dem Flügel, sagte Gabriel.
Mary Jane warf einen Blick auf Gabriel und Mr. Browne und sagte fröstelnd:
– Mir wird kalt, wenn ich euch zwei Herren so eingemummelt sehe. Ich möchte eure Heimfahrt zu dieser Stunde nicht vor mir haben.
– Und mir, sagte Mr. Browne mannhaft, wäre im Augenblick nichts lieber als ein schöner muntrer Spaziergang auf dem Land oder eine schnelle Wagenfahrt mit einem guten flinken Traber zwischen den Deichseln.
– Zu Hause hatten wir einen sehr guten Einspänner, sagte Tante Julia wehmütig.
– Der unvergeßliche Johnny, sagte Mary Jane lachend.
Auch Tante Kate und Gabriel lachten.
– Wieso, was war denn Besonderes an Johnny? fragte Mr. Browne.
– Der selige Patrick Morkan, unser Großvater, heißt das, erläuterte Gabriel, in fortgeschrittenen Jahren allgemein als der Alte Herr bekannt, war Leimsieder.
– Aber, aber, Gabriel, sagte Tante Kate lachend, er hatte eine Stärkemühle.
– Naja, Leim oder Stärke, sagte Gabriel, jedenfalls hatte der Alte Herr ein Pferd namens Johnny. Und Johnny arbeitete in der Mühle des Alten Herrn und lief immer im Kreis herum, um die Mühle zu treiben. Soweit schön und gut; aber jetzt kommt der tragische Teil über Johnny. Eines schönen Tages

kam der Alte Herr auf den Gedanken, mit der vornehmen Welt zu einer Militärparade im Park auszufahren.
– Gott sei seiner Seele gnädig, sagte Tante Kate mitleidsvoll.
– Amen, sagte Gabriel. So schirrte der Alte Herr wie gesagt also Johnny an und setzte seinen allerbesten Zylinder auf und legte seinen allerbesten Stehkragen um und kutschierte in großem Stil aus dem Herrensitz seiner Ahnen irgendwo in der Nähe der Back Lane, glaub ich.
Alle, selbst Mrs. Malins, lachten über die Art, wie Gabriel das erzählte, und Tante Kate sagte:
– Aber, aber, Gabriel, er hat doch nun wirklich nicht in der Back Lane gewohnt. Da war nur die Mühle.
– Aus dem Herrensitz seiner Vorväter, fuhr Gabriel fort, lenkte er Johnny und sein Gespann. Und alles verlief prachtvoll, bis Johnny des Denkmals von König Billy ansichtig wurde: und ob er sich nun in das Pferd verliebte, auf dem König Billy sitzt, oder ob er meinte, er wäre wieder in der Mühle, jedenfalls begann er um das Denkmal herumzulaufen.
Gabriel schritt in seinen Galoschen unter dem Gelächter der anderen im Flur im Kreise herum.
– Ein ums andere Mal ging er im Kreis, sagte Gabriel, und der Alte Herr, der ein sehr großspuriger Alter Herr war, war höchlich erbost. *Weiter, Sir! Was soll das heißen, Sir? Johnny! Johnny! Höchst ungewöhnliches Verhalten! Begreife das Pferd nicht!*
Das schallende Gelächter, das Gabriels Wiedergabe des Vorfalls folgte, wurde von lautem Klopfen an der Haustür unterbrochen. Mary Jane lief schnell hin, um sie zu öffnen, und ließ Freddy Malins ein. Freddy Malins, den Hut weit zurückgeschoben und die Schultern vor Kälte hochgezogen, keuchte und dampfte nach seinen Anstrengungen.
– Ich konnte nur eine Droschke auftreiben, sagte er.
– Ach, wir finden schon irgendwo am Quay noch eine, sagte Gabriel.
– Ja, sagte Tante Kate. Besser, wir lassen Mrs. Malins nicht länger im Zug stehen.

Ihr Sohn und Mr. Browne halfen Mrs. Malins die Treppe vor dem Haus hinab und hievten sie nach vielen Manövern in die Droschke. Freddy Malins kletterte nach ihr hinein und verbrachte längere Zeit damit, sie auf ihrem Platz unterzubringen, während Mr. Browne ihm mit Rat zur Seite stand. Endlich war sie bequem untergebracht, und Freddy Malins bat Mr. Browne zu sich in die Droschke. Es gab eine Menge wirres Gerede, und dann stieg Mr. Browne in die Droschke. Der Droschkenkutscher legte sich seine Decke über die Knie und beugte sich herunter, um die Adresse zu erfahren. Die Verwirrung wurde größer, und der Kutscher erhielt verschiedene Anweisungen von Freddy Malins und Mr. Browne, die beide ihren Kopf aus anderen Fenstern der Droschke steckten. Die Schwierigkeit bestand darin, zu ermitteln, wo Mr. Browne unterwegs abgesetzt werden sollte, und Tante Kate, Tante Julia und Mary Jane halfen der Diskussion von der Türschwelle aus mit wechselseitigen Anweisungen und Widersprüchen und reichlichem Lachen nach. Freddy Malins hatte das Lachen der Sprache beraubt. Alle Augenblicke steckte er unter großer Gefahr für seinen Hut den Kopf aus dem Fenster und zog ihn wieder ein, um seine Mutter vom Fortgang der Diskussion zu unterrichten, bis Mr. Browne, das allgemeine Lachen überdröhnend, schließlich dem verdutzten Kutscher zurief:

– Kennen Sie Trinity College?

– Ja, Sir, sagte der Kutscher.

– Gut, fahren Sie knallhart ans Portal von Trinity College, sagte Mr. Browne, und dann sagen wir Ihnen, wie's weitergeht. Haben Sie jetzt kapiert?

– Jawohl, Sir, sagte der Kutscher.

– Also was das Zeug hält zum Trinity College.

– Jawohl, Sir, rief der Kutscher.

Die Peitsche setzte das Pferd in Trab, und zu einem Chor von Lachen und Abschiedsgrüßen rasselte die Droschke über den Quay davon.

Gabriel war nicht mit den anderen zur Tür gegangen. Er stand im dunklen Teil des Flurs und spähte die Treppe hinauf. Eine

Frau stand etwas unterhalb des ersten Treppenabsatzes, auch sie im Schatten. Er konnte ihr Gesicht nicht sehen, aber er sah die terrakottafarbenen und lachsroten Applikationen auf ihrem Rock, die der Schatten schwarz und weiß wirken ließ. Es war seine Frau. Sie lehnte am Geländer und hörte auf etwas. Ihre Reglosigkeit erstaunte Gabriel, und er strengte sein Ohr an, um auch zu lauschen. Aber er konnte wenig hören, außer dem lauten Lachen und Disputieren vor der Haustür, ein paar Akkorden, die auf dem Flügel angeschlagen wurden, und ein paar Tönen, die eine Männerstimme sang.

Er stand reglos in der Düsternis des Flurs, versuchte das Lied zu erkennen, das die Stimme sang, und spähte zu seiner Frau hinauf. In ihrer Haltung lagen Anmut und Geheimnis, als sei sie ein Symbol für irgend etwas. Er fragte sich, wofür eine Frau, die im Schatten auf der Treppe steht und ferner Musik lauscht, wohl ein Symbol sei. Wäre er Maler, so würde er sie in dieser Haltung malen. Ihr blauer Filzhut würde die Bronze ihres Haars von der Dunkelheit abheben, und die dunklen Applikationen auf ihrem Rock würden die hellen abheben. *Ferne Musik* würde er das Bild nennen, wäre er Maler.

Die Haustür wurde geschlossen; und Tante Kate, Tante Julia und Mary Jane kamen, immer noch lachend, den Flur entlang.

– Ist Freddy nicht schrecklich? fragte Mary Jane. Er ist wirklich schrecklich.

Gabriel sagte nichts, sondern zeigte die Treppe hinauf dorthin, wo seine Frau stand. Jetzt, da die Haustür geschlossen war, konnte man Stimme und Flügel deutlicher hören. Gabriel hob die Hand, um um Ruhe zu bitten. Das Lied schien in der alten irischen Tonart gehalten, und der Sänger schien seiner Worte wie seiner Stimme unsicher zu sein. Die Stimme, von ihrer Ferne und der Heiserkeit des Sängers klagend gemacht, illuminierte schwach den Gang des Liedes zu Worten, die Kummer ausdrückten:

Ach, Regen fällt auf mein schweres Haar,
Und der Tau netzt meine Haut,
Mein Kind, es liegt so kalt . . .

– Ach, rief Mary Jane. Bartell D'Arcy singt, und er wollte den ganzen Abend lang nicht. Ich werde ihn dazu kriegen, daß er noch ein Lied singt, ehe er geht.
– Ach bitte, Mary Jane, sagte Tante Kate.
Mary Jane eilte an den anderen vorbei und lief zur Treppe, doch bevor sie sie noch erreichte, hörte der Gesang auf, und der Flügel wurde jäh zugeklappt.
– Ach, wie schade! rief sie. Kommt er runter, Gretta?
Gabriel hörte seine Frau ja sagen und sah sie die Treppe herab auf sie zukommen. Einige Schritte hinter ihr kamen Mr. Bartell D'Arcy und Miss O'Callaghan.
– Ach, Mr. D'Arcy, rief Mary Jane, es ist richtig gemein von Ihnen, so abzubrechen, wo wir Ihnen doch gerade verzückt zugehört haben.
– Ich habe ihm den ganzen Abend über zugesetzt, sagte Miss O'Callaghan, und Mrs. Conroy auch, aber er hat gesagt, er hat eine fürchterliche Erkältung und kann nicht singen.
– Ach, Mr. D'Arcy, sagte Tante Kate, da haben Sie aber ganz schön geflunkert.
– Merken Sie denn nicht, daß ich krächze wie ein Rabe? sagte Mr. D'Arcy schroff.
Er ging schnell in die Kammer und zog sich den Mantel an. Die anderen, verblüfft über seine groben Worte, wußten nicht, was sie sagen sollten. Tante Kate runzelte die Stirn und bedeutete den anderen durch Zeichen, das Thema fallenzulassen. Mr. D'Arcy in der Kammer umwickelte sorgfältig seinen Hals und sah finster drein.
– Es ist das Wetter, sagte Tante Julia nach einer Pause.
– Ja, alle sind erkältet, sagte Tante Kate bereitwillig, alle.
– Es heißt, sagte Mary Jane, daß wir seit dreißig Jahren nicht mehr solchen Schnee gehabt haben; und heute früh habe ich in der Zeitung gelesen, daß es Schneefall in ganz Irland gibt.
– Ich sehe Schnee so gern, sagte Tante Julia wehmütig.
– Ich auch, sagte Miss O'Callaghan. Ich finde, Weihnachten ist nie Weihnachten, wenn kein Schnee liegt.

– Aber der arme Mr. D'Arcy hat nichts für Schnee übrig, sagte Tante Kate lächelnd.
Mr. D'Arcy kam fertig eingemummt und zugeknöpft aus der Kammer und erzählte ihnen in reuigem Ton die Geschichte seiner Erkältung. Alle gaben ihm Ratschläge und sagten, es sei jammerschade, und drangen in ihn, mit seiner Kehle in der Nachtluft ja vorsichtig zu sein. Gabriel beobachtete seine Frau, die sich an dem Gespräch nicht beteiligte. Sie stand unmittelbar unter der staubigen Lünette, und die Gasflamme beleuchtete die satte Bronze ihres Haares, das er sie einige Tage zuvor am Feuer hatte trocknen sehen. Ihre Haltung war immer noch die gleiche, und sie schien der Unterhaltung um sich herum nicht gewahr zu sein. Schließlich wandte sie sich zu ihnen um, und Gabriel sah, daß auf ihren Wangen Farbe war und daß ihre Augen glänzten. Eine jähe Freudenflut sprang in seinem Herzen auf.
– Mr. D'Arcy, sagte sie, wie heißt das Lied, das Sie gesungen haben?
– Es heißt *Die Dirn von Aughrim,* sagte Mr. D'Arcy, aber es war mir nicht mehr richtig gegenwärtig. Wieso? Kennen Sie es?
– *Die Dirn von Aughrim,* wiederholte sie. Ich konnte mich nicht an den Titel erinnern.
– Es ist ein sehr hübsches Lied, sagte Mary Jane. Ich finde es schade, daß Sie heute abend nicht bei Stimme waren.
– Bitte, Mary Jane, sagte Tante Kate, belästige Mr. D'Arcy nicht. Ich will nicht, daß er belästigt wird.
Da sie sah, daß alle aufbruchsbereit waren, brachte sie sie an die Tür, wo man sich gute Nacht wünschte:
– Also gute Nacht, Tante Kate, und vielen Dank für den schönen Abend.
– Gute Nacht, Gabriel. Gute Nacht, Gretta!
– Gute Nacht, Tante Kate, und vielen vielen Dank. Gute Nacht, Tante Julia.
– Ach, gute Nacht, Gretta, ich hatte dich gar nicht gesehen.
– Gute Nacht, Mr. D'Arcy. Gute Nacht, Miss O'Callaghan.
– Gute Nacht, Miss Morkan.
– Nochmals gute Nacht.

– Gute Nacht allerseits. Gute Heimfahrt.
– Gute Nacht. Gute Nacht.
Der Morgen war noch dunkel. Ein stumpfes gelbes Licht brütete über den Häusern und dem Fluß; und der Himmel schien herabzusinken. Der Boden war matschig; und auf den Dächern, auf der Quay-Mauer und den Unterhofgittern lag nur streifen- und batzenweise Schnee. Die Lampen brannten noch rot in der dunkel verhangenen Luft, und jenseits des Flusses hob sich der Palast der Four Courts drohend von dem schweren Himmel ab.
Sie ging vor ihm her mit Mr. Bartell D'Arcy, ihre Schuhe in einem braunen Paket unter einen Arm geklemmt, und ihre Hände rafften ihren Rock vor dem Matsch hoch. Die Anmut ihrer Haltung war dahin, doch Gabriels Augen glänzten noch immer vor Glück. Das Blut jagte hämmernd durch seine Adern; und ein Aufruhr von Gedanken ging ihm durch den Kopf, stolz, freudig, zärtlich, beherzt.
Sie ging vor ihm her, so leicht und so aufrecht, daß es ihn verlangte, ihr lautlos nachzulaufen, sie an den Schultern zu fassen und ihr etwas Törichtes und Liebevolles ins Ohr zu sagen. Sie schien ihm so zerbrechlich, daß es ihn verlangte, sie gegen irgend etwas zu verteidigen und dann mit ihr allein zu sein. Augenblicke ihres geheimen gemeinsamen Lebens barsten wie Sterne in seiner Erinnerung. Ein heliotropfarbener Briefumschlag lag neben seiner Frühstückstasse, und er streichelte ihn mit der Hand. Vögel zwitscherten im Efeu, und das sonnige Gewebe des Fenstervorhangs schimmerte auf dem Boden: er konnte nichts essen vor Glück. Sie standen auf dem vollen Bahnsteig, und er steckte ihr ein Billett in das warme Innere ihres Handschuhs. Er stand mit ihr in der Kälte, und sie schauten durch ein vergittertes Fenster einem Mann zu, der in einem dröhnenden Ofen Flaschen blies. Es war sehr kalt. Ihr Gesicht, duftend in der kalten Luft, war dem seinen ganz nah; und plötzlich rief sie dem Mann am Ofen zu:
– Ist das Feuer heiß, Sir?
Doch der Mann konnte sie bei dem Lärm des Ofens nicht hö-

ren. Es machte nichts. Vielleicht hätte er eine grobe Antwort gegeben.
Eine Woge noch zärtlicherer Freude entsprang seinem Herzen und schoß in warmer Flut durch seine Arterien. Wie das zärtliche Licht von Sternen leuchteten Augenblicke ihres gemeinsamen Lebens, von denen niemand wußte noch jemals wissen würde, in seiner Erinnerung auf und illuminierten sie. Es verlangte ihn, ihr diese Augenblicke ins Gedächtnis zu rufen, sie die Jahre ihres stumpfen gemeinsamen Lebens vergessen zu machen und sie sich nur an ihre Augenblicke der Ekstase erinnern zu lassen. Denn die Jahre, fühlte er, hatten seine und ihre Seele nicht ausgelöscht. Ihre Kinder, seine Schriftstellerei, ihre Haushaltssorgen hatten das zärtliche Feuer ihrer Seelen nicht ganz ausgelöscht. In einem Brief, den er ihr damals geschrieben hatte, hieß es: *Wie kommt es, daß Worte wie diese mir so stumpf und kalt erscheinen? Liegt es daran, daß es kein Wort gibt, welches zärtlich genug wäre, Dein Name zu sein?*
Wie ferne Musik wurden ihm diese Worte, die er Jahre zuvor niedergeschrieben hatte, aus der Vergangenheit zugetragen. Es verlangte ihn, mit ihr allein zu sein. Wenn die anderen gegangen wären, wenn er und sie in ihrem Zimmer im Hotel wären, dann würden sie miteinander allein sein. Er würde ihr leise zurufen:
– Gretta!
Vielleicht würde sie nicht sogleich hören: sie würde beim Ausziehen sein. Dann würde etwas in seiner Stimme ihre Aufmerksamkeit erregen. Sie würde sich umwenden und ihn ansehen ...
An der Ecke Winetavern Street trafen sie auf eine Droschke. Er war froh über ihr Geratter, denn es ersparte ihm die Unterhaltung. Sie blickte aus dem Fenster und schien müde. Die anderen sprachen nur wenige Worte und zeigten bald auf ein Gebäude, bald auf eine Straße. Das Pferd galoppierte träge unter dem dunkel verhangenen Morgenhimmel dahin, zog seinen alten ratternden Kasten hinter seinen Hufen her, und wieder war Gabriel in einer Droschke mit ihr, die dem Fährschiff, die ihren Flitterwochen entgegengaloppierte.

Als die Droschke über die O'Connell Bridge fuhr, sagte Miss O'Callaghan:
– Es heißt, man kann nicht über die O'Connell Bridge fahren, ohne ein weißes Pferd zu sehen.
– Diesmal sehe ich einen weißen Mann, sagte Gabriel.
– Wo? fragte Mr. Bartell D'Arcy.
Gabriel zeigte auf das Denkmal, auf dem Schneebatzen lagen. Dann nickte er ihm familiär zu und winkte mit der Hand.
– Gute Nacht, Dan, sagte er fröhlich.
Als die Droschke vor dem Hotel hielt, sprang Gabriel hinaus und bezahlte den Kutscher, Mr. Bartell D'Arcys Einspruch zum Trotz. Er gab dem Mann einen Shilling über den Fahrpreis. Der Mann grüßte und sagte:
– Ein glückliches Neues Jahr, Sir.
– Ihnen auch, sagte Gabriel herzlich.
Sie lehnte sich einen Augenblick auf seinen Arm, als sie aus der Droschke stieg und während sie am Bordstein stand und den anderen gute Nacht wünschte. Sie lehnte sich ganz leicht auf seinen Arm, so leicht wie einige Stunden zuvor, als sie mit ihm getanzt hatte. Er hatte sich da stolz und glücklich gefühlt, glücklich, daß sie ihm gehörte, stolz auf ihre Anmut und ihr frauliches Wesen. Doch jetzt, nachdem so viele Erinnerungen in ihm von neuem entzündet waren, durchfuhr ihn bei der ersten Berührung ihres Körpers, wie Musik und sonderbar und duftend, ein stechender Schmerz der Begier. Im Schutze ihres Schweigens drückte er ihren Arm fest an sich; und als sie an der Hoteltür standen, hatte er das Gefühl, daß sie ihrem Leben und ihren Pflichten entkommen waren, entkommen ihrem Heim und ihren Freunden, daß sie mit wilden und widerstrahlenden Herzen zu einem neuen Abenteuer davongelaufen waren.
Ein alter Mann döste auf einem großen Nachtwächterstuhl in der Halle. Er zündete in der Loge eine Kerze an und ging ihnen voran zur Treppe. Sie folgten ihm schweigend, und die mit dicken Teppichen belegten Treppen dämpften ihre Tritte. Sie stieg hinter dem Portier die Treppe hinauf, den Kopf vom Steigen gebeugt, die zerbrechlichen Schultern wie unter einer

Last gekrümmt, den Rock eng gerafft. Er hätte die Arme um ihre Hüften schlingen und sie festhalten mögen, denn seine Arme zitterten vor Verlangen, sie zu packen, und nur, indem er seine Nägel in die Handflächen krallte, hielt er den wilden Impuls seines Körpers in Schach. Der Portier blieb auf der Treppe stehen, um seine tropfende Kerze zu richten. Auch sie blieben auf den Stufen unter ihm stehen. In der Stille konnte Gabriel das geschmolzene Wachs auf den Teller fallen und das eigene Herz gegen die Rippen hämmern hören.
Der Portier führte sie einen Korridor entlang und öffnete eine Tür. Dann stellte er seine wacklige Kerze auf einen Toilettentisch und fragte, um welche Zeit sie morgens geweckt werden wollten.
– Acht, sagte Gabriel.
Der Portier zeigte auf den elektrischen Lichtschalter und begann eine Entschuldigung zu stammeln, doch Gabriel unterbrach ihn.
– Wir brauchen kein Licht. Von der Straße kommt Licht genug für uns. Und übrigens, fügte er hinzu und zeigte auf die Kerze, dieses hübsche Ding da könnten Sie auch wieder mitnehmen, seien Sie so gut.
Der Portier nahm seine Kerze wieder, aber langsam, denn der ungewohnte Einfall erstaunte ihn. Dann murmelte er gute Nacht und ging hinaus. Gabriel verriegelte die Tür.
Ein langer Streif geisterhaften Lichts von der Straßenlaterne zog sich von einem Fenster zur Tür. Gabriel warf Mantel und Hut auf eine Couch und ging quer durchs Zimmer zum Fenster hinüber. Er schaute auf die Straße hinab, um seine Erregung etwas abklingen zu lassen. Dann drehte er sich um und lehnte sich mit dem Rücken zum Licht an eine Kommode. Sie hatte Hut und Cape abgelegt, stand vor einem großen Drehspiegel und hakte ihr Mieder auf. Gabriel verhielt sich eine Weile still, während er ihr zusah, und sagte dann:
– Gretta!
Sie wandte sich langsam vom Spiegel fort und kam den Lichtstreif entlang auf ihn zu. Ihr Gesicht sah so ernst und abge-

spannt aus, daß Gabriel die Worte nicht über die Lippen kamen. Nein, es war noch nicht der Augenblick.
– Du sahst müde aus, sagte er.
– Ich bin es auch ein wenig, antwortete sie.
– Du fühlst dich doch nicht krank oder schwach?
– Nein, müde; sonst nichts.
Sie ging weiter zum Fenster, blieb dort stehen und sah hinaus. Gabriel wartete wieder, und dann, da er fürchtete, daß Verzagtheit ihn überkommen würde, sagte er unvermittelt:
– Übrigens, Gretta!
– Was ist?
– Du kennst doch diesen armen Malins? sagte er rasch.
– Ja. Was ist mit ihm?
– Tja, der Arme, er ist doch ein anständiger Kerl, fuhr Gabriel mit verstellter Stimme fort. Er hat mir den Sovereign zurückgegeben, den ich ihm geliehen hatte, ich hatte wirklich nicht damit gerechnet. Schade, daß er diesem Browne nicht von der Seite gewichen ist, denn im Grund seines Herzens ist er gar kein übler Kerl.
Er zitterte jetzt vor Ärger. Warum wirkte sie so geistesabwesend? Er wußte nicht, wie er beginnen sollte. War auch sie wegen irgendetwas verärgert? Wenn sie sich nur zu ihm hinwenden oder von sich aus zu ihm herüberkommen würde! Sie zu nehmen, wie sie war, wäre brutal. Nein, erst mußte er etwas Feuer in ihren Augen sehen. Es verlangte ihn, Herr ihrer sonderbaren Stimmung zu sein.
– Wann hast du ihm das Pfund geliehen? fragte sie nach einer Weile.
Gabriel bemühte sich, nicht in brutale Worte über den albernen Malins und sein Pfund auszubrechen. Es verlangte ihn, sie aus seiner Seele anzurufen, ihren Körper gegen seinen zu pressen, sie zu überwältigen. Doch er sagte:
– Ach, Weihnachten, als er diesen kleinen Weihnachtskartenladen in der Henry Street aufgemacht hat.
Er befand sich in einem solchen Fieber der Wut und Begierde, daß er nicht hörte, wie sie vom Fenster herbeikam. Sie stand

einen kurzen Augenblick vor ihm und sah ihn sonderbar an. Dann reckte sie sich plötzlich auf Zehenspitzen, legte ihre Hände leicht auf seine Schultern und küßte ihn.

– Du bist ein sehr großmütiger Mensch, Gabriel, sagte sie.

Gabriel zitterte vor Freude über ihren plötzlichen Kuß und über die Absonderlichkeit ihres Satzes, legte ihr seine Hände aufs Haar und begann es zurückzustreichen, fast ohne es mit den Fingern zu berühren. Das Waschen hatte es fein und glänzend gemacht. Sein Herz floß über vor Glück. Genau, als er es sich wünschte, war sie von sich aus zu ihm gekommen. Vielleicht waren ihre Gedanken mit den seinen gleichgelaufen. Vielleicht hatte sie das ungestüme Begehren gespürt, das in ihm war, und nun war sie in der Stimmung, nachzugeben. Jetzt, da sie ihm so leicht zugefallen war, fragte er sich, warum er so verzagt gewesen war.

Er stand da und hielt ihren Kopf zwischen seinen Händen. Dann legte er rasch einen Arm um ihren Leib und sagte, während er sie an sich heranzog, sacht:

– Gretta, Liebes, woran denkst du?

Sie antwortete nicht, noch gab sie seinem Arm völlig nach. Er sagte noch einmal sacht:

– Sag mir, woran, Gretta. Ich glaube, ich weiß, was los ist. Weiß ich es?

Sie antwortete nicht gleich. Dann brach sie in Tränen aus und sagte:

– Ach, ich denke an dieses Lied, *Die Dirn von Aughrim*.

Sie riß sich von ihm los, lief zum Bett, warf ihre Arme über die Bettkante und verbarg ihr Gesicht. Gabriel blieb vor Erstaunen einen Augenblick reglos stehen und folgte ihr dann. Als er am Drehspiegel vorbeikam, erblickte er sich selber in ganzer Größe, seine breite, wohlgefüllte Hemdbrust, das Gesicht, dessen Ausdruck ihn immer verwirrte, wenn er ihn in einem Spiegel sah, und seine schimmernde goldgefaßte Brille. Er blieb einige Schritte vor ihr stehen und sagte:

– Was ist mit dem Lied? Warum bringt es dich zum Weinen?

Sie hob den Kopf aus ihren Armen und trocknete wie ein Kind

mit dem Handrücken die Augen. Ein freundlicherer Ton, als er beabsichtigt hatte, kam in seine Stimme.
– Warum, Gretta? fragte er.
– Ich denke an jemand von früher, der dieses Lied oft gesungen hat.
– Und wer war dieser Jemand von früher? fragte Gabriel lächelnd.
– Es war jemand, mit dem ich in Galway bekannt war, als ich bei meiner Großmutter wohnte, sagte sie.
Das Lächeln wich aus Gabriels Gesicht. Von neuem sammelte sich dumpfer Zorn verstohlen in ihm, und die dumpfen Feuer seiner Begier begannen zornig in seinen Adern zu glühen.
– Jemand, in den du verliebt warst? fragte er ironisch.
– Es war ein Junge, mit dem ich bekannt war, antwortete sie, er hieß Michael Furey. Er hat dieses Lied oft gesungen, *Die Dirn von Aughrim*. Er war sehr zart.
Gabriel schwieg. Er wollte nicht, daß sie meine, er interessiere sich für diesen zarten Jungen.
– Ich sehe ihn so deutlich vor mir, sagte sie nach einer kurzen Weile. Was hatte er für Augen: große dunkle Augen! Und was für ein Ausdruck war in ihnen – ein Ausdruck!
– Also dann warst du in ihn verliebt? fragte Gabriel.
– Ich bin oft mit ihm spazieren gegangen, sagte sie, als ich in Galway wohnte.
Ein Gedanke schoß Gabriel durch den Kopf.
– Vielleicht wolltest du darum mit diesem Mädchen, mit Miss Ivors nach Galway fahren? sagte er kalt.
Sie sah ihn an und fragte überrascht:
– Wozu?
Unter ihren Blicken fühlte sich Gabriel verlegen werden. Er zuckte die Achseln und sagte:
– Was weiß ich? Vielleicht um ihn zu sehen.
Sie blickte schweigend von ihm fort den Lichtstreif entlang zum Fenster.
– Er ist tot, sagte sie schließlich. Er starb, als er erst siebzehn war. Ist es nicht furchtbar, so jung zu sterben?

– Was war er? fragte Gabriel, immer noch ironisch.
– Er hat im Gaswerk gearbeitet, sagte sie.
Gabriel fühlte sich gedemütigt durch den Mißerfolg seiner Ironie und durch die Beschwörung dieser Gestalt von den Toten, eines Jungen im Gaswerk. Während er voll gewesen war von Erinnerungen an ihr geheimes gemeinsames Leben, voll von Zärtlichkeit und Freude und Begehren, hatte sie ihn in Gedanken mit einem anderen verglichen. Scham über sich selber überfiel ihn. Er sah sich als eine lächerliche Gestalt, die seinen Tanten wie ein Laufbursche zur Hand ging, einen nervösen wohlmeinenden Sentimentalen, der vulgärem Volk Reden hielt und seine eigenen tollpatschigen Begierden idealisierte, den jämmerlichen einfältigen Kerl, den er im Spiegel einen Moment lang erblickt hatte. Instinktiv drehte er den Rücken mehr zum Licht, damit sie nicht die Scham sähe, die auf seiner Stirn brannte.
Er versuchte, den kalten Verhörston beizubehalten, doch seine Stimme, als er sprach, war bescheiden und gleichmütig.
– Du warst wohl in diesen Michael Furey verliebt, Gretta, sagte er.
– Ich hab mir damals viel aus ihm gemacht, sagte sie.
Ihre Stimme war verschleiert und traurig. Gabriel, der jetzt merkte, wie vergeblich jeder Versuch wäre, sie dorthin zu führen, wohin er sie hatte führen wollen, streichelte eine ihrer Hände und sagte, gleichfalls traurig:
– Und woran ist er so jung gestorben, Gretta? Schwindsucht, ja?
– Ich glaube, er ist meinetwegen gestorben, antwortete sie.
Ein unbestimmter Schrecken überkam Gabriel bei dieser Antwort, als träte in dieser Stunde, da er zu triumphieren gehofft hatte, ein ungreifbares und rachsüchtiges Wesen gegen ihn auf und sammelte in seiner unbestimmten Welt Kräfte gegen ihn. Doch er machte sich mit einer Anstrengung der Vernunft frei davon, schüttelte es ab und streichelte weiter ihre Hand. Er stellte ihr keine Frage mehr, denn er spürte, daß sie ihm von sich aus erzählen würde. Ihre Hand war warm und feucht: sie reagierte nicht auf seine Berührung, aber er streichelte sie wei-

ter, genau wie er an jenem Frühlingsmorgen ihren ersten Brief an ihn gestreichelt hatte.
– Es war im Winter, sagte sie, etwa am Anfang des Winters, in dem ich von meiner Großmutter wegging und hierher ins Kloster kam. Und zu der Zeit war er krank in seinem Mietszimmer in Galway und durfte nicht hinaus, und seine Angehörigen in Oughterard wurden benachrichtigt. Es ginge mit ihm zu Ende, sagten sie, oder so ähnlich. Ich habe es nie genau gewußt.
Sie hielt für einen Augenblick inne und seufzte.
– Der arme Kerl, sagte sie. Er mochte mich sehr gern, und er war so ein sanfter Junge. Wir gingen oft zusammen spazieren, weißt du, Gabriel, wie man das auf dem Land so macht. Er hätte Gesang studiert, wenn er gesund gewesen wäre. Er hatte eine sehr gute Stimme, der arme Michael Furey.
– Ja und dann? fragte Gabriel.
– Und dann, als es für mich Zeit wurde, aus Galway wegzugehen und hierher ins Kloster zu kommen, ging es ihm viel schlechter, und man ließ mich nicht zu ihm, und so schrieb ich ihm, daß ich nach Dublin fahre und im Sommer zurück wäre und hoffte, es würde ihm dann besser gehen.
Sie hielt einen Augenblick inne, um ihre Stimme wieder in die Gewalt zu bekommen, und fuhr dann fort:
– Dann, am Abend vor meiner Abreise, war ich im Haus meiner Großmutter in Nuns' Island beim Packen, und da hörte ich, wie Steinchen gegen das Fenster geworfen wurden. Das Fenster war so naß, daß ich nichts sehen konnte, darum rannte ich so, wie ich war, nach unten und schlüpfte durch die Hintertür in den Garten hinaus, und da stand der arme Kerl hinten im Garten und zitterte vor Kälte.
– Und hast du ihn denn nicht nach Hause geschickt? fragte Gabriel.
– Ich flehte ihn an, sofort nach Hause zu gehen, und sagte ihm, er würde sich im Regen den Tod holen. Aber er sagte, er wolle gar nicht leben. Ich sehe seine Augen ganz, ganz deutlich vor mir! Er stand am Ende der Mauer, wo ein Baum war.

– Und ist er nach Hause gegangen? fragte Gabriel.
– Ja, er ist nach Hause gegangen. Und als ich grade eine Woche im Kloster war, starb er und wurde in Oughterard begraben, wo seine Familie herkam. Ach, der Tag, an dem ich das hörte, daß er tot war!
Sie brach ab, da Weinen ihr die Kehle zuschnürte, und überwältigt von Gefühlen warf sie sich mit dem Gesicht nach unten auf das Bett und schluchzte in die Bettdecke hinein. Gabriel hielt ihre Hand unentschlossen noch einen Augenblick länger, und dann, da er sich scheute, in ihren Schmerz einzudringen, ließ er sie sanft fallen und ging leise zum Fenster.

Sie schlief fest.
Gabriel, auf den Ellbogen gestützt, schaute für eine kurze Weile ohne Groll auf ihr wirres Haar und ihren halboffenen Mund und lauschte ihren tiefen Atemzügen. Diese Romanze also hatte es in ihrem Leben gegeben: ein Mann war um ihretwillen gestorben. Es verursachte ihm jetzt kaum noch Schmerz, daran zu denken, eine wie armselige Rolle er, ihr Mann, in ihrem Leben gespielt hatte. Er betrachtete sie im Schlaf, als hätten er und sie niemals als Mann und Frau zusammengelebt. Seine wißbegierigen Augen ruhten lange auf ihrem Gesicht und auf ihrem Haar: und als er sich vorstellte, wie sie damals gewesen sein mußte, in jener Zeit ihrer ersten mädchenhaften Schönheit, zog ein sonderbares freundliches Mitleid mit ihr in seine Seele ein. Er gestand nicht einmal sich selbst gerne ein, daß ihr Gesicht nicht mehr schön war, doch er wußte, daß dies nicht mehr das Gesicht war, für das Michael Furey dem Tode getrotzt hatte.
Vielleicht hatte sie ihm nicht die ganze Geschichte erzählt. Seine Augen wanderten zu dem Stuhl, über den sie einige ihrer Kleider geworfen hatte. Vom Unterrock baumelte ein Band auf den Boden. Ein Stiefel stand aufrecht, sein schlaffes Oberteil war umgefallen: sein Kamerad lag auf der Seite. Er wunderte sich über den Aufruhr seiner Gefühle eine Stunde zuvor. Wovon war er ausgegangen? Vom Abendessen bei sei-

nen Tanten, von seiner eigenen törichten Rede, von dem Wein und dem Tanz, der Ausgelassenheit, mit der man sich im Flur gute Nacht gesagt hatte, dem Vergnügen des Spaziergangs den Fluß entlang im Schnee. Die arme Tante Julia! Auch sie wäre bald ein Schatten mit dem Schatten Patrick Morkans und seines Pferds. Er hatte für einen Augenblick den eingefallenen Ausdruck ihres Gesichtes bemerkt, als sie *Bräutlich geschmückt* gesungen hatte. Bald, vielleicht, würde er im nämlichen Salon sitzen, in Schwarz gekleidet, den Zylinder auf den Knien. Die Rouleaus wären herabgezogen, und Tante Kate würde neben ihm sitzen, würde weinen und die Nase schneuzen und ihm erzählen, wie Julia gestorben war. Er würde im Geist nach ein paar Worten suchen, die sie trösten könnten, und würde nur lahme und nutzlose finden. Ja, ja: sehr bald schon käme es so.

Die Luft im Zimmer ließ ihn an den Schultern frösteln. Er streckte sich vorsichtig unter die Bettücher und legte sich neben seine Frau. Einer nach dem anderen wurden sie alle zu Schatten. Es war besser, kühn in jene andere Welt hinüberzugehen, in der ganzen Glorie einer Leidenschaft, als kläglich vor Alter zu schwinden und zu verwelken. Er dachte daran, wie sie, die neben ihm lag, so viele Jahre lang das Bild der Augen ihres Liebhabers in ihrem Herzen verschlossen hatte, als er ihr gesagt hatte, daß er nicht mehr leben wolle.

Großmütige Tränen füllten Gabriels Augen. Er hatte keiner Frau gegenüber je Ähnliches empfunden, aber er wußte, daß solch ein Gefühl Liebe sein mußte. Die Tränen strömten ihm dichter in die Augen, und in der teilweisen Dunkelheit glaubte er die Gestalt eines jungen Mannes unter einem triefenden Baum zu sehen. Andere Umrisse waren nahe. Seine Seele hatte sich jener Region genähert, wo die unermeßlichen Heerscharen der Toten ihre Wohnung haben. Er war sich ihrer unsteten und flackernden Existenz bewußt, aber er konnte sie nicht fassen. Seine eigene Identität entschwand in eine graue ungreifbare Welt: die kompakte Welt selbst, die sich diese Toten einstmals erbaut und in der sie gelebt hatten, löste sich auf und verging.

Es pochte ein paarmal leise an die Scheibe, und er wandte sich zum Fenster um. Es hatte wieder zu schneien begonnen. Er beobachtete schläfrig die Flocken, silbern und dunkel, die schräg zum Lampenlicht fielen. Die Zeit war für ihn gekommen, seine Reise gen Westen anzutreten. Ja, die Zeitungen hatten recht: Schneefall in ganz Irland. Schnee fiel überall auf die dunkle Zentralebene, auf die baumlosen Hügel, fiel sacht auf den Bog of Allen, und, weiter gen Westen, fiel er sacht in die dunklen aufrührerischen Wellen des Shannon. Er fiel auch überall auf den einsamen Friedhof oben auf dem Hügel, wo Michael Furey begraben lag. Er lag in dichten Wehen auf den krummen Kreuzen und Grabsteinen, auf den Speeren des kleinen Tors, auf den welken Dornen. Langsam schwand seine Seele, während er den Schnee still durch das All fallen hörte, und still fiel er, der Herabkunft ihrer letzten Stunde gleich, auf alle Lebenden und Toten.

Inhalt

James Joyce
Sein Werk im Suhrkamp Verlag

Werke. Frankfurter Ausgabe. Redaktion Klaus Reichert unter Mitwirkung von Fritz Senn. Sieben Bände in Kassette. Leinen und Leder

Band 1: Dubliner. Deutsch von Dieter E. Zimmer.
Band 2: Stephen der Held. Ein Porträt des Künstlers als junger Mann. Übersetzt von Klaus Reichert.
Band 3.1 und 3.2: Ulysses. 2 Bde. Aus dem Englischen von Hans Wollschläger.
Band 4.1: Kleine Schriften. Aufsätze, Theater, Prosa. Aus dem Englischen von Hiltrud Marschall und Klaus Reichert.
Band 4.2: Gesammelte Gedichte. Englisch und deutsch. Deutsch von Hans Wollschläger und Wolfgang Hildesheimer.
Band 5: Briefe I. 1900-1916. Herausgegeben von Richard Ellmann. Übersetzt von Kurt Heinrich Hansen.
Band 6: Briefe II. 1917-1930. Herausgegeben von Richard Ellmann. Übersetzt von Kurt Heinrich Hansen.
Band 7: Briefe III. 1931-1941. Herausgegeben von Richard Ellmann. Übersetzt von Kurt Heinrich Hansen.

Werkausgabe in sechs Bänden. es 1434-1439

Band 1: Dubliner. Übersetzt von Dieter E. Zimmer. es 1434
Band 2: Stephen der Held. Ein Porträt des Künstlers als junger Mann. Übersetzt von Klaus Reichert. es 1435
Band 3: Ulysses. Aus dem Englischen von Hans Wollschläger. es 1100
Band 4: Kleine Schriften. Übersetzt von Hiltrud Marschall und Klaus Reichert. es 1437
Band 5: Gesammelte Gedichte. Anna Livia Plurabelle. Deutsch von Wolfgang Hildesheimer und Hans Wollschläger. es 1438
Band 6: Finnegans Wake. (Nur in Kassette lieferbar.) es 1439

Einzelausgaben

Anna Livia Plurabelle. Englisch und deutsch. Einführung von Klaus Reichert. Übertragen von Wolfgang Hildesheimer und Hans Wollschläger. BS 253

Anna Livia Plurabelle. Einführung von Klaus Reichert. Übertragen von Wolfgang Hildesheimer und Hans Wollschläger. st 751

Briefe. Ausgewählt aus der von Richard Ellmann edierten dreibändigen Ausgabe von Rudolf Hartung. Deutsch von Kurt Heinrich Hansen. st 253

43/1/3.94

James Joyce
Sein Werk im Suhrkamp Verlag

Briefe an Nora. Herausgegeben und mit einem Vorwort versehen von Fritz Senn. Übersetzt von Kurt Heinrich Hansen. st 1931

Briefe an Sylvia Beach. Herausgegeben von Melissa Banta und Oscar A. Silverman. Aus dem Englischen von Claudia Bodmer und Michel Bodmer. Mit zahlreichen Abbildungen. Leinen

Dubliner. Deutsch von Dieter E. Zimmer. BS 418

Finnegans Wake. Deutsch. Herausgegeben von Klaus Reichert und Fritz Senn. es 1524

Die Katze und der Teufel. Deutsche Übertragung von Fritz Senn. it 1610

Kritische Schriften. Aus dem Englischen von Hiltrud Marschall-Grimminger. BS 313

Penelope. Das letzte Kapitel des ›Ulysses‹. Englisch und deutsch. Übersetzt von Hans Wollschläger. es 1106

Ein Porträt des Künstlers als junger Mann. Übersetzt von Klaus Reichert. BS 350

Stephen der Held. Übersetzt von Klaus Reichert. BS 338

Die Toten. The Dead. Englisch und deutsch. Deutsche Übertragung von Dieter E. Zimmer. Mit Nachworten von Richard Ellmann und Eberhard Späth. BS 512

Ulysses. Aus dem Englischen von Hans Wollschläger. Sonderausgabe. Gebunden

Verbannte. Ein Stück in drei Akten. Mit den Bemerkungen des Autors. Aus dem Englischen von Klaus Reichert. BS 217

Materialien

James Joyces ›Ulysses‹. Neuere deutsche Aufsätze. Herausgegeben von Therese Fischer-Seidel. es 826

Das Dubliner Tagebuch des Stanislaus Joyce. Herausgegeben von George Harris Healy. Deutsch von Arno Schmidt. st 1046

Literatur zu Joyce

Richard Ellmann: James Joyce. Revidierte und ergänzte Ausgabe. Leinen

Richard Ellmann: Odysseus in Dublin. Aus dem Englischen von Claudia Dörmann. Gebunden

Richard Ellmann: Vier Dubliner. Wilde, Yeats, Joyce und Beckett. Aus dem Englischen von Wolfgang Held. Leinen

Stuart Gilbert: Das Rätsel Ulysses. Eine Studie. Ins Deutsche übertragen von Georg Goyert. st 367

43/2/3.94

James Joyce
Sein Werk im Suhrkamp Verlag

Stanislaus Joyce: Das Dubliner Tagebuch des Stanislaus Joyce. Herausgegeben von George Harris Healy. Deutsch von Arno Schmidt. st 1046

Hugh Kenner: Ulysses. Aus dem Englischen von Claus Melchior und Harald Beck. es 1104

Klaus Reichert: Vielfacher Schriftsinn. Zu »Finnegans Wake«. es 1525

43/3/3.94

Englische Literatur in der edition suhrkamp und in den suhrkamp taschenbüchern

Susanne Amrain: So geheim und vertraut. Virginia Woolf und Vita Sackville-West. Erstausgabe. st 2292

James Graham Ballard: Die Betoninsel. Roman. Aus dem Englischen von Herbert Genzmer. st 1953

– Die Dürre. Science-fiction-Roman. Aus dem Englischen von Maria Gridling. PhB 116. st 975

– Der Garten der Zeit. Die besten Science-fiction-Erzählungen. Aus dem Englischen von Michael Walter und anderen. PhB 256. st 1752

– Hallo Amerika! Science-fiction-Roman. Aus dem Englischen von Rudolf Hermstein. PhB 95. st 895

– Hochhaus. Roman. Aus dem Amerikanischen von Michael Koseler. st 1559

– Das Katastrophengebiet. Science-fiction-Erzählungen. Aus dem Englischen von Charlotte Franke und Alfred Scholz. PhB 103. st 924

– Kristallwelt. Roman. Aus dem Englischen übersetzt von Margarete Bormann. PhB 75. st 818

– Der vierdimensionale Alptraum. Science-fiction-Erzählungen. Aus dem Englischen von Wolfgang Eisermann. PhB 127. st 1014

– Die Zeitgräber. Und andere phantastische Erzählungen. Aus dem Englischen von Charlotte Franke. PhB 138. st 1082

Samuel Beckett: Gesammelte Werke in Einzelbänden. Elf Bände in Kassette. st 2401-2411

– Theaterstücke. Dramatische Werke 1. st 2401

– Hörspiele. Filme. Dramatische Werke 2. st 2402

– Murphy. Roman. Aus dem Englischen von Elmar Tophoven. st 2403

– Watt. Roman. Aus dem Englischen von Elmar Tophoven. st 2404

– Mercier und Camier. Roman. Aus dem Französischen von Elmar Tophoven. st 2405

– Molloy. Roman. Aus dem Französischen von Erich Franzen. st 2406

– Malone stirbt. Roman. Aus dem Französischen von Elmar Tophoven. st 2407

– Der Namenlose. Roman. Aus dem Französischen von Elmar Tophoven. st 2408

– Wie es ist. Aus dem Französischen von Elmar Tophoven. st 2409

– Erzählungen. st 2410

– Szenen und Prosa. st 2411

– Endspiel. Fin de partie. Endgame. Deutsche Übertragung von Elmar Tophoven. Französische Originalfassung. Englische Übertragung von Samuel Beckett. st 171

115/1/8.94

Englische Literatur in der edition suhrkamp und in den suhrkamp taschenbüchern

Samuel Beckett: Glückliche Tage. Happy Days. Oh les beaux jours. Deutsche Übertragung von Erika und Elmar Tophoven. Englische Originalfassung. Französische Übertragung von Samuel Beckett. st 248

– Das letzte Band. La dernière bande. Krapp's Last Tape. Deutsche Übertragung von Erika und Elmar Tophoven. Englische Originalfassung. Französische Übertragung von Samuel Beckett. Mit Szenenphotos. st 200

– Warten auf Godot. En attendant Godot. Waiting for Godot. Deutsche Übertragung von Elmar Tophoven. Vorwort von Joachim Kaiser. st 1

E. F. Benson: Der Mann, der zu weit ging. Gespenstergeschichten. Aus dem Englischen von Michael Koseler. PhB 310. st 2305

Algernon Blackwood: Rächendes Feuer. Phantastische Erzählungen. Ausgewählt von Kalju Kirde. Aus dem Englischen von Friedrich Polakovicz. Erstausgabe. st 2227

Tania Blixen: Ehrengard. Aus dem Englischen von Fritz Lorch. Mit einem Nachwort von Brigitte Kronauer. st 1770

– Moderne Ehe und andere Betrachtungen. Aus dem Dänischen von Walter Boehlich. Mit einem Nachwort von Hanns Grössel. st 1971

Edward Bond: Männergesellschaft (In the Company of Men). Aus dem Englischen von Brigitte Landes. es 1913

Charlotte Brontë: Jane Eyre. Eine Autobiographie. Aus dem Englischen von Helmut Kossodo. Mit einem Essay und einer Bibliographie herausgegeben von Norbert Kohl. st 2342

Antonia Byatt: Besessen. Roman. Aus dem Englischen von Melanie Walz. st 2376

Bernard Crick: George Orwell. Ein Leben. Aus dem Englischen von Friedrich Polakovics unter Mitwirkung von Harald Raykowski. st 1778

T. S. Eliot: Werke. Vier Bände in Kassette. st 1561/1562/1567

– Band 1: Die Dramen. Sweeney. Agonistes. Mord im Dom. Der Familientag. Die Cocktail Party. Der Privatsekretär. Ein verdienter Staatsmann. st 1561

– Band 2 und 3: Essays I und II. Herausgegeben von Helmut Viebrock. st 1562

– Band 4: Gesammelte Gedichte 1909-1962. Herausgegeben und mit einem Nachwort versehen von Eva Hesse. Zweisprachig. 2., revidierte Auflage mit einem neuen Nachwort. st 1567

Henry Green: Der Butler. Roman. Aus dem Englischen von Walter Schürenberg. Mit einem Nachwort von Jürgen Manthey. st 1880

115/2/8.94

Englische Literatur in der edition suhrkamp und in den suhrkamp taschenbüchern

Henry Green: Gesellschaftsreise. Roman. Aus dem Englischen von Gerhard Vorkamp. st 1972
– Liebesspiele. Roman. Deutsch von Werner Horch. st 1803

Michael Ignatieff: Asja. Roman. Aus dem Englischen von Werner Schmitz. st 2332

Robert Irwin: Der arabische Nachtmahr oder die Geschichte der 1002. Nacht. Roman. Übersetzt und vorgestellt von Annemarie Schimmel. st 2266

James Joyce: Werkausgabe in sechs Bänden. es 1434-1439
– Band 1: Dubliner. Übersetzt von Dieter E. Zimmer. es 1434
– Band 2: Stephen der Held. Ein Porträt des Künstlers als junger Mann. Übersetzt von Klaus Rechert. es 1435
– Band 3: Ulysses. Aus dem Englischen von Hans Wollschläger. es 1100
– Band 4: Kleine Schriften. Übersetzt von Hiltrud Marschall und Klaus Reichert. es 1437
– Band 5: Gesammelte Gedichte. Anna Livia Plurabelle. Deutsch von Wolfgang Hildesheimer und Hans Wollschläger. es 1438
– Band 6: Finnegans Wake. (Nur in Kassette lieferbar.) es 1439
– Anna Livia Plurabelle. Einführung von Klaus Reichert. Übertragen von Wolfgang Hildesheimer und Hans Wollschläger. st 751
– Briefe. Ausgewählt aus der von Richard Ellmann edierten dreibändigen Ausgabe von Rudolf Hartung. Deutsch von Kurt Heinrich Hansen. st 253
– Briefe an Nora. Herausgegeben und mit einem Vorwort versehen von Fritz Senn. Übersetzt von Kurt Heinrich Hansen. st 1931
– Finnegans Wake. Deutsch. Herausgegeben von Klaus Reichert und Fritz Senn. es 1524
– Penelope. Das letzte Kapitel des ›Ulysses‹. Englisch und deutsch. Übersetzt von Hans Wollschläger. es 1106

Stanislaus Joyce: Das Dubliner Tagebuch des Stanislaus Joyce. Herausgegeben von George Harris Healy. Deutsch von Arno Schmidt. st 1046

Flann O'Brien: Aus Dalkeys Archiven. Roman. Aus dem Englischen von Harry Rowohlt. st 2143
– Der dritte Polizist. Roman. Aus dem Englischen von Harry Rowohlt. st 1810
– Das harte Leben. Roman. Aus dem Irischen übertragen von Annemarie Böll und Heinrich Böll. st 2196

115/3/8.94

Englische Literatur in der edition suhrkamp und in den suhrkamp taschenbüchern

Flann O'Brien: Irischer Lebenslauf. Eine arge Geschichte vom harten Leben. Herausgegeben von Myles na Gopaleen. Aus dem Irischen ins Englische übertragen von Patrick C. Power. Aus dem Englischen ins Deutsche übertragen von Harry Rowohlt. Illustrationen von Ralph Steadman. st 986

Bernard Shaw: Gesammelte Stücke in Einzelausgaben. 14 Bände. Herausgegeben von Ursula Michels-Wenz. st 1850-1863

– Band 1: Die Häuser des Herrn Sartorius. Komödie in drei Akten. / Frau Warrens Beruf. Stück in vier Akten. Deutsch von Harald Mueller und Martin Walser. st 1850

– Band 2: Helden. Candida. Deutsch von Wolfgang Hildesheimer (Helden) sowie von Annemarie Böll und Heinrich Böll (Candida). st 1851

– Band 3: Der Teufelsschüler. Man kann nie wissen. Komödie in vier Akten. Deutsch von Hans Günther Michelsen und Harald Müller. Begleittexte deutsch von Ursula Michels-Wenz. st 1852

– Band 4: Cäsar und Cleopatra. Historisches Drama. Deutsch von Annemarie Böll und Heinrich Böll. Mit Begleittext des Autors. st 1853

– Band 5: Mensch und Übermensch. Komödie in vier Akten. Deutsch von Annemarie Böll und Heinrich Böll. Mit dem Brief an Arthur Bingham Walkley. st 1854

– Band 6: Major Barbara. Komödie in drei Akten. Deutsch von Helene Ritzerfeld. st 1855

– Band 7: Des Doktors Dilemma. Eine Tragödie. Deutsch von Hans Günter Michelsen. st 1856

– Band 8: Heiraten. Eine Debatte. Deutsch von Dieter Hildebrandt. st 1857

– Band 9: Falsch verbunden. Komödie in drei Akten. Deutsche Erstausgabe in der Übersetzung von Alissa und Martin Walser. Mit der Vorrede des Autors »Eltern und Kinder«. st 1858

– Band 10: Pygmalion. Deutsch von Harald Mueller. st 1859

– Band 11: Haus Herzenstod. Eine Phantasie englischer Themen nach russischer Manier. Deutsch von Hans Günther Michelsen. Mit einer Vorrede des Autors und einer Nachbemerkung. st 1860

– Band 12: Die heilige Johanna. Dramatische Chronik in sechs Szenen und einem Epilog. Deutsch von Wolfgang Hildesheimer. st 1861

– Band 13: Der Kaiser von Amerika. Eine politische Extravaganz. Deutsch von Annemarie Böll und Heinrich Böll. Mit der Vorrede des Autors und einem Interview. st 1862

115/4/8.94